Michael Dibdin

Anglais, Michael Dibdin est né en 1947. Sa vie est marquée par plusieurs exils : d'abord au Canada, où il poursuit des études commencées en Angleterre puis monte une petite entreprise de décoration ; ensuite en Italie, à Pérouse, où il part enseigner l'anglais après avoir publié en 1978 un premier roman remarqué par la critique, *The Last Sherlock Holmes Story.* C'est en 1988, lorsque son troisième roman intitulé *Pièges à rats* obtient le Gold Dagger Award, que la reconnaissance de son talent lui est pleinement assurée. Ainsi, en 1994, *Cabale* a reçu en France le grand prix de la Littérature policière. Parmi les romans policiers qu'il a depuis publiés, neuf ont été traduits en français et la plupart ont pour cadre l'Italie : *Vendetta* (1991), *Lagune morte* (1996), *Cosí fan tutti* (1998), *Vengeances tardives* (1999). Michael Dibdin est aussi l'auteur de deux anthologies du crime.

Aujourd'hui considéré comme l'un des plus grands auteurs anglophones de romans policiers, Michael Dibdin vit actuellement à Seattle aux États-Unis.

MICHAEL DIBDIN

ORAGE DE SANG

Traduit de l'anglais
par Serge Quadruppani

CALMANN-LÉVY

Titre original anglais :

BLOOD RAIN

Remerciements

Comme tant de choses dans la vie publique et politique italienne, ce livre est une œuvre de fiction. Il est cependant basé, dans une certaine mesure, sur la réalité, et n'aurait pas vu le jour sans l'aide de mes nombreux amis et contacts en Sicile. J'aimerais tout particulièrement remercier le dottor Domenico Percolla, de la questure de Catania, Karen Bass, Livia Borghese, Michael Burgoyne, Kirk Petterson, Jonathan Raban, Guido Ruotolo, Alexander Stille et, par-dessus tout, mon épouse Kathrine.

Catane — Seattle — Rome, février 1999.

ISBN : 2-266-10357-1

À Paolo Bartoli

Tannu lu veru amicu chiancirai
Quannu lu perdi e nun lu vidi cchiui

« Sans la Sicile, l'Italie ne laisse aucune impression claire et durable ; cet endroit est la clé de tout. »

GOETHE, *Voyage en Italie,*
Palerme, le 13 avril 1787

I

1

En ces premiers temps où l'affaire semblait aussi limpide que la mer au lever du soleil, tout paraissait devoir se résumer à cette question : où, quand et comment le train avait-il été « maquillé » ? Ce ne fut que bien plus tard qu'Aurelio Zen en vint à comprendre que le train avait été inventé de toutes pièces, qu'il n'avait jamais existé.

Mais à ce moment-là, les faits semblaient aussi tangibles et matériels que le train lui-même : un convoi de quatorze wagons de fret, mis en quarantaine sur une des voies de garage entourant les hangars à locomotives de la Piazza delle Americhe, sur le bord de mer, dans les quartiers nord de Catane. L'endroit où le corps avait été retrouvé relevait territorialement de la *provincia di Catania,* et donc de la juridiction des autorités de cette ville. Jusque-là, pas de problème. D'un point de vue bureaucratique, cependant, le facteur essentiel était de déterminer le lieu et l'heure exacts du crime — s'il s'agissait bien d'un crime. Comme toutes les personnes concernées n'allaient pas tarder à l'apprendre, aucune de ces questions n'était susceptible de trouver une réponse simple ou rapide.

Même si les rapports fournis par les autorités ferroviaires avaient été complets et plausibles — et nulle personne sensée n'aurait songé à se fonder sur une telle hypothèse —, seuls quelques faits dépourvus d'ambiguïté en émergeaient. Le premier était que le train avait quitté Palerme à 14 h 47, le 23 juillet. Initialement, il était composé de sept wagons, parmi lesquels trois étaient vides et entamaient un long trajet de retour vers leur dépôt, à Catane. Les autres étaient chargés de produits divers, bouteilles de vin vides ou bidons d'engrais. On n'avait pu clairement établir à quel usage était initialement destiné le « wagon de la mort », comme les médias l'avaient surnommé.

Après s'être traîné bruyamment le long de la côte nord jusqu'à l'embranchement de Castello, le train avait viré vers les terres, suivant la vallée d'un fleuve jusqu'au centre de l'île, éloigné de tout et largement dépeuplé. Là, toujours en supposant que les rapports laconiques de la *Ferrovie dello Stato* étaient fiables, il avait disparu du paysage officiel pendant la majeure partie de la semaine.

Lorsqu'il réapparut le 29 juillet, à l'embranchement de Caltanissetta-Xirbi, le convoi comptait douze wagons, dont certains — ou peut-être tous — des sept qui avaient quitté initialement la capitale de l'île. Il y avait eu, apparemment, pas mal d'arrêts et de départs, de triages et de débarquements au cours du long et lent trajet sur cette ligne à voie unique qui traversait les paysages désolés de l'intérieur de la Sicile. Personne n'était vraiment pressé d'arriver où que ce soit, et le personnel responsable du convoi avait tendance à prendre des décisions au pied levé, inspirées par le seul pragmatisme, à l'égard de la composition et de l'emploi du temps des trains de fret de ce type, sans importuner leurs supérieurs avec de moindres détails. Qu'un wagon vide ait pu être détaché ou attelé çà et là, afin de maintenir la charge au niveau de ce que l'antique locomotive diesel pouvait tracter sur les pentes raides du centre de l'île, ne méritait pas d'être notifié aux cadres dirigeants de la compagnie, à Palerme. Pas plus que ces derniers n'eussent été contents d'être informés de telles vétilles, tant il était bien connu qu'ils avaient mieux à faire que de s'acquitter de leur tâche.

En tout cas, le train, dans sa nouvelle composition — quelle qu'elle fût —, avait poursuivi sa route, via Caltanissetta et Canicattì, vers la côte, avant de se diriger vers l'est, s'accroissant au passage de trois (ou peut-être quatre) wagons supplémentaires et en perdant un autre (ou peut-être deux) pour former le convoi qui stagnait à présent sur une voie de garage isolée à Catane, sa destination prévue depuis le début.

Pourtant, selon les dépositions ultérieures du conducteur et de son assistant, le train avait été arrêté par un aiguilleur non loin de la gare désaffectée de Passo Martino, située au sud de Catane, et dévié vers une voie de garage où il avait stationné plusieurs heures. Ceci, selon ce qu'ils affirmaient qu'on leur avait dit, en raison de travaux de réparations urgents sur un pont, plus loin au nord. L'aiguilleur finit par leur signifier que la voie était libre et le convoi termina son parcours sans autres incidents, le 1er août vers 20 heures.

Ce fut seulement deux jours plus tard que les bureaux de la compagnie des chemins de fer de Catane reçurent le coup de téléphone. Le correspondant avait une voix douce et distinguée, mais son accent était inconnu du fonctionnaire de service. Apparemment, il souhaitait signaler une nuisance publique sous forme d'un wagon plein de denrées en train de pourrir et garé sur une voie de garage à Passo Martino. L'odeur, affirmait-il, était épouvantable et, avec la chaleur et les miasmes habituels qui émanaient des marais, la situation exaspérait tous les riverains. Il fallait agir, et vite.

L'employé des chemins de fer transmit fidèlement le message à son supérieur. Normalement, Maria Riesi aurait ignoré la requête, en tant qu'énième appel loufoque d'un excentrique grognon. Mais elle était toute contente, étant donné les circonstances, d'y trouver un prétexte pour sortir de son étouffant bureau et conduire, les fenêtres grandes ouvertes et le nouvel album de Carmen Consuela à fond dans les haut-parleurs, le long de l'*autostrada* puis d'une route de campagne qui serpentait au-delà du fleuve et de la voie ferrée, et enfin d'un chemin qui la mènerait à la gare isolée. Elle ne crut pas un instant qu'elle y trouverait quoi que ce soit, mais cela n'avait aucune importance. L'appel avait été dûment consigné et noté : en se rendant sur les lieux pour enquêter, elle ne faisait tout simplement que son travail.

À sa grande surprise, il y avait bien un wagon, immobilisé sur des rails rouillés et presque invisibles sous des buissons de thym sauvage parfumé et des cactus rabougris. Il y avait d'autres odeurs, moins agréables, ainsi qu'une nuée de mouches. Le soleil dardait ses rayons avec une sorte de stridence, chaque surface renvoyant sa chaleur comme en écho. Maria Riesi se mit à marcher sur le quai à demi éboulé en direction de la masse rouillée du wagon.

Par routine, la première chose qu'elle contrôla fut le récépissé, placé dans un support à côté de la portière. Ce document indiquait Palerme comme provenance du wagon et Catane comme destination. Ce n'était qu'un gribouillis, mais le contenu du wagon semblait être indiqué comme étant un lot de « citrons », et le récépissé avait été tamponné à l'encre rouge de la mention « Périssable ». À en juger par les essaims de mouches et la puanteur, le contenu du wagon, quel qu'il fût, n'était pas seulement périssable mais carrément périmé. Cela ne surprit pas Maria, qui savait fort bien que les denrées périssables n'étaient habituellement pas transportées dans ce type de wagon. Il ne restait qu'à découvrir leur nature exacte, et si possible leur provenance, avant de rédiger un rapport insipide et de transmettre le dossier à la direction régionale de Palerme. À eux de décider quelles têtes devraient tomber.

Même en se juchant sur la pointe des pieds, Maria ne pouvait atteindre la poignée de la portière. Or, bien que petite, elle ne manquait ni de ressources ni de force. Cela faisait des années que la gare avait été abandonnée, mais l'un des chariots à bagages utilisés pour décharger les marchandises et les valises se trouvait toujours là, dans un coin du quai infesté de mauvaises herbes. La poignée de l'engin était appuyée contre le mur d'une remise. Maria marcha jusqu'au chariot et, au prix de rudes efforts, parvint à le déplacer et à le traîner jusqu'au wagon décroché. Elle se hissa sur le plancher en bois du chariot, son chemisier en soie taché de sueur, et, à force de peser de tout son poids sur le levier qui coinçait la portière, elle réussit à enfoncer cette dernière.

Tout le monde s'accorda à dire, par la suite, qu'elle en avait fait plus qu'on n'était en droit d'attendre d'elle dans de telles circonstances. Et que ce n'était pas sa faute si elle s'était vomi dessus. L'autopsie eut lieu le soir même ; dans une tente de l'armée hâtivement dressée à l'autre bout du quai, bien à l'écart du groupe de policiers, de magistrats et de journalistes. Les restes avaient été retirés du wagon un peu plus tôt par des infirmiers vêtus de combinaisons en plastique et équipés de masques à gaz. Si les résultats de l'examen ne furent guère concluants, cela était dû davantage à l'état de décomposition du corps qu'au souhait, bien compréhensible, du médecin légiste d'en finir au plus vite. Tout ce qu'il put dire, et qui se fondait sur un examen visuel préliminaire des larves de mouches présentes, était que la victime était morte depuis au moins une semaine.

Bien que le corps eût été découvert dans la province de Catane, l'enquête consécutive était, sur le plan procédural, de la responsabilité des forces de police ayant juridiction dans la province où avait eu lieu le décès. Dans le cas présent, ce point était extrêmement discutable. Au cours de ses pérégrinations à travers la Sicile, le train était passé par les provinces de Palerme, de Caltanissetta, de Palerme à nouveau, d'Agrigente, de Caltanissetta (bis), de Syracuse et finalement de Catane. Six juridictions pouvaient ainsi prétendre enquêter sur « le drame de Limina », pour employer l'appellation journalistique qui ne tarda pas à être donnée à cette affaire. Le parcours du wagon dans lequel le cadavre avait été découvert ne pouvait pas être retracé avec certitude au fil des nombreux arrêts (qui n'avaient laissé que des traces écrites très parcellaires) qu'avait effectués le train. Et même si on y était parvenu, l'endroit où il s'était transformé en « wagon de la mort » demeurait inconnu.

Rien de tout cela n'aurait eu d'importance, bien sûr, s'il n'y avait eu l'identification provisoire de la victime. Bien au contraire, chaque service de police local n'aurait été que trop heureux de refiler une telle affaire, embrouillée et peu prometteuse, à celui d'une province voisine. Un vagabond avait dû monter dans le train de marchandises à un point quelconque de la voie. Il avait peut-être en tête un but particulier, ou peut-être ne cherchait-il qu'à aller un peu plus loin. Selon une autre hypothèse, la victime fuyait

14

quelque chose ou quelqu'un et avait eu besoin de recourir à un mode de transport clandestin.

Malheureusement pour elle, la portière de chargement du wagon qu'elle avait choisi s'était refermée après son intrusion. Peut-être s'était-elle enfermée elle-même, par surcroît de sécurité, sans se rendre compte qu'on ne pouvait l'ouvrir de l'intérieur. Ou peut-être qu'un coup de frein brutal avait suffi à provoquer la fermeture, voire tout simplement la force de gravité de l'une des pentes que le train avait escaladées lors de son trajet dans les montagnes.

Dans tous les cas, la porte s'était fermée, coinçant l'intrus dans le wagon. À cette époque de l'année, la température dans la journée dépassait largement les trente degrés, même sur la côte. À l'intérieur du wagon métallique hermétique, immobilisé pendant plusieurs jours de suite sous la chaleur du soleil, un thermomètre, s'il y en avait eu un, aurait indiqué des températures voisines de quarante-cinq degrés.

Piégée dans ce four, la victime n'avait d'autre ressource que ses mains nues. Ses pieds aussi étaient nus, et plus nus encore lorsqu'on découvrit le cadavre — dénudés jusqu'à l'os, à vrai dire. La chair avait été écorchée et broyée, les ongles arrachés au cours des vaines tentatives de l'homme pour attirer l'attention en martelant les parois du wagon, puis pour enfoncer la portière. Pas d'empreintes digitales, donc. Il ne restait pas non plus grand-chose du visage, qu'il avait heurté à plusieurs reprises contre une poutrelle de renfort, en un effort frénétique d'autodestruction qui en disait long sur l'atrocité du supplice qu'il avait ainsi cherché à abréger.

Les poches de la victime étaient parfaitement vides, ses vêtements dépourvus d'étiquettes. En l'absence de tout autre élément d'information, il aurait été presque impossible de l'identifier s'il n'y avait eu ce mystérieux gribouillis à la rubrique « Contenu » du récépissé du wagon : on finit par le déchiffrer comme étant non pas *limoni* (« citrons ») mais *Limina*. Ce fut ce détail qui conduisit les autorités de Catane à être investies de l'affaire, car la famille Limina dirigeait l'un des principaux clans mafieux de cette ville et la rumeur disait que Tonino, fils aîné et héritier présomptif, avait disparu depuis plus d'une semaine.

2

La femme était debout au coin du bar, sous une vitrine dans laquelle étaient exposées plusieurs coupes de football en plaqué or ou argentées, des photographies de la châsse de sainte Agathe et un miroir où étaient inscrits ces mots, en anglais : *Délicieux Coca-Cola dans le monde la boisson la plus rafraîchissante.* Elle était en train de siroter un cappuccino tout en dégustant par petites bouchées régulières un gâteau fourré à la ricotta sucrée. Âgée d'une vingtaine d'années, elle portait une robe de lin vert et de coûteuses sandales à hauts talons. Sa chevelure brune, rehaussée de reflets blonds et liée par un ruban blanc, tombait doucement sur sa nuque avant de se répandre sur ses épaules en une luxuriante crinière.

Nulle part ailleurs en Italie une telle scène n'aurait attiré l'attention de qui que ce soit, même une seconde, alors qu'ici elle semblait susciter une préoccupation générale, voire un scandale. Car, alors que le bar était plein de marchands et de clients du marché qui se tenait sur la *piazza* voisine, cette femme était l'unique représentante de son sexe dans l'établissement.

Personne, cependant, ne soulignait l'anomalie que

constituait sa présence par des commentaires bien sentis, des regards durs ou un service nonchalant. Tout au contraire, elle était servie avec une telle courtoisie, un tel respect que c'en était presque embarrassant, alors que les habitués étaient quant à eux traités sans façon. Tandis que ceux-ci participaient en égaux au concert endiablé des conversations masculines, guettant l'occasion de placer un solo, elle avait droit à des égards apparemment pleins de respect mais qui l'excluaient de fait. Sa requête que son café tiède soit réchauffé fut accueillie par un cri empressé : *« Subito, signorina ! »* Lorsqu'elle sortit une cigarette, une main se tendit et un briquet se matérialisa avant qu'elle ait eu le temps de trouver le sien — comme une parodie de scène de séduction dans un vieux film.

Mais, même si l'ambiance de déférence à son égard était si marquée qu'elle en devenait presque accablante, on n'aurait pu la décrire comme étant cordiale. Les autres clients s'étaient regroupés à l'autre bout du bar ou avaient reculé vers la porte ou les fenêtres, créant une zone d'exclusion virtuelle autour de cette femelle esseulée. Ils parlaient, de manière fort peu caractéristique, à voix basse et la bouche souvent couverte, l'air de rien, par une main tenant une cigarette ou brossant nerveusement une moustache. Pour une raison ou pour une autre, cette femme qui n'avait rien d'exceptionnel semblait être considérée comme l'équivalent humain d'une bombe prête à exploser.

Lorsque l'homme arriva, la tension indéfinie mais bien palpable se relâcha quelque peu. On eût dit que l'un des problèmes que posait la présence de la femme était désormais neutralisé, même si d'autres subsistaient. Le nouveau venu n'était à l'évidence pas un type du coin, quoique son nez proéminent, en forme de proue, aurait pu laisser suggérer quelque lien atavique avec le tronc génétique grec qui se manifestait de temps en temps dans les parages, à l'instar des coulées de lave déversées par le volcan enneigé qui dominait la ville. Mais son accent, la pâleur de son teint, son maintien rigide et surtout sa taille — il dominait d'une tête toutes les autres personnes présentes dans la pièce — indiquaient très clairement qu'il n'était pas sicilien.

À première vue, lui et la femme auraient fort bien pu n'avoir d'autres liens que des relations ou des rivalités professionnelles ; on aurait pu croire qu'ils s'étaient rencontrés par hasard en allant boire le café du matin. Mais cette hypothèse fut immédiatement réduite à néant par un geste si rapide et si naturel qu'il aurait facilement pu passer inaperçu : l'homme tendit la main vers la nuque de la femme et retourna l'étiquette qui dépassait de sa robe.

— *A lei, dottor Zen !* annonça le barman d'une voix qui aurait pu — ou pas — être destinée à atténuer la politesse de la formule.

D'un geste à la fois triomphal et nonchalant, il posa sur le comptoir un double espresso et un gâteau fourré aux raisins, aux pignons et à la pâte d'amandes. Zen but une gorgée de son café brûlant, ce qui provoqua un bref tressaillement de sa tête vers l'arrière, puis il tira vers lui le journal que la femme était en train de lire. « Wagon de la mort : des traces à Palerme », tel était le gros titre qui ornait la une. Aurelio Zen tapota à trois reprises le journal du bout de l'index gauche.

— Alors ? demanda-t-il en regardant sa compagne dans les yeux.

La femme fit un geste des deux mains, comme si elle pesait un sac empli d'une matière fluide mais lourde, telle que le sel ou la farine.

— Pas ici, dit-elle.

Et en effet, le bar était subitement devenu étrangement calme, comme si toutes les conversations et controverses qui jusque-là se disputaient la prééminence sonore venaient juste de se conclure en même temps. Aurelio Zen se tourna pour faire face à l'assemblée des clients et les dévisagea un par un, d'un air qui semblait rappeler à chacun d'entre eux qu'il avait à discuter d'urgentes et primordiales matières avec ses voisins de table. Une fois le brouhaha ambiant rétabli, Zen se retourna pour entamer son petit déjeuner.

— Tu adoptes les coutumes locales, dit-il entre deux bouchées de gâteau.

— Simple bon sens, c'est tout, répondit la femme un peu sèchement. Ils savent tout de nous, mais nous n'avons pas la moindre idée de ce qu'ils font.

Zen termina son café et commanda un verre d'eau minérale pour se rincer le palais, englué dans le sucre.

— Si on se met à raisonner comme ça, on devient dingue.

— Et si on raisonne autrement, on se fait tuer.

Zen renifla.

— Ne te surestime pas, Carla. Ni toi ni moi n'allons nous faire tuer. Nous ne sommes pas assez importants.

— Pas pour représenter une menace, certes. Mais nous sommes assez importants pour que notre mort tienne lieu de message.

Elle désigna le journal et ajouta :

— Comme lui.

— Que veux-tu dire ?

La femme ne répondit pas. Zen finit son gâteau et s'essuya les lèvres à l'aide d'une serviette en papier prise dans un distributeur métallique.

— On y va ? dit-il en déposant deux billets de banque sur le comptoir.

Dehors, sur la Piazza Carlo Alberto, le marché de Fera o Luni était en pleine activité. Zen et sa fille adoptive, Carla Arduini, en avaient fait leur lieu de rendez-vous dès qu'elle avait débarqué en Sicile, un mois plus tôt, chargée par sa société turinoise d'informatiser les services de la Direzione Investigativa Antimafia à Catane. Cette piazza était située à peu près à mi-chemin entre le commissariat de police central, où Zen travaillait, et le Palazzo di Giustizia, où Carla se démenait avec les difficultés qu'il y avait à créer un réseau destiné à être à la fois totalement sécurisé et interactif avec les autres services locaux de la DIA en Sicile ou ailleurs.

Depuis son arrivée dans la ville, Zen avait pris l'habitude de laisser la fenêtre de sa chambre ouverte, de telle manière qu'il était éveillé vers 5 heures par le pépiement des oiseaux et les aboiements des chiens, juste à temps pour observer le spectacle stupéfiant du lever de soleil sur la baie de Catane : une luminosité intense et lointaine, comme si la mer elle-même était en feu, telle une poêle pleine d'huile. Ce jour-là, il avait ensuite pris une douche, s'était habillé, avait avalé une tasse de café maison, était sorti de l'immeuble et s'était mis à marcher vers le nord, entre les rangées de jardins suspendus ornés de citronniers, de cactus géants et de palmiers visibles de l'extérieur.

Vers 7 heures, il arriva devant l'une des gargotes à toit conique de la Piazza Carlo Alberto qui vendaient des boissons non alcoolisées ; il y commanda un *spremuta d'arancia*. En fait, il n'eut pas besoin de passer commande. Le propriétaire de l'établissement, qui avait repéré la haute silhouette de Zen marchant à grands pas sur la piazza, était déjà en train de couper des oranges sanguines, les plaçant une à une dans son antique pressoir en bronze avant de remplir un verre d'un jus rose orangé clair. Zen le vida d'un trait puis se dirigea vers le café où il savait que l'attendait Carla. Tout cela était très rassurant, comme les rites de la famille qu'il n'avait jamais eue.

Lorsqu'il sortit du café en compagnie de Carla, le ciel émettait une implacable lumière éblouissante qui n'était qu'un avant-goût du brasier à venir plus tard dans la journée, lorsque chaque surface réceptrice contribuerait à la profusion anarchique des sources de chaleur, renvoyant l'énergie absorbée pendant les heures d'exposition au soleil de midi.

Une femme qui avait l'air d'avoir cent ans était en train de griller des poivrons rouges et jaunes sur un brasero de charbon de bois, tout en proférant à voix basse une sorte d'imprécation ou de malédiction. Derrière leurs étals de bois disposés en rangées sur la place, des marchands aux visages déformés en masques rituels marmonnaient leur boniment en une litanie incessante, comme s'ils récitaient leur rosaire — lorsqu'ils n'aboyaient pas pour vanter leur marchandise en d'âpres accès de rhétorique, tel le Messager annonçant dans une pièce antique une indicible catastrophe, indescriptible en langage ordinaire. Ces propos dûment proférés, ils cédaient la scène à un voisin et redevenaient les hommes quelconques qu'ils étaient, fixant tristement les denrées dont ils venaient de chanter les louanges jusqu'à ce qu'il fût temps, à nouveau, de reprendre le masque tragique et d'annoncer, par une série de cris perçants à vous retourner les sangs, que les petits artichauts bien dodus étaient à sept cent cinquante lires le kilo.

Et pas seulement les artichauts. À peu près chaque forme de produits et de biens connus de l'homme était en vente quelque part sur la piazza, et ceux qui n'étaient pas exposés — comme les femmes, ou les kalachnikovs AK-47 dans leur emballage d'origine — étaient disponibles plus discrètement dans les rues avoisinantes. Zen et Carla traversèrent le secteur des bouchers et charcutiers, un étalage sans vergogne qui disait en fait ceci :

« Ce sont des animaux morts. Nous les élevons, nous les tuons et puis nous les mangeons. S'ils ont de la fourrure ou une belle peau, nous les portons aussi, mais pour cela il faut aller à l'autre bout de la piazza. »

Et c'est là qu'ils se trouvaient à présent, loin des vendeurs spécialisés dans les olives et les poivrons, le fenouil et les choux-fleurs, les tomates et la laitue. Ici, tout était vêtements, quincaillerie, produits ménagers, bimbeloterie kitsch ou bric-à-brac, et un nombre significatif de marchands étaient des immigrés *extracomunitari* clandestins, venus de Libye, de Tunisie et d'Algérie. Une forme de racisme tacitement accepté était à l'œuvre : les gens du coin n'auraient pas acheté de nourriture à ces métèques, mais ils étaient très contents de leur acheter des chaussettes, des ouvre-boîtes ou des tournevis, dès lors que le prix en était intéressant.

— Que disais-tu au sujet du cadavre du train ? demanda Aurelio Zen alors qu'ils franchissaient les limites du marché et émergeaient dans des rues où régnait un silence saisissant.

Carla jeta un coup d'œil circulaire avant de répondre.

— La rumeur qui court dans les toilettes des femmes prétend qu'il ne s'agit pas du tout du jeune Limina, en fait.

Ils marchèrent en silence jusqu'à la Via Umberto, là où ils avaient pour habitude de se séparer.

— Quel est le juge qui s'occupe de cette affaire ? demanda Zen.

— Une femme du nom de Nunziatella. Prénom : Corinna.

— Tu la connais ?

— On s'est rencontrées deux ou trois fois, et elle a l'air de m'apprécier, mais j'essaie bien évidemment de ne pas me trouver sur son chemin. Une modeste technicienne comme moi n'est pas supposée se mêler du travail des juges, sauf stricte nécessité du service.

Zen sourit puis embrassa la femme brièvement sur les deux joues.

— *Buon lavoro,* Carla.

— Toi aussi, papa.

Zen descendit la Via Umberto jusqu'à la Via Etnea, l'artère principale de la ville. En traversant, il jeta comme toujours un bref coup d'œil à droite, vers la masse coiffée de neige de l'Etna, surplombant la ville telle une gigantesque et cauchemardesque pustule. Après cela, il ne lui restait qu'une courte et agréable marche le long d'une petite rue tranquille jusqu'à la piazza où était située la questure.

Ayant gratifié d'un hochement de tête le garde armé dans sa guérite pare-balles, Zen pénétra dans le bâtiment et gravit l'escalier qui menait à son bureau : une pièce vaste et fraîche au premier étage de cet élégant palazzo du XVIIIe siècle qui avait été une banque, et qui abritait à présent le quartier général de la police de Catane. De hautes fenêtres donnaient sur un balcon avec vue sur la rue. Les murs étaient ornés de photographies de Carla Arduini et de la signora Zen ainsi que d'une affiche encadrée, intitulée *Venezia forma urbis,* un grand collage de photos aériennes formant un plan précis et évocateur de la ville natale de Zen.

Il n'avait jamais pris auparavant la peine de

personnaliser ses « quartiers temporaires » de la sorte, et s'il l'avait fait, c'est qu'il avait accepté, non sans réticence, l'idée que ceux-ci n'étaient pas si temporaires que ça. Or, Zen avait toutes les raisons de penser qu'il resterait coincé à Catane jusqu'à la fin de sa carrière.

La proposition qui lui avait été faite à Rome par un célèbre metteur en scène, connu du lecteur sous le nom de Giulio[1], avant la visite de Zen au Piémont, s'était révélée aussi fourbe que ses flatteries. Zen avait été très officieusement avisé qu'un corps d'élite était en train d'être constitué pour en finir une bonne fois pour toutes avec la Mafia et que lui, Zen, avait été, à la suite de son « triomphe antiterroriste » à Naples, choisi pour appartenir à ce groupe très select, malgré les risques et inconvénients notoires, parfois fatals, d'un poste en Sicile. Le marché qu'il avait conclu alors stipulait que, en contrepartie de l'aide de Zen dans l'affaire Aldo Vincenzo, les contacts de Giulio au ministère de l'Intérieur feraient en sorte qu'il ne soit pas muté dans l'un des points chauds de l'île, mais dans un petit coin tranquille, à l'écart de l'action. Syracuse avait été suggérée comme étant l'une de ces possibilités : une ville « possédant tout le charme et la beauté de la Sicile sans être si fastidieusement sicilienne », comme l'avait dit Giulio de façon si encourageante.

Mais cette promesse s'était presque entièrement révélée fallacieuse. D'abord, le « nouveau corps d'élite » n'existait pas, ou plutôt existait déjà sous forme de la Direzione Investigativa Antimafia, créée en 1996 par le juge Giovanni Falcone en collaboration avec le ministre de la Justice de l'époque, Claudio Martelli. Aurelio Zen n'avait pas été invité à rejoindre ce groupe, ce qui n'avait rien de surpre-

1. Voir du même auteur *Vengeances tardives,* Pocket, n° 11020.

nant, étant donné que le groupe en question était constitué de jeunes volontaires pleins d'enthousiasme et d'énergie, provenant des trois corps de police distincts du pays. Néanmoins, Zen était bien destiné à être muté en Sicile, avait-il appris peu après son retour à Rome, à la suite de la conclusion erronée à laquelle il était arrivé dans l'affaire Vincenzo. Avec quelles attributions ? C'est ce qui restait pour l'heure des plus ambigu.

— Pour l'essentiel, vous devez agir en tant que médiateur, lui avait dit son supérieur immédiat avant son départ de Rome. La DIA est en train d'accomplir, dans l'ensemble, un travail admirable, cela va sans dire. Néanmoins, il y a en haut lieu le sentiment croissant que, comme toutes les unités d'élite, elle fait parfois preuve d'une regrettable et peut-être périlleuse tendance à... comment dire ? Un certain degré de myopie professionnelle. Il y a eu des situations, certaines très récentes, où l'on a eu le regret de constater qu'elle agissait sans en référer au préalable et dans l'apparente ignorance des problèmes plus larges qui sont en cause.

Le haut fonctionnaire fit une pause, attendant la réaction de Zen. Finalement, s'étant rendu compte qu'il n'y en aurait pas, il avait poursuivi :

— Les facteurs susmentionnés étant pris en considération, il a été décidé au niveau ministériel de déployer une équipe de cadres mûrs et expérimentés, tels que vous, pour assurer une liaison directe avec les membres de la Polizia Statale affectés à la DIA. Votre rôle consistera d'abord à nous envoyer des rapports ici, au Viminal, sur la nature et l'ampleur des initiatives de la DIA, tant en cours que planifiées, ensuite à observer les réactions de tous les personnels locaux à l'égard des directives gouvernementales qui s'ensuivront, et enfin à en informer

Rome, le tout dans la perspective d'activer une application efficace et non problématique de la politique officielle. Vous avez compris ?

Zen ne comprenait que trop bien : on lui demandait de faire l'espion. Le poste de directeur de chaque branche locale de la DIA était attribué à tour de rôle à un représentant de l'un des trois corps de police y participant, chacun de ces corps devant répondre devant un ministère différent à Rome : Défense, Finances et Intérieur. La nouveauté, avec la DIA, tenait à ce qu'elle avait été mise sur pied initialement comme une force conjointe entre les trois corps, et qu'elle avait été spécifiquement conçue pour fonctionner indépendamment de toute interférence ministérielle.

À cette époque, à la suite du bain de sang déclenché par le clan de Corleone et les assassinats du général Dalla Chiesa et des juges Falcone et Borsellino, il aurait été impensable, sur le plan politique, d'essayer de limiter ou de contrôler cette indépendance. Mais les temps avaient changé. La Mafia avait apparemment été brisée, la plupart de ses principaux *capi* étaient emprisonnés ou se terraient, et il n'y avait pas eu de vague de violence à grande échelle depuis plusieurs années. À l'évidence, une ou plusieurs personnes pensaient à Rome que le moment était propice pour mettre au pas ce service trop efficace et semi-indépendant. Même l'opinion publique semblait commencer à estimer que c'en était assez. Où tout cela allait-il mener ? Allait-on faire renaître l'Inquisition ?

Ce fut dans ce nouveau climat de consensus officieux qu'Aurelio Zen avait été envoyé au Sud, non pas à Syracuse mais à Catane, deuxième ville de l'île et bastion de différents clans mafieux qui, de longue date, n'appréciaient guère la puissance, la réputation et l'influence de leurs rivaux — et parfois alliés peu accommodants — de Palerme. Le bureau de la DIA responsable de *la provincia di Catania* était dirigé par un colonel du corps militaire des carabiniers dont la loyauté ultime, en cas de conflits interministériels, allait à ses supérieurs du ministère de la Défense. Les nouveaux nommés, pour des raisons politiques, au ministère rival de l'Intérieur, souhaitaient avoir leur propre homme sur place, et leur choix était tombé sur Aurelio Zen — un policier dépourvu d'ambition et profondément compromis.

Superficiellement, Zen était forcé de l'admettre, ce n'était pas un boulot pourri. Toutes les semaines, chaque bureau de la DIA transmettait un rapport strictement confidentiel à sa direction romaine. Grâce à un contact très haut placé au sein de cette direction, des copies de ces rapports étaient fournies au ministère de l'Intérieur au mont Viminal — en même temps, sans doute, qu'aux deux autres ministères intéressés. Le lundi suivant, une transcription de la partie du rapport concernant la province de Catane arrivait sur le bureau de Zen. Son titre officiel était « officier de liaison », et il était censé agir comme une sorte d'oncle de substitution envoyé par le nouveau ministre en poste à Rome, plus « proche » de ses subordonnés. Son véritable travail consistait à élargir et à rectifier les extraits des documents réduits à l'essentiel de la DIA, au cours de conversations informelles avec les sept officiers de la Polizia Statale travaillant pour la DIA locale.

Il les emmenait boire un café ou une bière, il les invitait parfois au restaurant, soi-disant pour discuter de leurs problèmes personnels et les informer des plans de retraite, de la couverture médicale, des possibilités de carrière ultérieures et ainsi de suite. Puis, à un certain point de la conversation, il évoquait l'un des faits engrangés par sa lecture attentive du rapport de la DIA datant de la semaine précédente, d'une manière qui suggérait qu'il respectait ses collègues plus jeunes, vu le travail important et dangereux qu'ils accomplissaient, et qu'il souhaitait être informé de quelques détails supplémentaires. Ces derniers lui étaient alors généralement dévoilés. Comme tout un chacun, les contacts de Zen adoraient bavarder, dénigrer et potiner au sujet de leur travail, sauf que dans leur cas c'était impossible, coincés qu'ils étaient en territoire ennemi. Mais il y avait un supérieur, appartenant à leur propre corps, homme de sagesse et de discrétion, trié sur le volet par les autorités romaines afin de s'occuper de leur bien-être personnel et professionnel. S'ils ne pouvaient se fier à lui, à qui donc faire confiance ?

Ce jour-là, Zen déjeunait avec Baccio Sinico, un inspecteur âgé d'une trentaine d'années, en poste en Sicile depuis près de trois ans, d'abord à Trapani puis à Catane, et souhaitant à présent être muté dans sa ville natale, Bologne. Cela plaçait Zen dans une situation encore plus embarrassante. La demande de mutation de Sinico était parfaitement en ordre et aurait déjà été exaucée sans l'intervention de Zen. De tous ses contacts au sein de la DIA, Sinico s'était révélé être, et de loin, le moins inhibé et le plus informatif ; et Zen ne voulait pas le perdre. En même temps, il comprenait et approuvait totalement le désir de rentrer chez soi qui animait cet homme.

Ce n'était pas tant que cela une question de danger physique, s'était-il rendu compte, même si ce danger était bien réel. Au cours de leurs conversations, Zen avait senti que Sinico avait d'autres doléances, d'emblée plus vagues et plus troublantes. Bien que la Sicile fasse partie de l'Italie, et donc de l'Europe, ce n'était pas l'impression qui prévalait sur place. À tout moment, dans les paroles comme dans les actes des indigènes, on discernait le sentiment d'être coupé du monde moderne, du *continente,* ainsi que les Siciliens désignaient l'Italie continentale. Il en résultait une singulière arrogance insulaire, réaction naturelle au fait qu'ils avaient été ignorés et exploités pendant des siècles par ceux, quels qu'ils fussent, qui s'étaient trouvés être aux postes dirigeants dans l'île.

Baccio Sinico souffrait d'une réaction négative vis-à-vis de cette mentalité, comme peut-être Zen lui-même lorsqu'il se réveillait à 3 ou 4 heures dans les ténèbres de son appartement, sans raison apparente, et ne parvenait pas à se rendormir. Ça finira mal, songeait-il alors, debout devant sa fenêtre ouverte tandis que la fumée de sa cigarette s'éloignait doucement, portée par la brise maritime qui modérait, la nuit venue, les rigueurs diurnes du soleil méridional. Tout était calme et douceur, mais un vieil instinct, profondément enfoui dans son cortex, ne s'en laissait pas compter. Ça finira mal, lui disait-il, avec toute l'autorité d'une source désintéressée et bien informée. Ça finira mal.

3

Le trajet jusqu'à son lieu de travail lui sembla être, comme toujours, une grossière parodie de son existence tout entière : une version en bande dessinée, une caricature de la vie qu'elle menait désormais.

À 7 h 55, le ululement des sirènes, porté par une brise matinale née dans la mer Ionienne, était déjà audible au loin et augmentait sans cesse, au fur et à mesure qu'il se rapprochait de sa cible. Au moment précis où l'heure sonnait au clocher d'une église voisine, le bruit atteignit son paroxysme avant de se calmer, juste devant l'immeuble où elle vivait.

— Un, deux, trois, quatre, cinq..., compta-t-elle à voix basse.

Lorsqu'elle arriva à dix, le téléphone se mit à sonner.

— *Tu proverai si come sa di sale lo pane altrui,* annonça une voix.

— *E com'è duro calle lo scendere e'l salir per l'altrui scale,* répliqua Corinna Nunziatella avant de raccrocher.

Comme d'habitude, elle se demanda quel ironique génie avait choisi ces vers fameux de Dante sur l'amertume de l'exil en guise de phrase codée pour annoncer l'arrivée de ses gardes du corps : « Tu découvriras combien le pain des autres est salé et comme il est dur de descendre et de monter les escaliers des autres. »

Avant d'être nommée à son poste actuel, Corinna avait passé un an à Florence, où elle avait compris que le poète s'était exprimé de manière fort littérale : le pain toscan manquait cruellement de sel, et elle le trouvait insipide. Ce pauvre Dante, exilé au nord de l'Apennin, avait à l'évidence été consterné par la découverte quotidienne que l'aliment le plus commun y était différent. Même sans s'apitoyer le moins du monde sur elle-même, Corinna ne pouvait s'empêcher de songer à l'amertume, plus éprouvante encore, de sa propre situation : née et éduquée en Sicile, elle se trouvait pourtant être à présent une exilée dans son propre pays, incapable de descendre et de monter son propre escalier sans un garde armé.

On frappa à la porte, ce qui annonçait l'arrivée de ce dernier. Corinna s'en assura en regardant par l'œilleton du panneau blindé de la porte avant d'ouvrir celle-ci en soupirant. Ce matin, son ange gardien personnel était Beppe, un grand échalas, un bellâtre qui essayait toujours de se montrer familier tandis qu'ils descendaient les marches ensemble, elle en tailleur sombre ajusté et chaussures pratiques, et lui dans sa tenue de combat camouflée agrémentée d'une mitraillette et de sa bandoulière en cuir.

— Quelle belle journée ! dit-il pour ouvrir la conversation.

— Oui.

— Mais pas aussi belle que vous, signorina Nunziatella.

— Ça ira comme ça, Beppe.

— Excusez-moi, dottoressa, mais vous vous attendez à quoi ? Je me retrouve à cinq cents kilomètres de chez moi, coincé dans une caserne sordide avec d'autres pauvres types qui font leur service militaire, je risque ma vie tous les jours pour protéger la plus belle femme que j'aie jamais vue ! Vous avez déjà entendu parler de ce qu'on appelle le « syndrome de Stockholm », où les otages sympathisent avec les preneurs d'otages et auteurs d'enlèvement ? C'est un cas similaire. Quand on y pense, j'ai été kidnappé par le système, que vous représentez, dottoressa, alors c'est pas surprenant que je sois tombé amoureux de vous...

Mais ils venaient d'atteindre la porte d'entrée, et Beppe devait accomplir sa mission. Il alluma l'émetteur glissé dans une poche de son ceinturon et échangea des paroles énigmatiques et truffées de parasites avec ses camarades. Puis il compta lentement jusqu'à cinq, ouvrit en grand la porte et conduisit vivement Corinna au-dehors. Les deux autres gardes avaient pris position de chaque côté des trois berlines Fiat qui s'étaient garées au pied de l'immeuble — devant lequel aucun autre véhicule n'était autorisé à stationner, même un instant — et scrutaient anxieusement la rue en toutes directions, leurs armes automatiques au poing, prêts à faire feu.

Corinna parcourut en courant la courte distance qui la séparait de la deuxième voiture, dont la portière arrière était ouverte, prête à la recevoir. Beppe, qui l'avait suivie, claqua la portière et frappa de la paume le toit de l'automobile. Immédiatement, le convoi transportant la juge Nunziatella et son escorte lourdement armée démarra en trombe, les sirènes à fond et les gyrophares bleus en action, comme pour attirer l'attention des bons citoyens sur le fait qu'un haut dignitaire de l'État sous le coup d'une condamnation à mort — un de plus — passait par là avec toute la panoplie de la force impuissante de l'État italien.

Le palais de justice, situé Piazza Verga, était un

ouvrage monumental datant de la période fasciste et occupant tout un pâté de maisons. Juste devant l'entrée principale se dressait l'énorme statue d'une femme couronnée, représentant la justice censée être administrée en ce lieu. L'une de ses mains, déployée, était surmontée d'un homme nu et épanoui, tandis que, sur l'autre main, un personnage similaire se cachait le visage, de peur ou de honte. Ces deux figures étaient plus ou moins grandeur nature alors que celle de la Justice mesurait au moins dix mètres de haut, et sa toge de cérémonie au style vaguement antique débordait sur le socle de pierre, à ses pieds.

Les allusions au style classique se poursuivaient sous forme de vingt-quatre colonnes soutenant un portique ornementé, lequel, dans le climat politique du moment, donnait l'impression que le bâtiment lui-même avait été emprisonné et contemplait la ville à travers les barreaux de sa cage. Mais l'effet le plus troublant était que, hormis une heure à peu près aux alentours de midi, les colonnes situées de chaque côté de la statue projetaient sur cette dernière d'imposantes ombres verticales, transformant l'image de la justice en l'idole obscure et sans visage de quelque divinité païenne, parfaitement indifférente à la joie comme au malheur des personnages humains dérisoires qu'elle tenait au creux de ses mains.

Le périmètre alentour était gardé de manière spectaculaire, avec des véhicules militaires bâchés pleins de soldats en tenue de combat ainsi qu'un blindé arborant un canon de 45 mm monté sur une tourelle pivotante. L'armée avait été déployée dans les rues de Catane et d'autres villes siciliennes lorsqu'il était devenu flagrant que le fardeau de la protection des préfets, des juges et d'autres hauts fonctionnaires mobilisait tant les forces de police qu'il ne restait plus assez d'inspecteurs pour s'occuper des enquêtes et des arrestations ordonnées par les membres de l'appareil judiciaire ayant survécu aux assassinats planifiés par Totò Riina et accomplis par son clan de Corleone.

À présent, pourtant, le balancier politique était sur le point de basculer à nouveau. Des voix s'étaient fait entendre au Parlement qui prétendaient qu'une telle démonstration de force était en train d'affaiblir la culture démocratique de l'Italie et de couvrir de honte le pays aux yeux de ses partenaires de l'Union européenne. Un député était allé jusqu'à comparer ces mesures avec la répression brutale exercée par Cesare Mori, le « préfet de fer » de Mussolini, qui éradiqua à peu près la Mafia dans les années vingt — mais en vain, car les Alliés relâchèrent les *capi* emprisonnés et leurs séides juste à temps pour qu'ils puissent s'enrichir grâce à l'argent facile et au développement peu réglementé de l'Italie d'après-guerre. Aucun membre du gouvernement n'avait exprimé de telles opinions jusqu'à présent, mais Corinna Nunziatella était loin d'être seule à sentir que, sous peu, Beppe et ses collègues de l'armée reverraient leurs familles et leurs petites amies tandis que la situation en Sicile retournerait à ce qui y avait toujours été considéré comme « la normale ».

Le convoi de berlines se rendit à l'arrière du palais de justice, passa devant des gardes armés en gilets pare-balles et dévala une rampe d'accès menant dans les entrailles du bâtiment. Corinna remercia les membres de son escorte — qui risquaient tout autant leur vie qu'elle — et prit l'ascenseur jusqu'au deuxième étage où se trouvaient les locaux de la Procura della Repubblica, puis elle longea un couloir qui se terminait par un autre point de contrôle. Là, il lui fallut non seulement présenter sa carte d'identité au garde de faction — malgré le fait qu'ils se connaissaient tous deux de vue —, mais aussi prononcer le mot de passe, qu'on changeait tous les jours et qui donnait accès aux bureaux du « pool » de magistrats antimafia. Les précautions prises pour protéger ce groupe à haut risque étaient sans conteste impressionnantes, mais Corinna savait bien qu'elle ne pouvait être certaine de leur efficacité au cas où l'ordre serait donné de l'éliminer. La Mafia était traditionnellement comparée à une pieuvre, tapie dans une crevasse, dont les tentacules pouvaient se déployer partout. Corinna pensait qu'une horde de rats en expansion constituait une métaphore plus exacte : quand on condamnait leur voie d'accès, ils en trouvaient ou en creusaient une autre.

En dépit du statut élitiste du pool antimafia, ou peut-être en raison du ressentiment fort répandu que suscitaient les membres de ce club très exclusif parmi leurs collègues des autres divisions de l'appareil policier et judiciaire qui n'avaient pas été conviés à s'y joindre, Corinna Nunziatella n'avait jusqu'à présent pas réussi à obtenir un bureau mieux adapté à sa mission que ne l'était l'espèce de placard sombre et miteux, orienté au nord-est, où elle était installée depuis le début. L'inutile et oppressante hauteur du plafond ne servait qu'à souligner la faible surface laissée par l'érection de nouvelles cloisons : 3,50 mètres carrés, pour être exact.

Comme elle ne pouvait s'étendre en largeur, Corinna avait suivi le modèle Manhattan, empilant les dossiers en tas instables, calés les uns contre les autres comme des ivrognes épuisés. Récupérer l'un de ces dossiers était une tâche requérant la plus grande dextérité, digne des talents de ces prestidigitateurs qui peuvent escamoter la nappe de la table sans toucher aux couverts. Une amélioration, à cet égard, avait été promise pour bientôt, sous forme d'un réseau informatique reliant tous les membres du pool de la DIA de Catane entre eux et avec leurs collègues des autres capitales de province. Mais, alors que les travaux d'installation dudit système duraient depuis un bon mois, il n'était toujours pas opérationnel. Entre-temps, un énorme terminal reposait oisivement sur son bureau, gaspillant le peu d'espace disponible.

— *E se tutto ciò non bastasse...*, chuchota-t-elle.

En effet. Comme si tout cela ne suffisait pas, Corinna Nunziatella commençait à se soupçonner elle-même d'être en train de tomber amoureuse.

Elle n'eut guère le loisir de méditer sur ce problème accessoire, car au bout de quelques minutes le téléphone sonna pour la convoquer dans le bureau du directeur pour un « compte rendu de suivi ». Corinna ramassa à la hâte un impressionnant tas de documents, parmi lesquels certains se trouvaient effectivement avoir un rapport avec les affaires qu'elle traitait alors. Elle vérifia que son apparence était à la fois professionnelle et peu attrayante, puis se rendit au quatrième étage.

L'arrivée de Sergio Tondo, récemment nommé directeur du pool antimafia de Catane, avait été source de bien des moqueries de la part de ses subordonnés. Son aspect, en effet, avait tout du stéréotype classique, légèrement raciste, du mafioso typique : courtaud, trapu, ombrageux et véhément à la fois, arborant une moustache dont il était fier jusqu'à l'excès, des yeux noirs et inexpressifs, le tout avec un air de distinction indéfinie mais potentiellement menaçante. Les railleries venaient de ce que, loin d'être sicilien ou même méridional, Tondo — nom qui à l'origine devait sans doute s'écrire Tondeau — était en réalité natif du Val d'Aoste, la région alpine francophone perchée dans le coin nord-ouest de la péninsule, à plus d'un millier de kilomètres à vol d'oiseau de Catane (si toutefois il s'était trouvé des oiseaux assez ambitieux pour se risquer à une telle expédition).

Comme pour confirmer l'impression initiale qu'il créait par son apparence, Sergio Tondo semblait pousser le mimétisme jusqu'à se comporter comme une caricature de Sicilien, au point qu'il avait déjà fait des avances sexuelles explicites à tous les membres féminins de son équipe. Corinna Nunziatella avait déjà été obligée de repousser une main que son patron avait laissé glisser sur sa hanche, son genou, son épaule et juste au-dessous de son sein gauche — tout en s'y prenant, pour ce faire, comme si cette main ne s'était jamais aventurée ainsi.

C'était une activité délicate qui demandait, outre un sens subtil de la synchronisation, de l'adresse et du tact. Corinna aurait été la première à admettre qu'elle était ambitieuse, et il était difficile de contester l'importance de sa promotion au pool antimafia à l'âge de trente-quatre ans. Se voir montrer la porte, à présent, ne signifiait pas seulement un retour au genre de poste peu enthousiasmant qu'elle occupait auparavant ; cela voulait dire qu'elle resterait marquée pour le restant de ses jours comme étant quelqu'un à qui on avait offert sa chance de réussir au plus haut niveau mais qui avait échoué. Nul ne saurait vraiment pourquoi, et il était encore plus improbable que quiconque prît la peine de s'en informer. Et si elle se mettait à raconter des histoires de harcèlement sexuel, on n'y verrait qu'une tentative dérisoire de faire porter le blâme à d'autres afin de justifier sa propre incompétence.

Sa tactique, pour l'heure, consistait à essayer d'avoir l'air le plus terne et rébarbatif possible. Il ne s'agissait pas tant de passer pour totalement inexpugnable, ce qui aurait pu stimuler la fougue macho du directeur, que de lui faire comprendre qu'elle ne valait vraiment pas tant d'efforts. L'image qu'elle s'efforçait de donner était celle d'un village de montagne fortifié sur lequel les hordes d'envahisseurs jetaient de la vallée un bref coup d'œil avant de secouer la tête, de remettre l'arme au fourreau et de passer leur chemin en quête d'une proie plus facile. Le truc était de faire croire à Tondo qu'il l'avait lui-même rejetée, histoire de ménager la fierté et l'amour-propre de son directeur, et surtout d'y parvenir avant qu'il ne pousse les choses au point — qu'elle sentait se rapprocher — où elle se verrait contrainte d'enfoncer un genou dans son entrejambe protubérant tout en labourant à pleines griffes ses petits yeux porcins.

Au moment où elle ouvrit la porte du bureau, ridiculement vaste, du directeur, Corinna Nunziatella sut que quelque chose s'était passé, et qu'elle n'allait pas entendre de bonnes nouvelles. Alors qu'elle avait redouté d'être l'objet d'indésirables attentions, elle se vit traitée avec une absence presque brutale de politesse élémentaire — sans parler de charme — qu'elle trouva menaçante d'une tout autre manière. Bien loin de se précipiter vers elle pour « boire son parfum », comme il le lui avait dit un jour, Sergio Tondo ne prit même pas la peine de se lever. Ses salutations furent aussi superficielles qu'inaudibles. En bref, son attitude était exactement telle qu'elle aurait voulu qu'elle fût — froide, distante et totalement professionnelle —, et cela lui fichait une trouille d'enfer. Car si le directeur la traitait enfin en tant que collègue et non plus comme une femme, cela signifiait forcément que quelque chose ne tournait vraiment pas rond.

Corinna Nunziatella s'assit dans l'un des deux fauteuils qui faisaient face au bureau ; le vieux cuir du siège craqua sous son poids. Hormis un crucifix, un portrait du président de la République, une carte de la province de Catane et deux étagères d'ouvrages de droit apparemment choisis pour leur format plus que pour leur contenu, le bureau du directeur était, de manière frappante et très significative, vide. Pas de piles de dossiers, pas de notes à trier, pas de terminal informatique. Une telle austérité donnait l'impression que les trois téléphones posés sur le bureau — respectivement rouge, bleu et jaune — étaient plus grands que nature. L'un devait servir aux appels internes, un autre aux communications « ouvertes » avec l'extérieur.

Et le troisième ? Corinna Nunziatella ne put s'empêcher de songer au *Terzo Livello* de la Mafia, dont l'existence avait maintes fois été évoquée sans jamais avoir été prouvée. Le légendaire Troisième Niveau, situé bien au-dessus des activités criminelles banales et des rivalités entre les clans, et qui permettait aux parrains les plus puissants et les plus influents de rencontrer leurs mentors et protecteurs politiques romains, de discuter le bout de gras avec eux et d'évoquer leurs intérêts mutuels — l'apport de voix aux prochaines élections, par exemple.

— Alors ? lâcha le directeur comme si c'était Corinna qui avait demandé à le rencontrer.

— J'ai cru comprendre que vous vouliez un rapport de suivi, répondit-elle sèchement.

Sergio Tondo esquissa un sourire forcé et fit un geste désabusé de la main gauche.

— Ce n'était qu'une manière de parler. En fait, je veux surtout bavarder, m'informer sur votre travail en ce moment, ce genre de choses... Comme vous le savez, j'essaie de susciter un esprit d'équipe, ici, et j'ai la ferme conviction que des rencontres comme celle-ci, informelles et officieuses, sans les inévitables pressions exercées par l'entourage, peuvent véritablement encourager le sens de l'autonomie chez tous les membres du service tout en engendrant une dynamique professionnelle et une cohésion du groupe accrues.

Corinna n'ouvrit pas la bouche.

— Où en est-on avec l'affaire Maresi ? finit par reprendre le directeur.

— Nulle part. Ça fait des mois qu'on est dans l'impasse, et il est probable qu'on y restera.

— Et l'affaire Cucuzza ?

— On tenait le bon bout, jusqu'à ce que la Cour suprême fasse relâcher mon principal témoin, lequel s'est empressé de disparaître et doit sans doute être en train de se cacher à l'étranger, à moins qu'il ne soit mort.

— La Cour ne faisait qu'appliquer la loi, remarqua Sergio Tondo sur un ton de légère réprimande. Les irrégularités de procédure flagrantes — même si elles n'étaient en rien de votre fait, dottoressa, je dois le dire — ne lui laissaient malheureusement pas d'autre possibilité.

Corinna Nunziatella hocha sagement la tête.

— Je suis persuadée que les citoyens italiens dormiront mieux ce soir, sachant que les droits des mafieux inculpés sont protégés avec une telle rigueur.

Le directeur lâcha un soupir de sympathie.

— Je sais combien ces revers peuvent être frustrants, mais essayez de ne pas vous laisser aller à l'amertume. C'est tout à fait inutile et cela pourrait, en définitive, avoir un effet négatif sur vos performances en tant que membre estimé de notre équipe.

À nouveau, Corinna choisit de ne pas réagir.

— Ces deux dossiers sont donc actuellement en

souffrance, poursuivit Tondo. Alors, sur *quoi* travaillez-vous ces derniers temps ?

— L'affaire Tonino Limina m'a pris presque tout mon temps, ces dernières semaines.

— Avec quels résultats ?

Corinna aspira une grande bouffée d'air et compta mentalement jusqu'à cinq.

— Comme je l'ai expliqué lors du briefing général de la semaine dernière, *direttore,* j'ai travaillé sur deux principaux fronts. D'abord, j'ai essayé de retracer la provenance et les déplacements du wagon dans lequel le cadavre a été découvert. Comme vous le savez, le bordereau trouvé sur le « wagon de la mort », comme on l'appelle, indiquait qu'il faisait partie d'un train de marchandises, numéro 46703, ayant quitté Palerme le 23 juillet. Pourtant, malgré de longs entretiens avec les différents cheminots ayant eu à s'occuper de ce train, je n'ai pas été jusqu'à présent en mesure de déterminer de manière certaine si ce wagon venait de Palerme ou s'il a été accroché ailleurs plus tard. En outre, nous ne savons pas comment et quand il a été abandonné sur la voie de garage où il a été retrouvé. Les personnes ayant travaillé sur ce train démentent avoir détaché quelque wagon que ce soit durant leur halte à Passo Martino. D'autre part, ils admettent être restés dans la cabine de la locomotive pendant cette halte. Il est donc possible qu'un tiers ait détaché le wagon sans qu'ils s'en rendent compte. Ce que nous savons avec certitude, c'est que l'aiguilleur qui a fait arrêter le train n'était pas un employé des chemins de fer, et que les travaux de réparations invoqués par lui pour justifier la manœuvre n'ont en fait jamais eu lieu.

Le directeur hocha la tête d'une manière légèrement blasée et dédaigneuse.

— Et la deuxième piste de votre enquête ?

— Elle consiste à contacter la famille Limina en vue d'établir une identification positive de la victime.

Le directeur sourit de nouveau, plus intensément cette fois, mais il ne parla pas.

— Inutile de le préciser, cette démarche s'est révélée extrêmement problématique, poursuivit Corinna. La famille Limina n'est déjà pas très encline à communiquer avec les autorités en temps ordinaire, et encore moins avec une magistrate participant au pool antimafia. Néanmoins, j'ai pu établir un contact initial et expérimental, par l'intermédiaire d'un associé de la famille avec lequel j'ai eu affaire dans le passé.

— Qui est-ce ? demanda Sergio Tondo, soudain alerte.

— Il est référencé dans mes fichiers sous le nom de code « *Spada* ».

Le directeur fronça les sourcils.

— « Épée » ? Et quel est le vrai nom du signor Spada ?

Le visage de Corinna Nunziatella se durcit.

— Je n'en ai pas la moindre idée. Et je ne veux pas le savoir. Il s'agit d'un contact extrêmement sensible et confidentiel, et, selon moi, la famille Limina le maintient en activité délibérément dans le but de faciliter les rapports avec nous et avec d'autres clans lorsque cela arrange leurs affaires. Si le vrai nom de Spada devient connu, le contact pourrait être sérieusement compromis, voire définitivement interrompu.

Corinna Nunziatella avait parlé d'un ton volontairement mesuré, pesant chacun de ses mots. Le directeur médita ses paroles pendant un petit moment.

— Et qu'avait à dire votre Épée ? demanda-t-il non sans une inflexion ironique appuyée dans la voix.

— Pas de résultats, jusqu'à présent. Il a fait savoir que la famille aura quelque chose à annoncer, mais qu'elle veut s'assurer que tous ses membres en ont été informés avant la moindre déclaration publique. Avec un peu de chance, j'espère avoir quelques nouvelles plus précises dans une semaine à peu près.

— Oh, bien avant, je crois !

Sergio Tondo se leva et marcha jusqu'à la fenêtre. Il s'immobilisa là juste assez longtemps pour que Corinna se demande si l'entretien n'était pas terminé, avant de se retourner brusquement.

— Les Limina ont déjà établi le contact. Avec moi. Par d'autres canaux.

Corinna sentit son dos se raidir.

— Que voulez-vous dire, quels sont ces « autres canaux » ? demanda-t-elle avec insistance. Quelle sorte de...

— L'avocat de la famille, répondit Tondo d'un ton égal. Le dottor Nunzio La Forte, un personnage hautement respectable, spécialisé dans le droit civil et commercial. Il m'a appelé hier pour convenir d'une rencontre, au cours de laquelle il m'a montré ce document.

Il retourna à son bureau et tendit à Corinna une liasse de papier dactylographié. C'était une déclaration sur l'honneur d'Anna Limina, la mère de Tonino, stipulant que son fils était en ce moment en vacances au Costa Rica, et qu'elle le savait en vie et en bonne santé. Comme preuve, elle joignait un exemplaire de son dossier dentaire aux fins d'établir une comparaison médico-légale avec le corps découvert dans le train.

— J'ai envoyé copie de ce document à la morgue sur-le-champ, poursuivit le directeur. Le médecin légiste m'assure que les données dentaires ne correspondent pas avec celles de la victime. Il est clair qu'il s'agit d'un cas d'erreur d'identification.

— Mais qu'en est-il du bordereau sur lequel était écrit *Limina* ? protesta Corinna.

Le directeur leva un index magistral.

— Le mot n'était pas écrit, mais gribouillé, et un examen plus poussé, effectué par un graphologue réputé de l'université de Catane, suggère que c'était bien *limoni*, comme l'employée des chemins de fer Maria Riesi l'avait d'abord cru. En d'autres termes, les denrées périssables contenues dans le wagon étaient tout simplement des citrons, lesquels ont été, sans nul doute, déchargés en cours de trajet. Bref, quelle que soit l'infortunée victime de cette tragédie, ce n'était pas Tonino Limina, et il n'y a aucune raison de supposer qu'il y ait le moindre rapport entre cette affaire et la Mafia. Elle n'est donc plus du ressort de ce service. Le dossier peut donc être fermé et transmis aux autorités ordinaires pour une enquête de routine, ce qui vous laissera tout loisir de poursuivre votre travail sur les affaires Maresi et Cucuzza, lesquelles, selon vos propres dires, semblent se traîner dernièrement.

Il se rassit derrière son bureau et inscrivit quelque chose dans son agenda. Corinna Nunziatella se leva et se dirigea vers la porte.

— Vous ai-je dit combien je vous trouve belle, ce matin ? dit subitement Sergio Tondo. Ce tailleur vous va à merveille, et puis vous êtes allée chez le coiffeur...

Il avait prononcé ces paroles en un murmure hâtif, accentuant et rejetant à la fois l'existence de son précédent personnage de directeur, comme on le ferait d'un frère jumeau mort en bas âge. Triste événement, bien sûr, mais n'étant plus vraiment... à l'ordre du jour.

4

Il y avait un courant d'air, faible mais perceptible ;
sa froidure sépulcrale n'épargnait rien. Mais d'où
venait-il ?

Un vrai courant d'air — de l'air frais de n'importe
quelle sorte ou origine — aurait été bienvenu, et
même davantage, dans le petit local obscur du palais
de justice où Carla Arduini s'était installée, à contrecœur ; l'unique et haute fenêtre était ternie par la
crasse, et des décennies de négligence dans l'entretien du lieu l'avait rendue impossible à ouvrir. Non
pas que les conditions de travail eussent été
meilleures si elle avait été ouverte. Au contraire, la
chaleur qui régnait au-dehors à cette heure de la journée menaçait de retransformer les pavés de basalte
en lave en fusion, tandis que l'humidité venue de la
mer submergeait la ville tout entière d'un miasme de
lassitude et de passivité.

Cependant, le courant d'air qui tracassait Carla
Arduini n'était pas réel, mais virtuel : comme un
défaut dans le cyberespace, une déperdition d'informations en provenance du système. Malgré cela, elle
pouvait le sentir presque physiquement, un peu
comme les premiers signes d'un malaise cardiaque
— une accumulation de symptômes mineurs dont

aucun, pris à part, n'a de gravité, mais qui indiquent ensemble un problème encore mal identifié et néanmoins inexplicable et potentiellement dangereux.

La plupart des gens, parmi lesquels la majorité de ses collègues, n'auraient pas senti que quelque chose clochait. Même s'il n'était pas encore tout à fait prêt à être fourni à ses clients, le réseau qu'elle était chargée d'installer était d'ores et déjà opérationnel. Les terminaux étaient tous branchés et les numéros défilaient avec l'efficacité voulue. Le problème ne venait pas du système, mais de l'accès au système. Depuis quelques jours, Carla avait l'impression que quelqu'un avait ouvert une « porte de derrière » permettant de consulter ou de manipuler à volonté les fichiers de données. Simple sous-traitante, Carla n'était pas habilitée, pour des raisons de sécurité, à consulter les fichiers de la DIA, quoiqu'elle aurait facilement pu s'y introduire si elle l'avait souhaité. Mais elle n'en avait pas besoin. Les preuves qu'elle cherchait étaient profondément enterrées, bien au-dessous de ces applications superficielles, et dissimulées dans les gènes du système lui-même. Or, elle avait déjà trouvé une ligne de code qui ne correspondait pas.

D'ailleurs, ce n'était pas son affaire. Il n'y avait aucun effet perceptible sur l'efficacité du réseau. Carla n'avait qu'à achever l'installation et mettre un point final à sa mission, mais elle était intriguée et se sentait personnellement mise au défi. L'intrus, quel qu'il fût, qui était entré par effraction dans le système, avait effectué un boulot presque sans bavure, mais avait laissé ici et là quelques traces infimes, et Carla était bien décidée à identifier l'intrus.

Contrairement à la plupart de ses collègues de la société turinoise Uptime Systems, Carla Arduini n'était pas obsédée par l'informatique, mais elle avait une sorte de lien instinctif avec les ordinateurs, un peu comme certaines personnes avec les animaux. Elle s'était découvert ce don à l'époque où elle étudiait à l'université de Milan, lorsqu'un changement de dernière minute dans les heures de cours de son professeur de mathématiques — qui faisait tout pour passer le plus de temps possible dans sa villa au bord du lac de Côme — l'avait incitée à suivre un cours d'expertise en systèmes informatiques pour combler un trou de deux heures dans son emploi du temps du mercredi après-midi.

L'expérience tourna à la révélation. Les mathématiques, elle s'en était rendu compte alors, ressemblaient à l'un de ces langages qui sont simples et logiques lorsqu'on commence à les étudier, mais qui se démultiplient rapidement en une profusion de tournures idiomatiques ou bizarres, de particularités et d'exceptions qui confirment la règle, toutes choses que même les locuteurs indigènes ont du mal à expliquer, voire à employer correctement. De l'arithmétique complexe à la preuve du théorème de Fermat ou au calcul de la valeur exacte de pi, il y avait certes un grand pas, mais ce pas resterait infranchissable pour toujours.

Carla trouvait profondément menaçante la perspective d'une telle indétermination pour tout horizon — si lointain que pût être ce dernier. Son enfance avait été une série embrouillée de brusques déplacements, souvent effectués de nuit et furtivement ; de « cousins » et d'« amis » qui débarquaient et repartaient sans jamais réapparaître ; de dérobades et de réticences imprévisibles de la part de sa mère — et l'absence de son père pour couronner le tout. Plus tard, devenue adolescente, lorsqu'elle comprit enfin les raisons de tout cela, il était trop tard. Des catégories claires, comme la pauvreté ou le manque de soins, l'ineptie ou la pure malchance, ne cadraient pas avec ses souvenirs d'enfance qui restaient incontrôlables et discontinus, sources perpétuelles d'anxiété qui, de nos jours encore, pouvait la tirer du sommeil en plein milieu de la nuit, tremblante et trempée de sueur.

Elle avait été attirée par les mathématiques en partie en raison de son don pour cette discipline, mais surtout parce qu'elles semblaient lui offrir un abri, une sécurité, une manière de refouler et d'exorciser ces impondérables. Deux plus deux ne font jamais cinq ou trois, et encore moins zéro. Ces nombres ne peuvent pas changer d'avis ou sombrer dans la dépression, ni disparaître pendant plusieurs jours d'affilée ou se saouler et devenir injurieux avant d'éclater brusquement en larmes pendant le dîner. Jamais ils ne totalisent autre chose que quatre lorsqu'on les additionne.

La plupart de ses camarades de classe ne trouvaient guère d'intérêt à ces artifices, à l'inverse de Carla, qui savait pouvoir se fier à leur infaillible efficacité. Ce fut à l'université que cette foi simple commença à la déserter. C'était une question d'échelle. Deux plus deux font quatre, quatre plus quatre font huit, huit plus huit font seize... Même cette série enfantine de calculs était, comme toutes les séries, infinie. Des esprits plus solides et plus stables qu'elle, elle le savait, se délectaient des possibilités d'acrobaties intellectuelles ainsi créées. Tout ce que Carla ressentait à cet égard était une familière impression de panique...

C'est alors qu'elle luttait contre sa perte de foi dans les mathématiques qu'elle découvrit fortuitement le monde de l'informatique appliquée. Ce fut le coup de foudre. Bien qu'apparemment complexes, les ordinateurs étaient en fait, de manière fort rassurante, simples d'esprit. Qu'on recherche dans une vaste base de données l'unique occurrence d'une chaîne numérique, qu'on fasse pivoter les plans en trois dimensions d'hypothétiques bâtiments ou encore qu'on calcule la valeur de notre vieil ami pi à la cinquante milliardième décimale, les ordinateurs n'étaient en eux-mêmes pas plus mystérieux ni menaçants que ces espions qui, dans les vieux films, envoient des messages codés en faisant clignoter une lampe de poche. Leur mémoire était prodigieuse, mais pas infinie — la bibliothèque du Congrès, pas celle de Babel.

Carla réorganisa son programme scolaire, prit quelques leçons particulières et, une fois diplômée, obtint un emploi chez Olivetti puis dans une société spécialisée dans l'installation et la maintenance de réseaux informatiques, reliant les individus et les services au sein d'une entreprise. Elle était parfaitement familière de ce type de système, qu'elle avait maintes fois déjà installé, et elle était déterminée à ne pas laisser un hacker anonyme se montrer plus malin qu'elle.

Son téléphone portable se mit à sonner. Était-ce son employeur, pour se plaindre du temps qu'elle mettait à ajuster les derniers réglages du système de manière satisfaisante pour tout le monde ? Ou bien était-ce l'un des commanditaires de son patron, un magistrat du pool antimafia, qui souhaitait savoir quand il pourrait être enfin en mesure de se servir de cette haute technologie pour rassembler leurs dossiers, pour communiquer entre eux et pour coordonner informations et objectifs avec leurs collègues présents en Sicile ?

Il se trouva que ce n'était que son père.

— Carla ? Comment ça va ?

— Bien ? Et toi ?

— Pas trop mal. Dis-moi, tu es libre ce soir ?

— Libre ?

— Pour dîner. Je viens de m'apercevoir que, en dehors de nos rencontres matinales, nous ne passons pas beaucoup de temps ensemble et je m'en veux, je ne sais pas pourquoi. Je suppose que tu me manques.

Carla éclata d'un rire charmant.

— J'aimerais beaucoup dîner avec toi, papa.

— On pourrait sortir, je suppose, ou tu pourrais venir ici.

— J'apporte quelque chose ?

— Un dessert, peut-être. Je ferai la tambouille. Ce ne sera pas extraordinaire, mais au moins on pourra se voir et causer...

— Bien sûr. 8, 9 heures ? Ils mangent tard, par ici, j'ai remarqué.

— Disons 8 heures. À mon âge, on ne change pas ses habitudes aussi facilement.

— Je serai là à 8 heures, papa.

— Parfait. J'ai vraiment envie de te voir et de pouvoir te parler librement. C'est étrange...

— Quoi donc ?

— Eh bien, toute cette situation. Pas vrai ?

— Oui. Oui, c'est vrai.

— À ce soir, donc.

Elle raccrocha et se tourna vers l'écran, morne et récalcitrant. Dîner à 20 heures. Oui, ça irait, songea-t-elle, même si elle avait du mal à envisager la soirée avec enthousiasme. Son père avait raison : en dépit du fait que c'était Carla qui s'était portée volontaire pour cette mission en Sicile — il n'y avait d'ailleurs guère de concurrence ! — afin d'être près de lui, cette proximité matérielle n'avait pas encore débouché sur la relation chaleureuse, naturelle et aisée qu'elle avait espérée. À certains moments, en fait, il lui était difficile de croire qu'Aurelio Zen était *réellement* son père.

Pas littéralement, bien sûr. Les tests ADN effectués dans le Piémont établissaient sans l'ombre d'un doute leur lien génétique. Mais était-ce bien tout ce qui faisait de vous un père, ou une fille, un lien génétique prouvé ? En droit, certainement. Mais Carla commençait à penser que le vrai sens de ces mots se trouvait ailleurs, dans les années d'éducation et d'intimité dont elle avait été privée, la longue chronologie de la vie quotidienne remontant jusqu'aux brumes de la préhistoire individuelle, quand tout n'était que mythes et magie.

Non qu'elle ait eu la moindre illusion sentimentale sur un tel lien parental. Elle savait qu'il y avait de bons et de mauvais pères, que certains sont d'un grand soutien et que d'autres sont brutaux et abusifs. Néanmoins, ils étaient, pour le meilleur et pour le pire, la réalité. Ce qui, dans sa situation, n'était pas le cas et, avec la meilleure volonté du monde, ni elle ni son père n'y pouvait rien. Dès qu'elle en aurait fini avec cette mission, elle prendrait le premier avion pour le Nord. Peut-être se reverraient-ils de temps à autre, à Noël, par exemple, mais ce serait tout.

En attendant, il lui fallait régler ce problème de courant d'air virtuel. Carla reprit ses recherches dans les fichiers du système. Au bout de cinq minutes, elle entendit frapper de manière hésitante à la porte.

— Entrez ! lança-t-elle avec impatience.

La porte s'ouvrit, mais Carla ne se retourna pas tout de suite. Quand elle se décida à lever les yeux de son écran, elle s'aperçut que c'était la juge Corinna Nunziatella qui se tenait face à elle. Elles s'étaient déjà rencontrées à quelques reprises au cours des semaines précédentes, dans les couloirs ou à la cantine du palais, où son aînée, en vertu de son statut de magistrat de la DIA, était contrainte de déjeuner.

— J'espère que je ne vous dérange pas, dit Corinna Nunziatella en souriant.

Carla se leva.

— Bonjour, dottoressa.

La main de sa visiteuse s'agita violemment, comme d'elle-même.

— Je vous en prie, pas de chichis ! Appelez-moi Corinna. Cet ensemble vous va à ravir ! Et comment va le travail ?

Son ton était amical mais étrangement tendu. Carla Arduini désigna l'écran luisant de l'ordinateur.

— J'ai bien peur qu'il faille encore un peu de temps avant que le système soit opérationnel. Excusez-moi. Je sais bien que vous et vos collègues devez être impatients de vous en servir, mais il y a eu quelques problèmes imprévus...

— Oh, ne vous en faites pas pour ça ! s'écria Corinna Nunziatella énergiquement. Pour les autres, je ne sais pas... mais, quant à moi, je ne suis certainement pas pressée de me servir de ces maudits engins. Si on me donnait un peu plus d'espace et une secrétaire, je serais parfaitement heureuse de continuer comme avant. Mais, pour une raison que j'ignore, le ministère semble estimer qu'il est prioritaire de nous connecter. Il faut remplir un formulaire chaque fois qu'on demande le moindre paquet de trombones, mais pour un système informatique à un milliard de lires, il n'y a aucun problème...

Carla esquissa un sourire poli et attendit que son interlocutrice en arrive à ce qui l'amenait. Comme si elle sentait cette expectative, Corinna Nunziatella toussa de manière embarrassée.

— Je n'ai rien de spécial à dire, reprit-elle. Il se trouve que je passais devant votre bureau... alors je me suis dit que je pourrais vous dire un petit bonjour et...

Elle s'interrompit.

— C'est très gentil à vous, dit Carla.

— Je suppose que je me demandais comment ça

se passait pour vous, ici, à Catane, poursuivit l'autre femme dans une envolée maîtrisée. Vous devez vous sentir seule, ici, vous qui êtes du Nord et ne connaissez personne dans le coin, n'ayant ni famille ni copines...

— En fait, j'ai de la famille, ici, répondit Carla en tortillant une mèche de cheveux entre ses doigts.

Corinna Nunziatella la considéra avec stupéfaction.

— Ah oui ? Qui ça ?

— Mon père. Il travaille à la questure. Vous avez peut-être entendu parler de lui. Le vice-questeur Aurelio Zen.

— Mais il n'est sûrement pas sicilien.

Carla ne put s'empêcher d'éclater de rire.

— Ça, non ! Il est de Venise.

Essayant de se contrôler, elle plaça une main devant sa bouche.

— Excusez-moi, dottoressa. J'ai dû vous paraître effroyablement grossière. Je ne voulais pas dire...

— Ce n'est pas grave, répondit Corinna alors que brillait dans son regard une lueur sinistre. Cognez sur les Siciliens tant que vous voudrez. Moi-même, je ne m'en prive pas. Mais ne m'appelez plus dottoressa, ou je me fâcherai pour de bon. Je n'y peux rien, je suis Vierge, c'est mon signe astral.

Carla ouvrit de grands yeux.

— Vraiment ? Moi aussi !

— C'est quand, votre anniversaire ?

— Eh bien, à vrai dire, c'est ce week-end. Samedi prochain.

Corinna parut réfléchir.

— Félicitations. Mais en attendant, qu'est-ce que vous faites, ce soir ?

Carla fut quelque peu déconcertée par cette question abrupte.

— Euh, eh bien, je dîne avec mon père. On s'est

redécouverts l'année dernière, dans le Piémont, répondit-elle sur une impulsion. Et je commençais tout juste à le connaître quand il a été muté ici.

— Vous commenciez seulement à connaître votre père ? demanda Corinna Nunziatella d'un ton incrédule.

— C'est une longue histoire.

La juge eut un sourire ironique.

— Eh bien, si vous êtes d'humeur à écouter des histoires de paternité, j'en ai une aussi.

Elle consulta sa montre.

— Je dois filer. Et demain soir, ça vous irait ? Je connais un restaurant très agréable dans les environs de la ville, sur les pentes de l'Etna. La nourriture y est bonne et l'endroit lui-même est calme et intime. On n'a pas l'impression d'être exposé en permanence, si vous voyez ce que je veux dire.

— Ça a l'air formidable. Où est-ce ?

Corinna secoua la tête.

— Je ne suis pas autorisée à révéler mes projets, même à mes copines. Si vous me donnez votre adresse, mes gardes du corps viendront vous chercher à 19 h 19 demain soir.

Carla Arduini rédigea son adresse et la donna à sa visiteuse qui la rangea dans le dossier qu'elle avait à la main.

— 19 h 19 précises, alors, dit Corinna. Soyez dans l'entrée de votre immeuble à 19 h 15, mais n'ouvrez pas la porte.

Carla lui adressa un regard amusé.

— Très bien, je tâcherai de ne pas jeter de regards furtifs.

La juge soupira et hocha la tête.

— Je suis tellement habituée à ça que j'en ai oublié à quel point ça doit paraître délirant aux yeux des gens qui mènent une vie normale. Quoi qu'il en soit, c'est ainsi que sont les choses, malheureusement. Je vous demande de partager cet inconvénient avec moi, si possible.

Elle ouvrit la porte puis regarda Carla avec une intensité inattendue.

— Vous croyez que c'est possible ? demanda-t-elle.

— Bien sûr ! répondit Carla chaleureusement. Au contraire, c'est très gentil à vous de m'inviter. Je suis désespérément seule ici, si vous voulez tout savoir.

Corinna Nunziatella hocha de nouveau la tête et sortit. Carla reprit son examen minutieux de l'écran. Tant de gens qui l'invitaient, tout à coup. Ça faisait du bien. Malgré ses réserves à l'égard de son père, ils allaient sans doute passer un assez bon moment, tandis que la perspective d'une soirée avec l'éminente juge Corinna Nunziatella était encore plus fascinante. Franchement, sa vie sociale depuis son arrivée en Sicile avait été un désastre. Elle ne connaissait personne, n'était pas parvenue à se faire le moindre ami, et il n'y avait d'ailleurs pas grand-chose d'agréable qu'une jeune femme célibataire puisse faire en toute sécurité à Catane le soir.

Carla essaya de se concentrer sur son travail. Souples et bien articulés, ses doigts se mirent à caresser le clavier, passant au peigne fin le subconscient de l'unité centrale, laquelle était déjà en ligne, par l'intermédiaire d'une chaîne hautement sécurisée, avec des réseaux similaires à Palerme et à Trapani. Les fichiers mémoire de la machine, identifiant qui accédait au système et quand, ne pouvaient être effacés, même par le gestionnaire central du système. Si quelqu'un était effectivement entré par effraction ou avait emprunté une clé, il aurait laissé des traces indélébiles. Et Carla n'avait plus qu'à les trouver.

5

À 16 heures, Aurelio Zen sortit du restaurant où il avait longuement, mais sans résultat concluant, déjeuné avec Baccio Sinico. À 17 heures, il alla acheter à manger. À 18 heures, il était de retour chez lui. L'appartement qu'il louait, à un prix raisonnable, était très bien situé, au dernier étage d'un palazzo qui en comptait trois, à quelques pas de la questure. Après d'éprouvantes expériences dans d'autres villes italiennes, Zen avait été agréablement surpris par la facilité avec laquelle il avait trouvé un logement convenable, grâce à un collègue qui l'avait appelé au travail pour lui proposer une location temporaire dans une propriété appartenant à l'un de ses amis.

À vrai dire, l'extérieur du bâtiment était peu avenant, malgré ses proportions classiques et les pilastres, corniches et moulures qui encadraient chaque porte et chaque fenêtre. Le manque d'entretien, ou son excès néfaste, conjugué avec la souillure de la pollution atmosphérique et les vestiges d'anciennes et inégales couches de détrempe, avait créé un curieux effet, comme une maladie de peau sur un buste de marbre. Une fois passée la porte, tout était impeccable, assorti à la sobriété et l'harmonie aristocratiques qui caractérisaient chaque détail dans l'ornementation de l'entrée, de la cage d'escalier et des pièces ; cela le changeait du tout au tout de l'arrogance architecturale de Rome et de Naples. Zen se serait presque cru dans sa Venise natale.

La seule différence, et de taille, était le vacarme constant de la rue, un bruit tout à fait spécifique à Catane : le clapotis des pneus au contact des blocs de lave avec lesquels la chaussée était pavée, aussi typiques que les canaux tout droits et sombres des quartiers nord de Venise. D'ailleurs, sa fille hypothétique, Carla Arduini, avait trouvé une comparaison beaucoup mieux appropriée : « la Turin du Sud ». Les deux villes étaient des entités symétriques et rectilignes au style unifié, conçues sur l'ordre d'un monarque et bâties tout d'une pièce en un laps de temps relativement court. Dans le cas de Catane, la raison en était évidente à chaque carrefour, d'où l'on pouvait apercevoir le dôme menaçant de l'Etna au nord. En 1669, le volcan était entré en éruption, submergeant la ville tout entière sous un flot de lave qui ne s'était arrêté qu'au rivage pour former en se refroidissant les basses falaises noires et escarpées qui dessinaient encore le littoral. Vingt-quatre ans plus tard, l'un de ces séismes qui ont rendu la région célèbre depuis l'Antiquité détruisit le peu qu'il restait des structures de la ville.

On aurait pu aisément pardonner aux citadins ayant survécu à cette double calamité de plier bagage et de se mettre en quête d'un site moins périlleux. C'est ce que certains d'entre eux firent, mais les gens de Catane finirent par se dire que la nature avait fait le pire, et qu'eux et leurs enfants y seraient dorénavant en sécurité. Alors, ils se mirent à reconstruire à la hâte en se servant du seul matériau disponible : la lave pétrifiée qui avait provoqué tant de dévastation.

Et ils eurent en définitive de la chance, car il se

trouve que cette période fut extrêmement propice à l'architecture municipale clés en main : c'est alors que la capitale du Piémont, nichée au pied des Alpes, à huit cents kilomètres au nord, fut elle aussi entièrement reconstruite sur commande. Les nouveaux bâtiments qu'on érigea d'après un plan quadrillé étaient sobres et robustes, de proportions agréables et décorés avec grâce et élégance. Même trois siècles plus tard, alors que nombre d'entre eux étaient à l'abandon ou délabrés et qu'ils étaient entourés, pour cause de spéculation immobilière financée par la Mafia, de vastes cités de béton, ces vieilles bâtisses conservaient une indéracinable touche de caractère et de dignité, qu'on pouvait détruire mais pas avilir.

Zen disposa ses emplettes sur le comptoir de marbre de la cuisine et les examina d'un œil morose. Il n'avait jamais prétendu qu'aux plus modestes des talents culinaires, mais, pour des raisons sur lesquelles il n'avait pas jugé utile de s'approfondir, il ressentait le besoin de recevoir Carla chez lui, au moins une fois. La solution qu'il avait trouvée avait consisté à contacter le propriétaire du restaurant où il avait invité Baccio Sinico à déjeuner pour lui commander un peu de l'excellente soupe de poisson de l'établissement, transvasée dans une grosse bonbonne en verre qui avait jadis contenu des olives, à en juger par l'étiquette. Une miche de pain, un peu de salade et un choix de fromages de chèvre du cru compléteraient le repas, s'ajoutant au dessert promis par Carla.

Sa décision d'« adopter » cette jeune femme qui prétendait être sa fille, alors même que les tests ADN prouvaient qu'ils n'avaient aucun lien de parenté, avait été prise sur un coup de tête ; une simple fantaisie, quoique dénuée de méchanceté. Il n'avait pas réfléchi à la question au préalable — il n'y avait pas pensé du tout, pour être franc — et depuis lors il lui fallait se démener pour vivre en conformité avec le rapport fantasmé qu'il avait si peu judicieusement imposé à Carla comme à lui-même. C'était d'autant plus ennuyeux qu'il n'ignorait pas que Carla vivait la situation de manière tendue. Ils en étaient réduits tous deux à improviser les rôles qu'il leur avait attribués : le Père, la Fille.

Pendant qu'il attendait l'arrivée de Carla, il survola les notes qu'il avait prises à la suite de son déjeuner avec Baccio Sinico, ajoutant ou raturant un terme par-ci par-là. L'entretien n'avait pas été très convivial. Non que le jeune Bolonais eût été évasif ; au contraire, il s'était montré, de manière presque alarmante, communicatif au sujet du présent moral des troupes — ou plutôt de son absence — au sein du bureau de Catane de la Direzione Investigativa Antimafia.

— Je regrette presque l'ancien temps, avait remarqué Baccio Sinico à un moment donné. Au moins, à l'époque, ils nous combattaient ouvertement.

— Qui ça, « ils » ? s'enquit Aurelio Zen.

Sinico lui adressa un regard pénétrant, comme s'il avait du mal à décider si Zen faisait de l'ironie ou s'il était carrément idiot.

— *Gli amici degli amici,* répondit-il d'une voix si basse que Zen dut pour ainsi dire lire sur ses lèvres l'expression cryptée « les amis des amis », qui désignait les soutiens et protecteurs présumés de la Mafia au gouvernement.

— Mais ces « amis » ne sont plus au pouvoir, rappela-t-il à Sinico. Certains d'entre eux sont même en prison, condamnés ou en instance de jugement.

— Mais justement ! Dans l'ancien temps, on savait qui était qui. Les gens pouvaient choisir leur camp, et nul n'ignorait ce qui était en jeu. Maintenant, tout se fait par omission et inertie. Donc, les jours de gloire sont passés, la Mafia est au tapis, et il ne reste plus qu'à effectuer une mission de nettoyage, de faible intensité et sans réelle importance, sans prestige et sans risques. En d'autres termes, Rome nous traite comme des flics tout juste bons à régler la circulation, et nos collègues des autres services nous considèrent comme des vedettes arrogantes.

— La paye est bonne, quand même ! répliqua Zen sur un ton jovial et complice conforme au personnage paternel mais légèrement terne qu'il cultivait lors de ces rencontres professionnelles.

— Elle n'est pas mauvaise, concéda Sinico. Et c'est une autre raison expliquant pourquoi nous ne sommes pas appréciés ni aidés par les autres services, dans le coin. Mais l'argent n'est pas tout. Et, sans bravade, ce n'est pas que je sois effrayé par les risques du métier. Non, c'est la solitude qui commence à me peser. Ma famille et mes amis sont tous à Bologne et je me retrouve assiégé dans une caserne fortifiée en territoire ennemi, à essayer de faire un boulot que personne n'a l'air de trouver encore nécessaire.

— Vous avez observé un affaiblissement du soutien de la population locale ?

Sinico éclata d'un rire sardonique.

— Quel soutien ? Il y a eu une vague de manifestations après les assassinats de Falcone et de Borsellino, mais tout ça s'est bien vite calmé. À mon avis, c'était surtout pour la galerie. Ce n'est pas le fait que deux serviteurs désintéressés et dévoués de l'État aient été réduits en bouillie sanglante qui a choqué les gens, c'est que ça se soit passé ici, devant chez eux. Cela donnait une mauvaise image des Siciliens, et ils détestent ça.

Il s'interrompit pour triturer la nourriture à peine

entamée qui remplissait son assiette, avant de poursuivre :

— De toute façon, on s'est jamais attendu à beaucoup de collaboration de la part des gens du coin. Ce qui est plus dur à avaler, c'est que les gens qui sont au sommet se mettent à prendre leurs distances avec nous et le travail que nous accomplissons. Les vieilles alliances sont brisées, mais de nouvelles coalitions sont en cours de formation.

— Entre qui et qui ? demanda Zen.

Sinico fit un geste indiquant qu'il n'y avait pas de réponse à cette question.

— On ne le sait pas encore. Mais la Mafia s'est toujours alliée avec le parti du centre, et *tous* les partis sont au centre, de nos jours, même les anciens fascistes. En attendant, notre travail est entravé par les insinuations et l'absence de soutien. « Tout le monde est en prison, sauf Binù », voilà ce qu'ils disent...

— Sauf qui ?

— Bernardo Provenzano, surnommé Binù. Le bras droit de Totò Riina, actuellement dirigeant effectif du clan des Corléonais par l'intermédiaire de sa femme. Il ne communique que par messages écrits, il ne fait pas confiance au téléphone. Il est en cavale depuis trente ans. Il est le dernier des *capi* historiques. Les autres sont en détention préventive ou déjà condamnés à perpétuité. Tous sont dispersés dans de lointaines prisons. L'épine dorsale de la Mafia a été brisée, à ce qu'on nous dit. « Grâce à des gens comme vous, bien sûr, mais le moment est peut-être venu de voir les choses à long terme, de prendre du recul, etc. »

Il lâcha un profond soupir et secoua la tête.

— C'est déprimant, surtout quand on sait ce qui se passe vraiment.

— C'est-à-dire ? demanda Zen.

Sinico leva les yeux vers lui.

— Dottore, le trafic de drogue transitant par le port de Catane engendre à lui seul des centaines de millions de dollars tous les ans. Il existe également un marché, très lucratif, de l'exportation des armes à feu et des fournitures militaires, sans parler des habituelles arnaques immobilières, de la prostitution et du racket. En attendant, le taux de chômage des jeunes est de cinquante pour cent. Soixante-dix mille habitants de cette ville n'ont pas de moyens d'existence officiels. Vous croyez que la Mafia aura du mal à trouver de nouvelles recrues ?

— Mais si les parrains sont en prison...

— Eh bien, de nouveaux parrains apparaîtront. Quelqu'un a dit un jour qu'il n'y a que deux choses certaines : la mort et les impôts. La Mafia conjugue les deux. Elle ne disparaîtra pas comme ça. Mais, alors que nous savions qui étaient les anciens *capi,* même si nous ne parvenions pas à mettre la main dessus, nous n'avons pour ainsi dire aucune idée de l'identité de ceux qui sont aux commandes actuellement. Et ce n'est pas tout ; les structures mêmes du pouvoir au sein de la Mafia sont en train de se transformer. Les Corléonais sont plus ou moins lessivés, après avoir liquidé tous leurs rivaux. Mais de nouveaux clans sont apparus, parmi lesquels deux des plus puissants sont basés à Mezzagno et Cáccamo.

— Où ça ?

— Telle est la question. Ce sont des villages perchés dans les montagnes qui surplombent Palerme. Personne n'a jamais entendu parler d'eux, en dehors de la DIA. À Catane et à Messine, les alliances sont en train de se renverser. La famille Limina est en déclin, même si ses membres n'ont pas encore l'air de s'en rendre compte. Et comme si tout cela ne suffisait pas, selon des rumeurs fiables, des alliances seraient en train d'être conclues avec la *N'dranghetta* calabraise, dont les chefs sont les vrais cadors du moment, sans parler des gangs albanais des Pouilles, parmi lesquels certains ont ouvert des succursales ici même, en Sicile. Bref, la situation est incroyablement complexe et obscure, bien plus que jamais auparavant. Mais personne ne veut rien savoir. Les gens ici disaient, dans le temps : « Quelle Mafia ? Ça n'existe pas ! » La seule différence, c'est que de nos jours ils se contentent de préciser que ça n'existe *plus*. Eh bien, j'en ai carrément marre, et je ne suis pas le seul, croyez-moi.

Zen le voyait volontiers, mais ne pouvait pas se permettre de le lui dire. Ses attributions consistaient à établir des rapports sur la situation au sein de la DIA de Catane, non pas à manifester de la sympathie pour sa déliquescence.

— Mais vous avez quand même bien dû remporter quelques succès, ces derniers temps ? dit-il d'un ton encourageant. L'affaire du cadavre dans le train, par exemple.

Baccio Sinico haussa très ostensiblement les épaules.

— Il paraît que ce n'était pas le fils Limina, en fin de compte.

— Ce n'était pas lui ?

— Il paraît que non.

Zen fronça les sourcils.

— Que voulez-vous dire par « il paraît » ? Soit c'était lui, soit ce n'était pas lui.

Sinico arbora à nouveau son sourire sans joie.

— Sauf votre respect, dottore, on voit bien que vous venez de débarquer. La manière dualiste qu'ont les gens du Nord d'aborder la vie est parfaitement étrangère à la mentalité sicilienne. Ici, on est loin de n'avoir le choix qu'entre deux possibilités : il en existe, en toutes choses, un nombre presque infini.

— Épargnez-moi la philo, Sinico, répliqua Zen sèchement. Ça n'a jamais été mon truc.

Le jeune officier sourit, de bon gré cette fois.

— Excusez-moi, dottore. C'est mon hobby. C'est ce que j'étudiais à la fac jusqu'à ce que je m'aperçoive que le marché du travail, dans ce secteur, était plutôt restreint. La philosophie ne m'est d'ailleurs d'aucune aide pour comprendre la mentalité sicilienne. Il faut être né ici pour y arriver. Mais pour revenir au sujet, il semble que les autorités judiciaires ont trouvé valide une déclaration de la famille Limina selon laquelle le fils est vivant, en bonne santé et passe ses vacances au Costa Rica, malgré leur réticence à dire exactement où il se trouve et plus encore à l'exhiber en chair et en os.

— Alors vous croyez que cette histoire est fausse ?

Baccio Sinico éclata de rire.

— Si vous commencez à vous poser des questions de ce genre en Sicile, vous allez devenir dingue. Je vous dis juste ce qui s'est passé. Le dossier est fermé, et voilà tout. Quant à la vérité, qui sait ? Qui s'en soucie ?

Aurelio Zen médita ces dernières paroles en silence pendant un court moment.

— Et le magistrat qui instruisait cette affaire ? finit-il par demander.

— La Nunziatella ? Elle a été déchargée du dossier. Il a été requalifié officiellement en enquête de routine sur une mort accidentelle. Et, pendant que nous parlons, les communiqués de presse sont sans doute en train d'être rédigés. Ce sera dans les journaux et à la télévision demain, si ça vous intéresse tant que ça.

Il renifla et alluma une cigarette.

— Et puis, la juge en question a ses propres problèmes, si l'on en croit les potins.

— Que voulez-vous dire ?

Sinico lui lança un bref coup d'œil.

— On dit que la Nunziatella n'aime pas les hommes.

Zen haussa les épaules.

— Ce qui veut dire ?

— Ce qui veut dire qu'elle aime les femmes.

Nouveau haussement d'épaules.

— Ce n'est pas illégal.

Baccio Sinico soupira de nouveau.

— Malgré quelques récents changements, la société sicilienne est très conservatrice, dottore. J'ai entendu dire qu'il existe une photographie sur laquelle on peut voir Corinna Nunziatella et une autre femme dans un restaurant.

— Et alors ?

— Elles sont en train de s'embrasser, poursuivit Sinico. Sur la bouche.

Zen sortit son paquet tout froissé de Nazionali et en alluma une.

— Qui a pris cette photo ? demanda-t-il.

— Nul ne le sait.

— Eh bien, où se trouve-t-elle, à présent ?

— Nul ne le sait.

Il y eut un bref silence.

— Mais dans un sens, cela importe bien peu de savoir si la photo existe ou pas, reprit Sinico. Ce qui compte, c'est que la rumeur veut qu'elle existe. Et si elle devait être envoyée à la presse locale et publiée à la une, toutes choses qui peuvent facilement être arrangées par certaines personnes, alors il serait difficile, voire impossible, pour la juge Nunziatella, de poursuivre sa mission de manière satisfaisante. Auquel cas, il faudrait bien sûr la remplacer.

Aurelio Zen se rendit à la fenêtre située au fond de son appartement, celle qui donnait sur la cour, et il écarta les deux battants. Ce fut comme s'il avait ouvert la porte d'un four éteint mais encore tout brûlant d'une chaleur accumulée pendant de longues heures de cuisson. Une vague d'air usé envahit la pièce, subtilement parfumé des senteurs du basilic, du romarin, du thym et de l'origan que faisait pousser une voisine sur son balcon.

On sonna à la porte. C'était Carla, qui avait l'air détendue. Elle était vêtue d'un ample pantalon de couleur sable et d'un haut en coton tressé orangé. Son rayonnement et son énergie donnèrent immédiatement vie à la pièce. Toutes les appréhensions de Zen au sujet du succès de la soirée furent aussitôt balayées. Ils se mirent à fouiller ensemble dans les placards de la cuisine, en quête d'ustensiles idoines, puis ils versèrent la soupe dans une casserole qui se révéla trop petite, éclaboussant le pantalon de Carla. Mais ce n'était pas grave. Ils en rirent et mirent la soupe à réchauffer, ouvrirent une bouteille de vin et entreprirent de papoter sur les derniers scandales politiques et financiers, avant de discuter de ce qu'il convenait de faire pour fêter l'anniversaire de Carla, qui advenait le samedi suivant.

Le rythme de la conversation se ralentit un peu après le repas, et Zen finit par avoir recours aux banalités.

— Alors, comment va le travail ?

— Comme d'habitude, dit Carla. Je n'arriverai jamais à comprendre pourquoi tant de gens semblent trouver l'informatique si passionnante. Pour moi, un ordinateur est aussi fascinant qu'un interrupteur de lumière... Ce que c'est, finalement, quand on y pense. C'est d'ailleurs pour ça que j'aime travailler sur les ordinateurs. Leur présence est rassurante.

Elle fit une pause, pendant laquelle elle tripota nerveusement la salière.

— Aujourd'hui, je suis tombée sur quelque chose d'intéressant, quand même.

— Oui ?

Une nouvelle pause, suivie d'un haussement d'épaules embarrassé.

— Je ne devrais sans doute pas te le dire. Toute cette affaire est censée être hautement confidentielle. Tu aurais vu les papiers qu'ils m'ont fait signer...

— Allez, Carla ! On travaille tous les deux dans le même camp, après tout. Et puis, je suis de la famille.

Carla en prit acte d'un sourire.

— Eh bien, quelqu'un a crocheté le système de la DIA. J'ai découvert une séquence de connexions, effectuées en plein milieu de la nuit, alors qu'aucun des usagers habilités n'était en ligne.

Zen esquissa un sourire.

— Eh bien, en effet, ça a l'air très intéressant...

Carla éclata de rire.

— À vrai dire, ça l'est, en quelque sorte. En langage clair, cela signifie que quelqu'un d'extérieur à la DIA a consulté les fichiers des membres du service et a ouvert leur courrier électronique. Et ce qui est vraiment intéressant, c'est que ça n'a pas l'air d'être l'œuvre du hacker type. Ces pirates-là semblent pénétrer dans le système avec un statut équivalent à celui du *sysadmin,* ce qui veut dire qu'ils peuvent ouvrir, modifier ou même effacer n'importe quel fichier, y compris ceux qui sont censés être « fermés », inaccessibles aux autres cousagers. Et ils peuvent le faire non seulement ici, à Catane, mais sur tout le réseau de la DIA.

— Alors qui sont-ils ?

Carla haussa les épaules.

— Ça, je ne peux pas le dire. Mais j'ai identifié le code en chaîne de la machine qu'ils utilisent, nom de code « nero ». C'est un peu comme une empreinte digitale. Ça n'indique pas qui est l'utilisateur, mais ça permet de remonter jusqu'à lui. Et c'est ce que j'ai l'intention de faire.

Elle farfouilla dans son sac et en sortit une feuille de papier pliée.

— Regarde ça. Et ce n'est qu'une des traces d'accès que j'ai trouvées sur le fichier d'exploitation de la messagerie.

Zen prit la sortie imprimante et lut : *Aug 12 23 : 19 : 06 falcone PAM — pwdb [8489] : (su) plage ouverte pour utilisateur-racine par nero (uid = o).*

Carla posa l'index sur la feuille.

— Cela signifie qu'à 23 heures 19 minutes et 6 secondes, mardi dernier, quelqu'un, identifié par le code « nero », a accédé au système de la DIA et s'est servi de la commande « su » pour se brancher sur le statut d'utilisateur-racine. Ne me regarde pas comme ça, papa ! C'est important, parce que l'utilisateur-racine est autorisé à faire ce qu'il veut dans le système. Absolument tout ce qu'il veut.

Zen hocha gravement la tête.

— Et comment as-tu réagi ?

— Eh bien, j'ai rédigé un rapport que j'ai envoyé au directeur de la DIA, bien sûr. À lui de décider de la marche à suivre.

Pendant que Carla déballait le dessert qu'elle avait apporté, Zen se leva pour faire du café. Il avait admis le fait qu'il ne comprendrait jamais la nouvelle technologie qui envahissait le monde, où tout était impalpable et instantané, où tout se déroulait à la fois partout et nulle part. Un vendeur du marché aux poissons lui avait confié avec une profonde amertume que la majeure partie des thons pêchés au large des côtes italiennes était à présent rachetée par les Japonais, exportée là-bas pour être transformée et revendue aux Italiens sous forme de boîtes de conserve bon marché, écoulées par paquets de six. Cette histoire était peut-être vraie, ou peut-être était-ce l'un de ces mythes urbains teintés de xénophobie, du genre de ceux dont les Siciliens avaient pâti pendant des siècles. En tout cas, c'était possible. La technologie était au rendez-vous, et un circuit rudimentaire branché sur le cerveau de Zen lui disait que, si quelque chose pouvait être fait, alors quelqu'un se chargerait de le faire.

— Et à part ton travail ? demanda-t-il par-dessus son épaule pendant qu'il assemblait la cafetière à l'italienne. Qu'est-ce que tu fais de tes soirées ?

— Pas grand-chose, pour être franche, répondit Carla, dont la voix lui parut soudain beaucoup plus proche qu'il ne l'imaginait.

Elle prit deux assiettes sur une étagère et se mit en quête de fourchettes dans les tiroirs.

— Là-dedans, lui indiqua Zen.

— Mais on m'a invitée à dîner, demain soir, dit-elle en revenant à la table.

— Quelqu'un d'intéressant ?

— Un magistrat de la DIA. Il y aura sans doute des soldats qui seront planqués sous la table et qui goûteront les plats pour s'assurer qu'ils ne sont pas empoisonnés.

Le café se mit à bouillir.

— Bravo ! Il est beau garçon ? Marié ?

Il y eut un bref silence, pendant lequel Zen versa le café.

— En fait, c'est une femme, répondit Carla. Celle dont je t'ai parlé ce matin, Corinna Nunziatella. Elle a vraiment été très gentille avec moi. Je crois qu'elle est très seule. Elle a besoin d'une copine pour papoter, mais dans sa situation...

Zen hocha la tête lentement, sans la regarder.

— Peut-être, dit-il d'une voix si basse qu'elle en était presque inaudible, avant de poursuivre, sur un ton de jovialité forcée : Eh bien, félicitations ! On dirait que tu as hérité du talent qu'on a, dans la famille, pour se faire des amis haut placés.

— Tu as toujours fait ça ? demanda Carla.

— Parfois. Mais ça ne m'a rien valu de bon.

— Pourquoi ?

— Parce que je me suis fait encore plus d'ennemis haut placés.

Il lui adressa un étrange sourire, comme une photocopie froissée de l'original.

— Quoi qu'il en soit, on dirait bien que tu vas avoir une soirée intéressante, reprit-il en avalant son café brûlant d'un trait. Tu me diras comment ça s'est passé.

6

Ils demandèrent à voir Corinna Nunziatella juste après son arrivée au travail, le lendemain. Ils étaient deux, dans les vingt ans, et tous deux étaient vêtus de l'uniforme polyvalent des jeunes à la mode : casquette de base-ball en cuir, blouson en acrylique, jean et énormes godillots. L'un était mince et avenant, l'autre courtaud et silencieux. Corinna les nomma aussitôt Laurel et Hardy. Elle ne les avait jamais vus auparavant.

— Désolés de vous déranger, dottoressa, dit Laurel avec un sourire charmeur. On nous a dit de venir chercher le dossier sur l'affaire Limina.

Corinna se leva et se tourna pour leur faire face.

— Et vous êtes qui ?

Laurel ôta ses petites lunettes de soleil ovales et sortit une carte plastifiée l'identifiant comme étant Roberto Lessi, caporal des carabiniers. La carte était estampillée ROS en gros caractères rouges.

Corinna désigna Hardy, qui était en train de mâcher un chewing-gum et de la dévisager d'une façon qu'elle trouvait extrêmement gênante, d'autant qu'il n'y avait pas la moindre connotation sexuelle dans son regard.

— Mon partenaire, Alfredo Ferraro, dit Laurel

avec un sourire encore plus irrésistible. On travaille ensemble.

— À quoi ? demanda Corinna sèchement.

— La sécurité.

— Quel genre de sécurité ?

Laurel hésita à répondre, comme s'il cherchait ses mots.

— Interne, finit-il par lâcher.

— Et de qui prenez-vous vos ordres ? demanda Corinna.

— Du directeur, le dottor Tondo, fut la réponse qu'il lui fournit sur un ton carrément sarcastique, comme pour dire : « Prends ça dans la gueule ! »

Corinna décrocha son téléphone et composa un numéro.

— Nunziatella, répondit-elle lorsque la secrétaire de Sergio Tondo lui eut demandé qui était à l'appareil. Il faut que je parle au directeur, c'est urgent.

Après un silence que seul vint troubler le cri lointain d'une sirène, Tondo prit la communication.

— Il y a deux hommes dans mon bureau, lui dit Corinna. Ils se sont identifiés comme étant Lessi, Roberto et Ferraro, Alfredo. Ils m'ont dit qu'ils travaillaient sous vos ordres à, je cite, la sécurité interne. Ils veulent que je leur remette le dossier Limina. Pouvez-vous me confirmer que vous êtes au courant ?

— Ma chère Corinna, répondit le directeur de son ton le plus obséquieux, une femme aussi belle que vous ne devrait jamais se laisser aller à perdre son maintien simplement parce qu'elle se juge en mauvaise compagnie. Je vous demande de m'excuser si ces jeunes gens n'ont pas réussi à vous donner une impression favorable. Mais ce qui leur fait défaut en matière de charme, ils le compensent par leur efficacité.

— Ils travaillent donc bien pour vous.

— Ils travaillent pour nous tous, ma chère, en raison des efforts constants que je fais pour rendre votre vie et celles de vos collègues plus sûres et plus productives. Et à propos de productivité, je ne dois pas vous retarder plus longtemps. Donnez à vos visiteurs le dossier ayant trait à la question que nous avons évoquée hier, et puis remettez-vous au travail.

Sergio Tondo raccrocha. Corinna attendit un instant pour l'imiter. L'homme au chewing-gum continuait de la dévisager, son regard se déplaçant régulièrement d'une partie de son corps à une autre, comme s'il prenait cliché après cliché pour une photographie composite. Corinna fit un pas vers la pile de classeurs au coin de son bureau. Elle en prit un de la main droite, stabilisa la pile de la main gauche et, d'un geste triomphal, dégagea le dossier. La pile vacilla pendant un court instant avant de s'immobiliser.

Corinna revint vers les deux hommes, tenant le classeur contre sa poitrine.

— J'aurai besoin d'un reçu, dit-elle.

Laurel fronça les sourcils, comme si Corinna venait de commettre une légère entorse au savoir-vivre.

— J'ai bien peur que nous n'ayons rien qui ressemble à ça, dit-il.

— Alors rédigez-en un : « Nous, les soussignés, avons reçu le dossier numéro tant des mains de la juge Corinna Nunziatella », avec la date et l'heure. Écrivez vos noms en lettres capitales et signez en bas.

Laurel soupira.

— Il faut que je consulte le directeur.

— Il vient de sortir pour assister à une réunion très importante, mentit Corinna. Il ne sera pas très content si ce dossier n'est pas sur son bureau quand il reviendra, et je ne vous le remets pas sans reçu. Voilà du papier et un stylo.

Les deux hommes finirent par accepter. Corinna prit le reçu, le lut soigneusement et, seulement alors, leur remit le dossier. Laurel et Hardy prirent alors congé, sans un mot, Hardy ne cessant son examen qu'avec une réticence visible. Corinna Nunziatella écouta le son de leurs pas qui s'estompait sur le sol en marbre, à l'extérieur de son bureau. Quand il n'y eut plus que le silence, elle déverrouilla un tiroir de son bureau et en sortit un autre classeur, identique à celui qu'elle leur avait remis. Seul le numéro inscrit sur la tranche était différent. Elle resta un instant debout, immobile, respirant rapidement et profondément, les yeux dans le vague. Puis elle ouvrit la porte, jeta un bref coup d'œil de part et d'autre et se mit à marcher à grands pas dans le couloir, vers l'escalier principal. Elle descendit deux étages puis tourna à gauche vers une porte sans indication, située sous l'escalier. À l'intérieur, un passage étroit et mal ventilé donnait sur une autre porte, à laquelle Corinna frappa. Un instant plus tard, la porte était ouverte par une femme âgée et rougeaude.

— Eh bien ? lança-t-elle.

Un instant plus tard, son visage s'éclaira brusquement d'un sourire des plus accueillants.

— Ah, c'est vous, ma chère ! poursuivit-elle en dialecte sicilien. Entrez, entrez. Ça fait plaisir de vous voir ! Je m'apprêtais à monter au troisième pour effectuer un nettoyage en règle dans un local vide, réservé aux nouveaux. Lucia a pris quelques jours de congé maladie pour aller voir son fils à Trapani, alors il faut que je me tape tout le boulot toute seule. Et n'allez pas croire qu'ils prendraient la peine de nous avertir ! Il y a juste eu un coup de fil de son Altesse royale, ce matin, pour me dire de...

— Des nouveaux ? demanda Corinna en s'asseyant précautionneusement sur le fauteuil pivotant qu'Agatella avait récupéré on ne sait où.

Il était parfaitement confortable et stable tant qu'on ne s'appuyait pas sur le dossier, auquel cas l'objet tout entier basculait tout en vous faisant tournoyer jusqu'à la chute.

— Ils sont arrivés hier, lui confia la femme de ménage à voix basse. On m'a dit en termes on ne peut plus clairs de tout nettoyer d'ici demain midi et de ne plus remettre les pieds dans leur bureau « quelles que soient les circonstances ».

Elle roula des yeux et ajouta en chuchotant :

— De Rome. *I servizi.*

— *I servizi ?* répéta Corinna.

C'était le terme abrégé le plus usuel pour désigner le réseau de services secrets militaires clandestins basés à Rome, parmi lesquels certains avaient trempé dans le terrorisme d'extrême droite. Ce n'était sans doute pas une coïncidence si ce mot voulait également dire « toilettes ».

Agatella haussa les épaules expressivement.

— Qui sait ? En tout cas, c'est ce que Salvo en a déduit.

Salvo était le fils d'Agatella, employé au palais de justice en qualité de chauffeur.

— Il les a rencontrés ? demanda Corinna.

— On l'a envoyé les chercher à l'aéroport. Sauf que c'était pas au terminal habituel, mais complètement de l'autre côté. Vous saviez que Fontanorossa a été un aéroport militaire, dans le temps ? Eh bien, il l'est encore, et c'est là que l'avion a atterri, du côté des bâtiments militaires, à l'autre bout. Un petit jet, m'a dit Salvo, du genre qu'ont les millionnaires.

Corinna serra le dossier encore plus fermement. Elle sembla sur le point de dire quelque chose, avant de noyer sa remarque dans un long soupir, puis elle reprit.

— Bon, Agatella, la raison pour laquelle je suis venue vous embêter...

— Mais vous ne m'embêtez pas du tout, ma chère ! Je suis toujours ravie de vous voir, vous.

— Voilà, je me demandais si je ne pouvais pas vous emprunter votre manteau et votre foulard pendant une petite heure.

Agatella la regarda, stupéfaite.

— Mon manteau et mon foulard ? Bien sûr, mais pourquoi, au nom du ciel ?

Corinna sourit d'un air penaud.

— J'ai rendez-vous avec quelqu'un. C'est personnel. Mais à cause de tout ce délire sur la sécurité, on ne me laisse pas sortir du bâtiment sans escorte armée. Et si j'y vais avec eux, ce ne sera pas exactement une rencontre décontractée, c'est le moins qu'on puisse dire, et bien sûr tout le service sera au courant en moins de cinq minutes. Mais si je pouvais juste mettre votre manteau et votre foulard, et me glisser par la porte latérale, personne n'en saurait rien.

Agatella lui adressa un sourire radieux.

— Bien sûr, ma chère, bien sûr. Personne ne fait jamais attention à qui passe par cette porte. Je vais chercher mes affaires. Un beau jeune homme, hein ? Il est temps que vous vous casiez et que vous fondiez une famille, ma chère. Avec le temps qui passe, qui passe...

Dix minutes plus tard, une femme d'un âge incertain coiffée d'un foulard en satin et portant un sac en plastique plein à craquer et orné du logo de la chaîne de supermarché Standa pénétra chez un marchand de journaux de la Via Etnea, à la vitrine duquel était affiché un panonceau indiquant qu'on pouvait y faire des photocopies. Une vingtaine de minutes plus tard, elle réapparut, et son sac en plastique était encore plus gonflé qu'auparavant. Elle reprit le chemin par lequel elle était venue. Mais après avoir marché quelques pas, elle traversa la rue, comme si elle s'était égarée. Les voitures fonçaient, tourbillonnaient autour d'elle, et les pneus crissaient, tandis que les autres piétons se hâtaient de vaquer à leurs affaires, ignorant cette infortunée qui avait manifestement perdu le sens des réalités.

La femme poursuivit son chemin jusqu'à une *pasticceria,* où elle commanda un café. Là non plus, personne ne fit attention à elle. Même l'attitude du barman qui lui servit son café et encaissa son argent aurait pu laisser croire que cette transaction n'avait jamais eu lieu. La femme sortit une épaisse enveloppe en papier kraft de son sac en plastique, la ferma et inscrivit quelque chose dessus.

— Combien, pour emballer ça ? demanda-t-elle.

Le barman la regarda en fronçant les sourcils.

— Comme vous faites pour les gâteaux, expliqua la femme.

Le barman consulta d'un regard abattu les deux autres hommes présents dans le bar, secoua la tête et se mit à laver des tasses à café.

— Deux mille lires, ça irait ? demanda la femme.

— Ça se pourrait, si vous les aviez, répliqua le barman en dialecte.

Un billet de banque apparut dans la main de la femme pendant qu'elle faisait glisser l'enveloppe le long du comptoir en chrome juste devant le barman.

— Qu'est-ce que ça veut dire ? demanda-t-il avec irritation.

— Une blague que je veux faire à un ami, dit la

femme. Je veux que ça soit emballé exactement comme un gâteau, avec un ruban et tout, et une petite carte de vœux. En échange...

Elle glissa le billet de deux mille lires dans un verre vide, de l'autre côté du bar. Apparemment embarrassé, le barman jeta un coup d'œil en direction des deux autres hommes, puis il haussa les épaules et fit ce que la femme lui demandait.

Cinq minutes plus tard, elle se présenta au poste de garde de l'entrée principale du commissariat principal de Catane.

— Ceci doit être remis au vice-questeur Aurelio Zen, annonça-t-elle au policier de service, à travers l'Hygiaphone du panneau pare-balles tout en posant un paquet élégamment emballé sur la petite étagère du guichet d'accès présentement fermé.

— Vous le connaissez ? demanda le garde d'un air moqueur.

— Je suis une amie de sa fille, Carla Arduini. C'est pour elle. Un cadeau d'anniversaire. Tout ce que je veux, c'est qu'il le lui offre samedi, vous comprenez ?

Le policier secoua la tête, décrocha son téléphone et composa un numéro.

— Excusez le dérangement, dottore, dit-il dans un micro. Il y a une personne, ici, qui apporte quelque chose dont elle dit que c'est un cadeau d'anniversaire pour votre fille. À offrir samedi. Ça vous dit quelque chose ? Ah bon ? D'accord, monsieur. Je comprends. Très bien.

Il raccrocha et hocha vaguement la tête en direction de la femme.

— Le dottor Zen le prendra en passant quand il repartira chez lui.

— Assurez-vous bien qu'il ne l'oublie pas, répondit-elle. Et prenez-en grand soin, en attendant. C'est très précieux, et vous seriez tenu pour responsable s'il arrivait quoi que ce soit à ce paquet.

Le policier hocha la tête à plusieurs reprises, d'une manière qui voulait dire : « Faisons plaisir à cette enquiquineuse et qu'elle se taille au plus vite. » Après une nouvelle exhortation, la femme traversa d'un pas traînant la petite place qui se trouvait devant le commissariat. Une vie entière d'humiliation et de soumission paraissait lui interdire de se redresser et de regarder droit devant elle, ce qui fait qu'elle ne remarqua pas la haute silhouette décharnée qui l'observait du haut d'un balcon du premier étage de la questure.

En tout, moins d'une heure s'était écoulée lorsque Corinna Nunziatella poussa la porte de l'obscure entrée latérale du palais de justice, qu'elle avait laissée entrouverte en la bloquant avec une des serpillières d'Agatella. Quelques minutes plus tard, débarrassée du manteau, du foulard et du sac en plastique, elle passa allègrement le poste de contrôle donnant accès à la section réservée à la DIA et se mit à longer le couloir qui menait à son bureau. En ouvrant la porte, elle tomba sur Laurel et Hardy, qui avaient pris possession de son bureau, l'un s'étant installé dans son fauteuil, l'autre examinant la carte de la province de Catane qui était accrochée au mur.

— Ah, vous voilà ! cria Corinna sur un ton légèrement irrité. Je vous cherche partout. Vous savez quoi ? Le dossier que je vous ai donné n'était pas le bon. Je suis vraiment navrée. C'est celui-ci que vous vouliez. Non, pas de reçu, merci.

7

S'il n'y avait pas eu le gosse au skate, il ne fait aucun doute que tout aurait été très différent. Rétrospectivement, il aurait été presque rassurant de croire que cela faisait partie d'un des complots qui semblaient se tramer autour de lui. Mais il n'y avait pas le moindre élément de preuve permettant de penser que c'était effectivement le cas, pas plus que les éruptions périodiques de l'Etna ne pouvaient être raisonnablement assimilées — malgré les ingénieuses tentatives des prêtres et croyants de plusieurs religions, chrétiennes et païennes — à un châtiment divin que les habitants de la ville auraient mérité, au cours des mois précédents, par un comportement exceptionnellement impie, par d'extravagants péchés.

Le fait est qu'il y avait ce gamin qui filait à une vitesse incroyable sur le trottoir de la Via Garibaldi, évitant avec une adresse encore plus stupéfiante les piétons qui avançaient d'un pas traînant. Un simple déhanchement par-ci par-là suffisait à dessiner un parcours en courbe. Il contournait ainsi les obstacles qui se dressaient sur sa route jusqu'à ce qu'une femme prît la peu judicieuse initiative d'effectuer une manœuvre d'évitement, laquelle contraignit le skateur à corriger brusquement sa trajectoire, ce qui le fit aussitôt entrer violemment en collision avec un monsieur qui venait de traverser la rue, porteur de ce qui semblait être un gâteau, soigneusement maintenu en équilibre sur sa paume droite, et venait d'atteindre la bordure du trottoir, se croyant visiblement hors de danger à l'instant même où le skateur lancé à toute allure le heurta de plein fouet, choc frontal qui les projeta tous deux au sol.

Le jeunot fut le premier à reprendre ses esprits et, étant celui qui avait le plus à perdre dans cette rencontre inopinée, il eut la sagesse de prendre son skate et de filer sans demander son reste dans une rue adjacente. Quant au monsieur, plusieurs passants vinrent à son secours, vérifièrent qu'il n'était pas blessé, l'aidèrent à se relever, époussetèrent son veston et récupérèrent le paquet qu'il transportait, lequel avait été projeté dans le pare-brise d'une voiture en mouvement avant de se faire rouler dessus par une autre. L'homme les remercia pour leurs soins avant de se plier à l'obligatoire rituel des poignées de main à la ronde et de se joindre au concert de soupirs ponctuant de rhétoriques interrogations quant à l'actuelle dépravation de la jeunesse.

Une fois ces formalités accomplies, les passants se séparèrent, chacun reprit son chemin, lequel, dans le cas de Zen, n'était autre que celui de son appartement. C'est sans doute en raison du choc provoqué par sa collision avec le skateur, qu'il ne s'aperçut pas tout de suite que le prétendu gâteau déposé par l'amie de Carla en tant que cadeau d'anniversaire ne paraissait pas avoir subi de dégâts, malgré le fait qu'il avait heurté de front un premier véhicule avant d'être écrasé par un second. Il fallut quelques instants à son cerveau secoué pour en arriver à la déduction que, quel que fût l'objet qui était dans le paquet, ce n'était pas un gâteau. Ce qui fut confirmé par une petite déchirure en coin dans le carton d'emballage brillant et ivoiré sur lequel était imprimé le nom d'une pâtisserie voisine, déchirure au travers de laquelle on pouvait voir un fragment de papier kraft.

Couvrant le coin déchiré d'une main, Zen poursuivit son chemin le long de la route qui menait à son logis, escalada les marches de pierre trois par trois et pénétra dans son appartement, où il jeta le paquet sur une chaise. Puis il se rendit dans la cuisine et se fit, par automatisme, une tasse de café, tout en tâchant de tirer au clair ce qu'il savait et ce qui pouvait être déduit de ce savoir.

Une femme vêtue d'un manteau miteux et d'un foulard démodé avait laissé le paquet qui lui était destiné au garde en faction devant la questure. Selon ce dernier, elle avait prétendu qu'il s'agissait d'un cadeau pour Carla Arduini, fille du vice-questeur Aurelio Zen. Celui-ci devait le remettre à sa destinataire le jour de son anniversaire, le samedi suivant. Le prétendu cadeau était emballé dans du papier portant l'adresse d'une pasticceria de la Via Etnea, mais se révélait contenir ce qui ressemblait à un autre paquet. Le contenu était épais, dense, très lourd, vaguement flexible, et avait résisté à divers impacts violents sans dommages apparents.

Il avait imaginé, bien sûr, que ce pouvait être une bombe. Le même soupçon avait traversé l'esprit du garde, à la questure, qui l'avait passé au détecteur de métaux à rayons X servant à examiner tous les sacs et colis. Rien n'était apparu sur l'écran — ni fil électrique, ni piles — mais, de nos jours, on ne pouvait être sûr de rien. Zen avait lu quelque part qu'on avait inventé une sorte de détonateur chimique invisible à la radiographie.

Si c'était vraiment une bombe, cependant, la cible visée aurait presque certainement été la personne censée ouvrir le paquet, en l'occurrence Carla. Ce qui soulevait une autre question. Quelle que fût l'identité de la mystérieuse donatrice, elle savait deux choses dont, à la connaissance de Zen, personne n'était informé à Catane. La première était que, malgré son patronyme, Carla Arduini était censée être la fille de Zen. La seconde, que le jour de son anniversaire était samedi.

Il avala son café, alluma une cigarette et revint dans le salon. Il fut plutôt surpris de constater que le paquet se trouvait encore là où il l'avait mis. Il le considéra quelques instants puis s'en empara subitement et déchira le papier d'emballage. À l'intérieur se trouvait une grande enveloppe en papier kraft, sans autre inscription qu'un message rédigé d'une écriture gracieuse avec un stylo feutre bleu de diamètre moyen.

Voici la chose dont je vous ai parlé, Carla. NE L'OUVREZ PAS. Enveloppez-la dans un torchon sale ou quelque chose dans ce genre, et cachez-la. Je viendrai la chercher dans quelques jours, une fois que les choses se seront calmées. Je m'excuse de vous entraîner là-dedans, mais il n'y a personne d'autre à qui je puisse me fier P.-S. : Votre vrai cadeau d'anniversaire sera bien plus intéressant !

Zen relut ce message à plusieurs reprises, avant de poser l'enveloppe sur la table, de se mettre à tourner en rond dans la pièce et de la reprendre pour le relire encore. Carla y recevait pour instruction catégorique de ne pas ouvrir le paquet. En conséquence, si on l'ouvrait, elle pouvait se retrouver menacée d'un danger ou compromettre celle ou celui qui avait écrit le message.

Après l'idée de la bombe, Zen opta pour une hypothèse simple : celle de la drogue. Selon Baccio Sinico, Catane était devenue ce que Marseille avait naguère été, le principal site d'importation en Europe de la drogue en provenance d'Afrique du Nord et du Proche-Orient. La taille, le poids et la consistance du paquet auraient pu être ceux d'une grosse tablette de cocaïne ou d'héroïne emballée sous vide.

Mais de telles conjectures étaient bien vaines. Ce qui était certain, c'était que la possession de cette enveloppe, quel qu'en fût le contenu, constituait un danger potentiel pour son détenteur. La mystérieuse personne qui l'avait déposée pour qu'elle soit remise à Carla estimait à l'évidence que, dans son cas, le risque était si faible qu'il en était négligeable. Mais Zen ne pouvait se montrer si optimiste. Pas plus qu'il ne pouvait ouvrir le paquet et s'assurer par lui-même de son contenu. S'il agissait ainsi, les parties impliquées dans cette affaire en déduiraient naturellement que c'était Carla qui avait délibérément bravé l'avertissement NE L'OUVREZ PAS, et elles agiraient en conséquence.

Ainsi, dans un sens, la chose était bien une bombe, mais une bombe munie d'un dispositif de mise à feu à retardement d'une lenteur indéterminée. Et la seule chose que Zen pouvait faire pour protéger Carla contre d'éventuels dangers était de l'empêcher de recevoir ce paquet, tout en s'assurant qu'elle pourrait être en mesure de le rendre, intact, à une date ultérieure. Ce qui voulait dire qu'il allait lui falloir le cacher lui-même. Ce qui voulait dire, décida-t-il après une autre cigarette et plusieurs minutes de réflexion, qu'il allait lui falloir se rendre au marché aux poissons.

Il y était déjà allé, s'arrêtant brièvement en chemin pour ses rendez-vous avec Carla, fasciné par le miracle quotidien qui avait lieu à cet endroit depuis près de trois mille ans : les espadons et les thons décapités qu'on débitait en grosses tranches à l'aide de lames recourbées comme des machettes, les baquets pleins de calamars et de poulpes frétillants, les plateaux en bois garnis d'anchois et de sardines dont la peau argentée scintillait d'une gamme inattendue de couleurs évanescentes qu'on ne saurait nommer. Et partout, l'odeur fétide de la mort et de la chair, la clameur des voix au timbre à la fois rauque et perçant, et le sang, surtout ; souillant les tabliers des marchands, coulant en filets le long de leurs bras et de leurs couteaux, ruisselant dans le caniveau.

Il était presque 15 heures et la dramaturgie trépidante des rues entourant le marché s'était évanouie, comme la mer à marée basse, laissant derrière elle les décombres des étals livrés au processus de démontage ainsi que divers débris impossibles à identifier, livrés à la voracité des chats de gouttière et des mouettes les plus audacieuses. Les résidus de poissons invendus viraient au gris mat dans leurs cercueils collectifs avec l'air pathétique de ceux qui sont morts pour rien. Zen s'approcha de l'un des vendeurs, un homme corpulent à la mine renfrognée qui examinait ce qui restait de sa cargaison de sardines.

— Combien, ces sardines ?

L'homme le considéra d'un œil ébahi, comme s'il soupçonnait son interlocuteur de se moquer de lui, avant de s'égayer considérablement. Un prix fut prononcé, baissé de moitié et baissé à nouveau de moitié avant que l'affaire ne fût conclue. De l'argent changea de mains et Zen s'en fut à pas vifs, porteur de près d'un kilo de poisson extrêmement malodorant.

De retour dans son appartement, il posa sa marchandise dans l'évier avant d'emballer l'enveloppe de papier kraft dans plusieurs couches de film plastique fixées avec du ruban adhésif. Lorsqu'il se trouva satisfait de l'étanchéité de cet étui, il ouvrit le sac en plastique fourni par le poissonnier et y glissa le tout. La dernière étape de cet ouvrage, la plus délicate, consistait à remuer la masse fluide des sardines autour du paquet jusqu'à ce qu'elles l'entourent de toutes parts et le dissimulent. Une fois cette tâche accomplie, Zen scella hermétiquement le sac en plastique et le rangea dans le compartiment congélateur de son réfrigérateur.

Puis il s'assit sur le canapé avec un sentiment de regret. Et maintenant ? Telle était la question sans réponse, et à laquelle personne ne répondrait peut-être jamais, qui l'avait hanté ces derniers jours et ces dernières nuits. Le « maintenant » était à la fois spécifique et général ; il désignait à la fois l'heure à venir, qu'il fallait bien occuper d'une manière ou d'une autre, et le reste de sa vie, une vie qui paraissait extrêmement prévisible et vaine, d'une manière vaguement confortable. Sa carrière avait, à l'évidence, atteint une période de stagnation, dans laquelle il se trouverait englué jusqu'à la retraite. La promotion au poste de questeur, qu'on lui avait promise lorsqu'on lui avait annoncé sa mutation en Sicile, ne s'était pas matérialisée ; et maintenant, Zen était à peu près certain qu'elle n'arriverait jamais. Il s'était fait trop d'ennemis.

Pour être franc, il ne pouvait pas vraiment se plaindre. Le fait était qu'il ne se sentait plus motivé. Carrière, amour, famille, amitié — il avait visé au mieux dans chacun de ces domaines, mais le résultat n'avait guère été concluant. Dans le temps, on disait de lui qu'il était novice et enthousiaste, à présent, il était fatigué et cynique. Il avait été ignorant, et maintenant, il savait. S'il existait un moyen terme entre ces deux mornes extrêmes, il avait l'impression qu'il y avait complètement échappé.

Alors, et maintenant ? La réponse était pourtant claire : encore cinq ou dix laborieuses années à exercer un métier pour lequel il avait perdu la vocation et à tenter d'avoir des relations vouées d'emblée à l'échec, tandis que le monde se transformait autour de lui, devenant méconnaissable quoique trop familier. L'âge fait de nous des exilés dans notre propre pays, songea-t-il.

Il leva les yeux, surpris d'entendre une sonnerie électronique envahir la pièce. C'était son téléphone portable, qu'il n'emportait jamais avec lui. Il le localisa sur un placard dans la cuisine et appuya sur le bouton vert.

— Aurelio ?

— Qui est à l'appareil ?

— C'est Gilberto.

Silence.

— Gilberto Nieddu. Écoute, voilà...

Zen interrompit la communication. Il n'avait plus eu aucun rapport avec son ex-ami sarde depuis que ce dernier l'avait trahi — de manière impardonnable, aux yeux de Zen —, d'abord en volant puis en revendant, au prix fort, une cassette vidéo qui constituait une preuve dans une affaire sur laquelle enquêtait Zen. Un homme en était mort, un autre avait failli en mourir et, si cela s'était produit, les perspectives de carrière de Zen auraient sans doute été encore plus mornes que ce qu'elles lui paraissaient être à présent.

Le téléphone se remit à sonner.

— Ne raccroche pas, Aurelio ! supplia la voix de Gilberto. C'est important, vraiment important... C'est au sujet...

— Je m'en fous, Gilberto. En ce qui me concerne,

tu n'es qu'un salopard, et je ne veux plus jamais te causer, et encore moins te rencontrer.

Et il raccrocha à nouveau, comme une palourde referme sa coquille puis, tout indigné, il traversa la pièce et ouvrit les portes du balcon qui donnait sur la cour. Il fut aussitôt accablé par une atroce vague d'air chaud et par un de ces assourdissants accès d'hilarité si caractéristiques de la signora Giordano, une voisine qui faisait pousser des plantes aromatiques. C'était une retraitée, qui avait quelques moyens et une position sociale, mais que la compagnie de ses semblables mettait dans tous ses états. Habituellement, on n'entendait aucun bruit venir de chez elle, mais il lui arrivait parfois de recevoir, et un gros rire convulsif éclatait alors à intervalles réguliers, en moyenne toutes les dix secondes. Aucun autre son témoignant d'une conversation ou d'autres réjouissances n'était audible, il n'y avait que cet épouvantable caquet forcé, comme celui d'un acteur de second ordre essayant de signaler une réplique comique à l'attention d'un auditoire apathique.

Derrière lui, le *telefonino* avait recommencé à sonner, tel un point d'exclamation lointain, perdu dans les bruits du voisinage et les éclats de rire de la signora Giordano. Zen alluma une cigarette et attendit qu'il s'arrête de sonner. Mais il ne s'arrêta pas. Pourquoi Gilberto ne voulait-il donc pas comprendre ? Est-ce qu'il fallait que Zen installe un de ces équipements qui empêchent les appels indésirables d'être transmis ? Il fuma tranquillement pendant une minute, à en croire la pendule murale. Le téléphone persista à sonner. « Pas la peine de te cacher, semblait-il dire. On sait que tu es là, et on a tout notre temps. »

Après que la grande aiguille de la pendule eut parcouru un autre tour complet, Zen jeta sa cigarette dans la cour et se précipita sur le divan pour y décrocher le téléphone.

— Eh bien ? mugit-il.

— Excusez-moi...

C'était une voix frêle, une voix de vieille femme, qui lui était vaguement familière.

— Oui ?

— C'est Maria Grazia à l'appareil, dit la voix après un silence.

Le visage de Zen se détendit, passant de l'agressivité à une tolérance ennuyée légèrement teintée de perplexité. La femme de ménage de son appartement romain ne l'avait encore jamais, au grand jamais, appelé auparavant.

— Le signor Nieddu m'a demandé de vous appeler.

— Eh bien, vous pouvez dire au signor Nieddu d'aller...

— C'est au sujet de votre mère, vous comprenez...

Zen, brisé dans son élan, fronça les sourcils.

— Ma mère ?

— Oui, c'est que...

— Allô ? Maria Grazia ?

— Oui, écoutez, voilà ce qui se passe...

— Qu'est-ce qui se passe ? Mais qu'est-ce qui se passe ?

Un silence.

— C'est au sujet de votre mère.

— Merci beaucoup, Maria Grazia, répliqua Zen sur un ton sarcastique. J'ai bien compris. Passons au point suivant. Qu'est-ce qui lui arrive, à ma mère ?

Un nouveau silence, plus long, cette fois.

— Vous pouvez venir ici en combien de temps ?

— Venir où ?

— À Rome, bien sûr !

Zen se raidit. Il n'était pas accoutumé à se voir ainsi interrogé par la *donna di servizia*.

— Écoutez, Maria Grazia, arrêtez ces enfantillages et dites-moi pourquoi vous m'appelez.

Encore un silence, qui se termina par un reniflement, et ce qui lui parut être un gémissement.

— Excusez-moi, je ne me serais jamais permis, sauf... Sauf qu'il s'agit de votre mère, vous comprenez...

— Qu'est-ce qui se passe avec ma mère ? Passez-la-moi, si elle veut me parler.

Cette fois, le silence dura si longtemps qu'il ne fut pas loin de penser qu'ils avaient été coupés. Lorsque la réponse à sa question arriva, ce fut sur un ton neutre, comme celui de l'annonce préenregistrée d'une calamité publique, à la radio.

— Elle est en train de mourir, Aurelio.

8

« 19 h 19, avait spécifié Corinna Nunziatella. Soyez dans l'entrée de votre immeuble à 19 h 15, mais n'ouvrez pas la porte. »

Carla sourit en achevant ses préparatifs pour la soirée. Face à la glace, elle rectifia sa coiffure et repéra sur son chemisier un brin de fibre indésirable dont elle se débarrassa. Comme cela semblait ridicule, tous ces trucs de services secrets ! Mais, d'une certaine manière, cette impression d'être dans un film ne manquait pas de romanesque.

L'entrée de l'immeuble où elle vivait était un lieu bien morne, répliqué *ad infinitum* par les miroirs qui ornaient les murs et faiblement éclairé par cinq lampes globes en verre dépoli qui, au bout de leurs câbles, pendaient d'un plafond démesurément haut. Le grand chic mafioso du milieu des années soixante, pour tout dire. Carla attendit juste de l'autre côté de la porte, examinant la rangée de boîtes aux lettres encombrées d'omniprésents prospectus publicitaires, tenaces comme une mauvaise odeur. Lorsque la porte s'ouvrit, elle fit un pas en avant et se retrouva nez à nez avec Angelo La Rocca, avocat à la retraite irrémédiablement sourd, qui habitait dans la splendide solitude d'un appartement illégal perché sur le toit et accablait tout infortuné qui avait le malheur de le rencontrer dans les parties communes en usant et en abusant de ses prérogatives incontestées de Raseur Officiel de l'Immeuble.

— Ah, signorina Arduini ! cria-t-il en scrutant sa proie. Mais vous êtes ravissante, ce soir ! Une vraie symphonie de formes et de couleurs, aussi délicieuse que moderne. Vous sortez, à ce que je vois. Et quel est l'heureux jeune homme ? Pardonnez mon impertinence, ma chère. C'est le privilège de la vieillesse, de même que c'est un privilège, pour les jeunes femmes de nos jours, de pouvoir sortir sans être accompagnées, quand il leur plaît et avec qui elles veulent. Je me souviens encore du temps où une femme devait rester à la maison...

— À écouter des vieux emmerdeurs dans ton genre..., marmonna Carla.

L'avvocato dur d'oreille se pencha vers elle, ravi d'avoir suscité une réaction.

— Je vous demande pardon, ma chère ?

Un avertisseur se mit à retentir, au-dehors.

— Mon taxi est là, dit Carla à haute voix en ouvrant la porte.

En réalité, ce n'était pas un taxi mais une berline Fiat bleue. Néanmoins, Carla avait trois raisons de penser que c'était la voiture que Corinna Nunziatella avait envoyée pour la chercher. D'abord, il était 19 h 19 précises. Ensuite, le conducteur de la berline s'était garé juste devant l'immeuble, bloquant la circulation sans avoir l'air de s'en soucier. La troisième — et décisive — raison était qu'un jeune homme aux airs de dur à cuire venait d'en sortir et était déjà en train de marcher vers elle, scrutant la rue de toutes parts, serrant de la main droite un objet protubérant dans la poche intérieure de son blouson.

— Signora Arduini ? aboya-t-il.

Carla hocha la tête.

— Montez, répliqua l'homme en désignant la voiture du menton.

Lorsqu'elle fut à l'intérieur du véhicule, tout se passa très vite. Le conducteur démarra en trombe, appuyant comme un forcené sur la pédale de l'accélérateur avant de freiner et de déraper pour franchir la ligne jaune en relief qui se dressait au milieu de la chaussée. La Fiat fit un tête-à-queue, les pneus crissant sur les pavés de lave avant de repartir à toute allure dans la voie censée être réservée aux autobus. L'homme qui lui avait parlé était à présent installé dans le siège avant, immobile, ses yeux ne cessant d'aller des rétroviseurs aux vitres comme s'il surveillait une rangée d'écrans radar.

On dirait presque que j'ai été enlevée, songea Carla tandis qu'ils évitaient l'embouteillage qui bloquait le vaste *piazzale* circulaire en prenant le rond-point à contresens tout en s'appropriant une partie du trottoir. Les deux hommes restèrent muets, quoique le conducteur lâchât parfois de sourds grognements. Au bout de dix minutes environ, l'homme assis sur le siège du passager sortit une radio portative de son blouson et se lança dans une série de brefs échanges verbaux. Les lieux, heures et distances étaient énumérés comme s'ils figuraient sur une liste. Il finit par éteindre la radio et marmonna quelques mots au conducteur, lequel prit la première sortie et s'arrêta sous un pont qui permettait à l'autoroute qu'ils venaient de quitter de franchir une petite route de campagne bordée de villas et de petits immeubles. Les piliers qui soutenaient le pont étaient recouverts d'affiches électorales ornées du portrait du candidat local du parti Alliance nationale — troisième mouture du mouvement fasciste de Mussolini, recyclé dans la droite présentable. La radio se remit à grésiller et des instructions furent données. Une autre voiture apparut alors devant eux et se porta à leur hauteur avant de faire demi-tour pour se garer derrière eux.

L'homme qui l'avait escortée jusqu'à la voiture était déjà dehors et ouvrait la portière arrière pour laisser sortir Carla. La portière arrière de l'autre véhicule était ouverte et un autre homme, en uniforme et porteur d'un pistolet-mitrailleur, lui adressait de grands gestes impatients.

— Là-dedans ! gueula-t-il.

Elle était à peine montée qu'il claqua la portière, s'installa promptement sur le siège du passager à l'avant et hurla :

— Allons-y !

La voiture contourna la Fiat avec force crissements de pneus et fila en vrombissant. C'est alors seulement qu'elle prit conscience de la présence d'une autre femme, blottie à l'autre bout de la banquette arrière, vêtue d'un léger ensemble en gaze de coton audacieusement décolleté à la poitrine et d'un pantalon moulant ; ses manches retroussées découvraient ses bras bronzés et son poignet droit était orné d'un gros bracelet en or. Ses yeux étaient dissimulés par une paire de lunettes d'aviateur. Pour Carla, qui n'avait jamais vu Corinna Nunziatella qu'en tailleur et chaussures à talons hauts, ce fut une révélation.

— Alors, vous avez apprécié la balade ? demanda la juge non sans ironie.

— Eh bien, c'est autre chose que de prendre le bus. Mais je ne comprends pas très bien pourquoi prendre toutes ces précautions pour me protéger. Je veux dire, *ma* vie n'est pas en danger.

Corinna Nunziatella releva ses lunettes sur son front et jeta un coup d'œil sévère à Carla.

— Bien sûr que non. C'est moi qui suis protégée

ainsi, pas vous. Il faut partir de l'hypothèse que tous mes amis, toutes mes relations et tous mes familiers sont surveillés. Votre téléphone est peut-être déjà sur écoute, votre courrier intercepté. Ils ont peut-être même placé des micros dans le bureau où nous sommes convenues de dîner ensemble ce soir. Si c'était le cas, même en ignorant le lieu et l'heure du rendez-vous, il leur suffirait de vous suivre pour que vous les meniez tout droit à moi.

Elle sourit et secoua la tête d'un air impatient.

— Quoi qu'il en soit, c'est fini, tout ça. À présent, nous pouvons nous détendre jusqu'à la fin de la soirée.

Il devint vite évident que cela n'était pas entièrement vrai. Sur la route, qui remontait un des versants de l'Etna, au nord de la ville, le trajet se déroula conformément à une mise en scène méticuleuse, comprenant une liaison radio permanente entre les deux véhicules déjà engagés dans l'opération, ainsi qu'avec un troisième qui semblait rouler en avant-garde. Parfois, la voiture dans laquelle elles se trouvaient ralentissait jusqu'à rouler au pas ; et parfois elle se mettait à foncer à une vitesse qui plaquait Carla contre son dossier. Les changements de direction étaient effectués comme au hasard, toujours au dernier moment et sans faire usage du clignotant, le tout dans un concert de crissements de pneus et de freins et un ballet frénétique de coups de volant.

— Bon, au moins, eux, ils s'amusent comme des petits fous ! confia Carla à Corinna en souriant furtivement et en désignant du menton les deux hommes assis à l'avant.

À sa grande surprise, la juge ne lui rendit pas son sourire.

— Dix-huit juges, appartenant à la DIA ou faisant le même boulot avant la création de celle-ci, ont été tués au cours de la dernière décennie, répliqua Corinna Nunziatella. Dans presque tous les cas, les membres de leur escorte ont été tués en même temps qu'eux. Quand ils ont tué Falcone et sa femme, les six hommes qui les précédaient ont sauté avec eux. Lors de l'assassinat de Borsellino, huit membres de l'escorte y ont laissé la vie. Non, malgré les apparences, je ne pense pas qu'ils s'amusent tant que ça. Si je n'avais pas eu envie de vous inviter à dîner ce soir, ils auraient pu rester tranquillement à la maison avec femme et enfants à regarder la télé. Mais là, s'ils commettent la moindre erreur, ils pourraient bien *passer* à la télé... en tant que victimes.

Carla hocha discrètement la tête.

— Je vois, dit-elle.

Constatant l'expression un peu coupable de Carla, Corinna sourit et lui prit le poignet.

— En réalité, c'est la première fois que je sors le soir depuis que j'ai obtenu ce poste à la DIA, dit-elle. Ce qui est plutôt flatteur pour vous, ma chère.

Quelques minutes plus tard, la voiture arriva au sommet de la colline qu'ils venaient d'escalader non sans maintes circonvolutions, entre champs bordés de murs en pierre et l'affleurement sporadique de logements modernes, et passa devant un panneau blanc portant le nom : TRECASTAGNI. Presque aussitôt, elle tourna à droite pour emprunter une allée discrète bordée de hauts murs en brique avant de s'immobiliser. Carla ouvrit la portière et entreprit de descendre.

— Pas encore ! brailla l'un des hommes en uniforme.

— Il faut qu'ils s'assurent que la voie est libre, expliqua Corinna.

La Fiat bleue s'était garée derrière leur voiture. Les

deux hommes en civil en sortirent et gravirent les marches qui menaient à un ensemble de bâtiments.

— La voiture de tête doit être garée dans la rue, dit Corinna. Au cas où il nous faudrait partir précipitamment et où nous aurions besoin d'un véhicule de secours. Les deux hommes de la voiture de soutien vont prendre une table à l'intérieur et vérifier la clientèle. C'est un restaurant très réputé et, bien sûr, « ils » aiment prendre du bon temps.

— Vous voulez parler de la Mafia ? demanda Carla.

Sans apercevoir la moue de Corinna Nunziatella, elle poursuivit :

— J'ai toujours cru que c'était une bande de paysans. Genre, les spaghettis de la mamma ou rien du tout...

Corinna sourit d'un air las.

— C'est un peu plus compliqué que ça, répliquat-elle d'un ton légèrement condescendant. Certains d'entre eux sont comme ça, certes, mais même ceux-là essayent de s'épater les uns les autres, et surtout d'impressionner les étrangers, justement parce qu'ils connaissent ce stéréotype et qu'ils savent qu'il est fondé. Mais il y a aussi une catégorie très différente de gens qui sont impliqués dans la Mafia, de nos jours : des hommes qui passent leur vie à voyager entre ici et Bangkok ou Bogotá ou Miami... au choix. Pour eux, il importe davantage d'exhiber leur raffinement et leur richesse. C'est comme savoir choisir ses vêtements et accessoires. Aucun baron du trafic mondial de la drogue ne va vous prendre au sérieux en tant qu'interlocuteur de premier plan si vous l'invitez à la maison manger un plat de nouilles, même si elles sont incomparablement *genuina*.

Corinna parlait vite et de manière un peu éperdue, sans cesser d'épier les marches qui menaient au bâtiment principal où s'étaient engouffrés les deux policiers en civil.

— Pourquoi mettent-ils autant de temps ? demanda-t-elle.

Comme pour réagir à sa question, la radio se remit à grésiller, et l'un des deux anges gardiens réapparut et descendit les escaliers en direction de la voiture, faisant signe de le suivre en vitesse.

— La voie est libre ? demanda Carla.

— Apparemment.

Les deux femmes sortirent de la voiture et furent dirigées le long d'une série d'escaliers et de couloirs à l'intérieur de la bâtisse, avant de redescendre parmi les espaces distincts du restaurant, chacun se trouvant à une hauteur différente : des murs de pierre nus, un grand âtre ouvert, des meubles anciens chargés de bouteilles de vin et d'huile. Aux poutres apparentes étaient accrochés des ustensiles aratoires anciens et des pantins représentant les chevaliers chrétiens Renaud et Roland.

— Désolé de vous avoir fait attendre, dottoressa, murmura leur garde du corps. On était sur le point de donner le feu vert quand Giuseppe a repéré deux jeunes d'apparence suspecte assis à une table dans un coin. Ces deux-là, vous les voyez ? Alors on est allés les contrôler, et vous savez quoi ? Ils font le même boulot que nous ! Un politicien très important venu de Rome a été invité à dîner ici.

Carla était bien consciente que ces paroles avaient été prononcées au seul usage de Corinna. C'était elle, la star, la VIP, la seule victime qui compterait. Si une tentative d'assassinat avait effectivement lieu, Carla ne figurerait que dans la liste des « dommages collatéraux », tout comme les membres de l'escorte.

Corinna resta debout à scruter les deux hommes

attablés dans le coin, avant de se tourner vers le serveur qui était en train de leur désigner leur table.

— Non, je préférerais une autre table, s'il vous plaît, dit-elle d'un ton déterminé. Par là, près de la cheminée.

Le serveur esquissa un geste poli et procéda à leur installation. Leur escorte prit une table sur la mezzanine qui surplombait la pièce. Corinna s'assit puis se redressa pour regarder en direction des deux hommes assis dans le coin. Apparemment satisfaite, elle lâcha un profond soupir et se cala dans son siège.

— Vous les connaissez ? demanda Carla qui avait soigneusement observé cette pantomime.

Corinna secoua la tête.

— Pas vraiment. Mais ils sont passés me voir ce matin pour prendre un dossier qu'on m'avait ordonné de clore et de restituer. Ils se nomment Roberto Lessi et Alfredo Ferraro. Ce sont des agents du Raggruppamento Operazioni Speciali, qui dépend des carabiniers.

— Le groupe d'opérations spéciales ? s'enquit Carla. Quelle sorte d'opérations ?

Corinna eut un geste qui signifiait : « Qui sait ? Sans doute personne... »

— Enfin, au moins, ils sont de notre côté ! s'exclama Carla avec un évident soulagement.

— Ça me rappelle, dit-elle, que j'ai donné à votre père un paquet qu'il doit vous remettre.

Carla fronça les sourcils.

— Mon père ?

— Il sert de coupe-circuit, c'est tout. Je ne voulais pas être vue en train de vous le remettre directement. Pour notre sûreté à toutes les deux.

— Pourquoi, qu'est-ce que c'est ?

— Rien qui puisse vous concerner, ma chère, répliqua Corinna. Ce sont juste quelques papiers que j'ai besoin de mettre à l'abri pendant un petit moment. Ils sont emballés dans une enveloppe que votre père vous donnera samedi, si ce n'est auparavant. Il croit que c'est un cadeau d'anniversaire. Contentez-vous de le cacher quelque part dans votre appartement. En temps voulu, je vous dirai soit de le détruire, soit de me le rendre. Ça vous va ?

Carla hocha la tête.

— Mais il ne faut pas que je regarde ce que c'est ?

— Non, ne faites pas ça.

— Comme la boîte de Pandore.

Corinna sourit.

— Oui ! s'exclama-t-elle. C'est tout à fait comme la boîte de Pandore.

— Tous les présents bénéfiques que les dieux avaient faits aux mortels devinrent maléfiques et se répandirent comme une épidémie dans le monde, poursuivit Carla avec une pointe d'effronterie. Tous, sauf l'espoir.

Corinna soupira tandis que le serveur s'approchait de leur table.

— Il existe différentes versions de cette légende, répondit-elle. Selon certaines d'entre elles, même l'espoir finit par être aboli, quoiqu'il fût le dernier à disparaître.

Elle sourit et ajouta :

— Si nous passions commande ?

9

Zen avait d'ordinaire une peur bleue de prendre l'avion. Cela avait toujours été un de ses traits caractéristiques, comme l'était sa haute taille. Il avait peur de prendre l'avion, mais ce qui le terrifiait à présent, c'était justement qu'il n'avait *pas* peur de se trouver dans un avion, et c'était d'autant plus inquiétant que tous les autres passagers de son vol étaient, quant à eux, manifestement terrifiés.

Quelques instants auparavant, le pilote avait demandé aux passagers de boucler leur ceinture en prévision de « quelques turbulences ». Une poignée de secondes plus tard, l'Airbus A320 avait eu une spectaculaire crise d'épilepsie, tressautant, vibrant et bondissant en une série apparemment incontrôlable de spasmes si violents que l'un d'entre eux avait envoyé valdinguer l'une des hôtesses de l'air dans la rangée de sièges juste devant Zen, tandis qu'une autre s'était mise à genoux en se signant et en psalmodiant un Ave Maria à haute voix. Quant aux passagers, ils hurlaient en fermant les yeux, serrés les uns contre les autres, et vomissaient.

Pendant ce temps-là, Zen était assis tranquillement, en proie à une folle anxiété née de la découverte qu'il était la seule personne à bord de l'avion qui ne fût pas terrorisée par les conditions de vol. Phénomène ô combien angoissant. Que votre vue baisse, que votre ouïe diminue, que vous perdiez vos cheveux, que votre mémoire soit défaillante, quoi de plus normal, de plus prévisible ? Mais si vos peurs vous désertent, qu'est-ce qu'il vous reste ? Qu'elles disparaissent, et tout ce qu'il reste de vous n'est plus qu'une coquille vide.

Circonstance aggravante, il était taraudé par le soupçon, la certitude, presque, que ce voyage n'avait lieu que parce qu'il était victime d'un canular, l'une de ces farces puériles que Gilberto Nieddu adorait faire aux dépens d'amis ou de collègues trop confiants. Le Sarde en voulait toujours à Zen d'avoir rompu avec lui après son indélicatesse dans l'affaire de la cassette vidéo volée. À présent, il avait décidé de prendre sa revanche d'une manière aussi cynique et cruelle qu'efficace.

Car, si c'était en effet un canular, Zen aurait difficilement pu éviter d'en être victime, surtout après cette conversation avec Maria Grazia. L'Airbus vacilla brusquement, piquant du nez non sans un fracas métallique qui provoqua un nouveau chœur de hurlements stridents et de prières. « Maria ! Maria ! » implorait en criant l'hôtesse de l'air. *Maria,* songea Zen. Maria Grazia. Quel était son rôle dans le complot ? Gilberto l'avait-il stipendiée pour qu'elle accepte de tenir un tel rôle ? Cela paraissait improbable. Zen connaissait la femme de ménage de la famille depuis près de vingt ans. Et il était certain qu'elle aurait été incapable de mentir, même pour sauver sa vie.

Non, il n'y avait qu'une seule explication possible. Gilberto avait dû la convaincre, elle aussi ! Ça, c'était tout à fait possible. Pour parvenir à ses fins, ce sale petit Sarde fourbe pouvait persuader n'importe qui de n'importe quoi, a fortiori quelqu'un d'aussi candide et ingénu que Maria Grazia. Oui, c'était bien ça. La femme de ménage était tout simplement une complice involontaire des manigances du rusé Nieddu qui s'était servi d'elle pour ôter tout doute de l'esprit de Zen et faire de lui cet automate paniqué qui avait aussitôt appelé un taxi, foncé dans le hall de l'aéroport, tout suant et essoufflé, et payé une petite fortune pour acquérir une des dernières places disponibles dans le premier vol pour Rome.

Très bien, se dit-il, mais rira bien qui rira le dernier. Tu as peut-être gagné cette manche, mon pote, mais la partie n'est pas encore terminée. Nieddu était, certes, expert en la matière, mais Zen avait plus d'un tour dans son sac, lui aussi. D'abord, il en savait pas mal sur les pratiques commerciales du Sarde, nombre desquelles étaient extrêmement douteuses, même selon les critères en vigueur dans le monde des affaires en Italie.

Mais ce serait se servir d'un marteau de forgeron pour fendre une noix, songea Zen tandis que l'avion virait de bord et entamait une descente vertigineuse et que l'équipage s'efforçait de redémarrer le moteur de tribord. L'habitacle retentissait de hurlements et de supplications désespérées et une intime odeur d'excrément humain y flottait. Zen jeta un coup d'œil indigné à son voisin de gauche, un homme d'affaires renfrogné dont l'attention avait jusqu'à présent été entièrement consacrée à son ordinateur portable, avant de détourner la tête le plus loin possible dans la direction opposée. Sa voisine de droite, âgée d'une cinquantaine d'années et dont le visage ruisselant de sueur évoquait un masque de métal luisant, serra le bras de Zen de toutes ses forces tout en appuyant sa tête contre l'épaule de ce dernier, et se mit à marmonner de ferventes invocations à sainte Rita de Cascia.

Le chef steward se leva en titubant et entreprit de faire réciter le Notre Père aux passagers. S'il devait rendre la monnaie de sa pièce à Gilberto, Zen devait le faire d'une manière plus personnelle. Et soudain, la meilleure manière de se venger de la plaisanterie de mauvais goût de Gilberto lui apparut en toute clarté. Cette riposte était si délectable qu'il ne put s'empêcher d'éclater de rire, et là, sa voisine retira brusquement son bras et le dévisagea d'un air horrifié. Au même instant, l'Airbus cessa subitement de piquer, le moteur de tribord s'étant remis à fonctionner, ce qui fit chuter le steward comme un pantin désarticulé. Quelques instants plus tard, tout était redevenu parfaitement stable et calme.

Rosa Nieddu n'était pas l'épouse italienne typique, laquelle ne se soucie guère des frasques de son mari tant qu'elles n'impliquent aucune relation commune aux deux époux et qu'elles restent relativement discrètes. Non certes, *fare finta di niente* n'était pas dans le style de Rosa. Tout au contraire, elle s'était montrée soupçonneuse et intensément curieuse de ce que Gilberto faisait vraiment pendant ses prétendus voyages d'affaires, et elle avait sans aucun doute de bonnes raisons de se méfier.

Jusque-là, l'amitié et la solidarité masculine avaient conduit Zen à fournir toute l'assistance nécessaire quand ça allait mal avec Rosa. Il n'avait certainement jamais songé auparavant à lui causer délibérément des ennuis de ce côté-là. Ce ne fut donc pas sans satisfaction qu'il s'aperçut combien ce serait facile. La jalousie viscérale de Rosa ressemblait au maquis sarde en été : une seule étincelle suffirait à créer un formidable incendie.

Et cette étincelle ne serait pas difficile à provoquer. Quelques lettres, pour commencer, histoire de préparer le terrain. Il en rédigerait les brouillons qu'il ferait recopier par Carla d'une écriture féminine et méticuleuse, toute en boucles et en courbes, avec des petits ronds en guise de points sur les i. Elle pourrait l'appeler au téléphone de temps en temps, aussi, le moment venu. Comme ils s'amuseraient à rédiger leurs scénarios ! « Allô, c'est la signora Nieddu ? Je m'appelle... » Comment la nommeraient-ils ? Un prénom un peu démodé, un peu rustique, évoquant une fille de la campagne bien en chair mais simplette.

Il se souvint subitement de la destinataire des prières qu'avait récitées sa voisine. Cela ferait parfaitement l'affaire. « Je m'appelle Rita, signora. Je vous ai déjà écrit plusieurs fois. Je suis désolée de vous déranger de nouveau, mais si je vous appelle aujourd'hui, c'est que je suis complètement désespérée. Comme vous le savez, votre mari a abusé de moi lors de sa visite à Bari et, vous voyez, voilà que je viens de me rendre compte que je suis... » Comment cette sorte de femme formulerait-elle la chose ? « Que j'attends un enfant » ? « Que je vais être mère » ? « Que je suis enceinte de trois mois » ? Carla saurait dire les mots qu'il faut. D'ailleurs, cela n'avait guère d'importance. À ce stade, Rosa serait déjà dans la cuisine, en train d'affûter son grand couteau à viande. On verrait alors si Gilberto pourrait s'en tirer grâce à son baratin !

Une voix dans un haut-parleur annonça que l'avion allait bientôt atterrir à l'aéroport de Fiumicino. Zen consulta sa montre. L'appareil n'avait décollé de Catane qu'une heure auparavant. Il lui sembla impossible qu'il soit déjà arrivé à Rome. C'est là que sa mère vivait. *Elle est en train de mourir, Aurelio.* Grotesque. Rome était à des centaines de kilomètres. Il fallait des heures et des heures pour s'y rendre.

L'avion entra brusquement en contact avec le sol, arrachant un tonnerre d'applaudissements aux passagers, avant de se déplacer avec précaution vers la rampe de débarquement. Tout le monde se leva pour prendre ses bagages à main, bavardant avec une volubilité presque hystérique entre parfaits étrangers au sujet de l'épreuve terrifiante qu'ils venaient de partager.

— Plus jamais ! ne cessait de répéter d'une voix stridente l'un des passagers. C'est la dernière fois que je mets les pieds dans un avion ! Plus jamais, quoi qu'il arrive !

Ce ne fut que lorsque l'homme d'affaires qui avait eu un problème de digestion accélérée le poussa du coude que Zen se rendit compte que tout le monde était en train de sortir de l'avion. Il se leva, prit son manteau et se dirigea en traînant des pieds vers la sortie. Le commandant de bord, en uniforme, se tenait juste à côté de la portière ouverte du cockpit.

— Navré pour le manque de confort, dit-il chaleureusement à Zen. Je n'avais jamais vu un cas de turbulences par temps clair aussi grave. On ne les voit pas au radar, vous savez. Totalement imprévisible. On ne peut rien y faire.

Zen hocha la tête.

— Non, on ne peut rien y faire.

10

— Ma mère...

— Elle est encore en vie ?

— Je suppose...

— Vous n'en êtes pas sûre ?

— Non, je veux dire que je suppose qu'on peut dire qu'elle en vie.

— Elle est de Randazzo, vous m'avez dit.

— Non, j'ai dit qu'elle vivait là. Qu'elle vivait là, avant.

— Et maintenant ?

— Maintenant, elle n'y habite plus.

— Alors, elle a déménagé ?

— On l'a déménagée.

Carla eut un sourire crispé.

— Vous n'arrêtez pas de faire des distinctions bizarres que je ne comprends pas vraiment, Corinna.

L'autre femme sourit également.

— C'est une spécialité sicilienne. Mais je n'essaie pas de vous cacher quoi que ce soit. Il faut seulement que je décide à quel point je peux me confier à vous, Carla. C'est-à-dire, ce que je suis prête à vous dire et ce que vous avez envie de savoir.

— Je veux tout savoir.

— Oh, tout ! Pardonnez-moi si je m'y prends mal. Je suis amoureuse, voyez-vous.

— Amoureuse ?

— Oui. C'est pour ça que je me comporte un peu étrangement. Je m'en excuse à l'avance. Le vrai problème, c'est que je ne suis pas intéressée par le papotage et les brèves rencontres. Ce genre de choses peut être amusant un moment, mais on peut en dire autant de la télévision. En vieillissant, je m'aperçois que je désire quelque chose de plus difficile. Quelque chose qui me pousse jusqu'aux limites de ma compétence.

— Quel âge avez-vous, Corinna ?

— Trente-quatre ans.

— Moi, je n'en ai que vingt-trois. Ma mère est morte, et quant à mon père... Il a miraculeusement réapparu, après de longues années. C'est différent, et, dans un sens, ça ne change rien. Ça revient à supposer en permanence qu'il est bien mon père.

— Mais vous m'avez dit avoir effectué des tests ADN.

— Il m'arrive de croire qu'il les a falsifiés.

— Pourquoi aurait-il fait une chose pareille ?

— Pourquoi les gens font-ils des choses étranges ? Une fois sur deux, ils ne le savent pas eux-mêmes. Et même quand ils le savent, il leur est indifférent que leurs raisons soient comprises de qui que ce soit d'autre.

— Ainsi, vous êtes antirationaliste ?

— Je suis réaliste. Du moins, c'est ce que j'aime à penser.

— Alors, je vais vous parler de ma mère, Carla. Nous allons mettre à l'épreuve votre réalisme, ma chère. Je vais essayer de ne pas vous ennuyer, mais, pour être franche, vous n'avez pas vraiment d'autre choix que de m'écouter.

— Je pourrais toujours quitter le restaurant.

— Malheureusement, ce n'est pas possible. Pour mon escorte, nous formons toutes deux un ensemble. Une seule marchandise, comme ils disent. Tant que je serai ici, il faudra que vous restiez. Nous sommes arrivées ensemble, et il faut que nous partions ensemble.

— Je vois. Je n'avais pas bien saisi dans quelle situation je me mettais en acceptant votre invitation.

— Non, bien sûr que non. Mais d'une certaine manière, la soumission peut avoir des effets vraiment libérateurs, vous ne croyez pas ?

— Libérateurs ?

— Tant de décisions qu'on n'a pas besoin de prendre. En tout cas, je vais vous raconter l'histoire de ma mère. Blague à part, je ne vais quand même pas exploiter le fait que vous soyez à vous seule un auditoire captif. Si je vous embête, dites-le-moi.

— Allez-y.

— Ma mère vient de Manchester. Une ville en Angleterre. La seconde moitié de ce mot, *chester* tire son origine du latin *castrum,* camp fortifié. La première syllabe est le mot anglais qui veut dire « homme ». Ma mère a dit un jour, en un de ses rares accès d'humour, que tous ses ennuis étaient venus de cette étymologie.

— Votre mère est anglaise ?

— Elle est née en Angleterre, de parents anglais. En fait, l'un d'eux était gallois, mais je ne peux pas m'attarder sur ces nuances qui semblent avoir tant d'importance là-bas. En tout cas, elle a grandi à Manchester.

— Vous êtes déjà allée là-bas ?

— Oui, il se trouve que j'y suis allée.

— C'est comment ?

— Impossible à décrire. Nos villes ne ressemblent

en rien à ça. Mais j'ai aimé. Je me suis bien entendue avec les gens.

— Vous parlez anglais ?

— Ne brûlons pas les étapes, Carla. Chaque chose en son temps.

— Excusez-moi. Alors votre mère a grandi à... dans cette ville dont vous avez parlé.

— Oui. Elle s'appelle Bettina. Betty. Elle a quitté l'école à seize ans et trouvé du travail comme serveuse au centre-ville. C'est là qu'elle a rencontré mon père.

— Un Anglais, aussi ?

— Non, il est d'ici. Il travaillait comme matelot sur un cargo en provenance de Catane. Ce bateau avait traversé la Méditerranée, puis le golfe de Gascogne et la mer d'Irlande avant de terminer sa route dans le canal qui mène à Manchester. À ce stade, mon père en avait assez des nuits sans sommeil et du mal de mer. Il a quitté le cargo et, après deux semaines dans un foyer de marins, il a trouvé un boulot de plongeur dans un restaurant.

— Celui où votre mère était employée comme serveuse.

— *Brava !* Et ensuite ?

— Ils sont tombés amoureux l'un de l'autre ?

— *Bravissima.* Plus exactement, elle est tombée amoureuse de lui. Elle était l'une des trois filles d'une famille ouvrière qui habitait dans un des quartiers les plus défavorisés de la ville. Elle n'avait encore jamais rencontré quelqu'un comme Agostino, elle n'en avait même pas rêvé, elle ignorait qu'il existait des gens comme ça dans le monde. Sûr de lui, intelligent et sachant se mettre en avant sans déplaire, toujours bronzé, des cheveux de jais, des dents de nacre et une manière défectueuse mais charmante de parler

111

anglais, ce qui ne l'empêcha pas de lui donner des ordres tout le temps.

— Et lui ?

— Il ne m'a jamais raconté sa version de l'histoire. Mais j'ai vu des photos de ma mère qui ont été prises à l'époque, quelques instantanés que ses parents avaient gardés et que j'ai vus quand je suis allée là-bas. Je crois qu'elle a dû lui paraître aussi exotique qu'il l'était à ses yeux. Un peu plus grande que lui, avec une masse de cheveux roux, une peau blanche, laiteuse, avec quelques taches de rousseur. Des jambes solides et actives, une poitrine qui lui avait déjà valu bien des commentaires flatteurs et un visage doux, et lisse, où se lisaient gentillesse et timidité. Elle devait ressembler à la victime sacrificielle qui hante les rêves de tous les hommes.

— Vous pensez vraiment que les hommes sont comme ça ?

— C'est hors de doute. Ici, en Sicile, du moins. L'activité sexuelle n'a pas grand-chose à voir avec le plaisir, pour eux. Ce n'est qu'un supplément. Il s'agit surtout de pouvoir. Pour mieux dire, c'est le pouvoir qui donne le plaisir — capturer, dominer, pénétrer, contrôler. C'est ce qu'il a fait avec ma mère. Et ça a marché. Elle était folle de lui, c'est elle qui me l'a dit. Elle était folle, ça oui. Mais pas lui.

— Alors il l'a abandonnée ?

— Au contraire. Tout bien considéré, cela aurait été un acte de bonté, et les hommes comme mon père ne sont jamais bons, sauf quand cela sert leurs desseins. Non, il l'a épousée. Elle était enceinte, alors il a fait ce qu'il fallait faire.

— Je ne vois rien de terrible à ça.

— Elle aussi n'y a vu que du feu. Puis il lui a annoncé qu'ils retournaient au pays.

— Au pays ?

— À Randazzo, où il est né.

— Et elle était d'accord ?

— Bien sûr. Elle n'avait encore jamais quitté l'Angleterre, à part une excursion à l'île de Man à l'âge de neuf ans. Elle était aux anges. L'Italie ! Le Sud ! L'aventure, la romance ! Elle avait hâte de voir son mari dans son environnement natal et de découvrir les belles fêtes, les traditions et les personnages pittoresques dont il lui avait tant parlé. La langue poserait problème, dans un premier temps, bien sûr, mais Agostino lui avait déjà appris quelques expressions, et elle apprendrait bien vite le reste. En outre, elle allait être mère, et il était dans l'ordre des choses que son enfant vît le jour au pays de son père. Et si ça ne marchait pas comme prévu, ils pourraient toujours revenir en Angleterre.

« Ils ont fait le voyage en train. Cela leur a pris deux jours et deux nuits, à dormir entassés dans plusieurs compartiments bondés successifs. Dès qu'ils ont franchi la frontière à Vintimille, ma mère a remarqué qu'un changement s'était produit chez son mari. En Angleterre, il s'était toujours comporté en stéréotype de *latin lover* — séduisant, sûr de lui, attentif, macho. Mais maintenant qu'ils étaient en Italie — en Italie du Nord, où on le considérait comme un paysan sicilien en quête de butin, un filou, sans doute un mafioso —, il avait l'air d'être plus petit, comme disait ma mère. Il était devenu plus calme, plus circonspect, "comme un escargot qui se retire dans sa coquille".

« Lorsqu'ils ont passé Rome, son humeur a changé de nouveau. À présent, il était de retour sur son territoire. Ici, plus de regards narquois ni d'insinuations malveillantes au sujet des Méridionaux. Ici, il pouvait s'attendre à être un peu respecté. Tous les gens de Naples et des autres villes du Mezzogiorno savent qu'il ne faut pas asticoter les Siciliens. Au terme de la deuxième nuit de voyage, ils ont atteint le détroit de Messine. Elle était là, l'île fabuleuse dont elle avait tant entendu parler. Du ferry, pour être honnête, n'avait pas l'air plus intéressante que l'île de Man. Ils ont débarqué et poursuivi leur route jusqu'à Catane, où ils ont changé de train pour prendre celui qui escalade les versants de l'Etna.

« C'est alors, selon ma mère, qu'Agostino s'est mis à changer du tout au tout. Jusque-là, la transformation avait été progressive, comme une succession de sautes d'humeur chez un personnage familier. Mais au moment où le train s'est mis en marche, il s'est métamorphosé — elle n'a pas utilisé ce mot, bien sûr — pour devenir quelque chose qui ne ressemblait que de loin à l'homme qu'elle avait épousé, comme un sosie dans un mauvais rêve, pareil à lui-même et néanmoins complètement différent, à la fois distant, étranger et parfaitement familier. Ça, c'était l'aspect le plus pénible, selon elle. Nous imaginons tous que des choses horribles peuvent nous arriver. Nous savons que des choses horribles se déroulent à tout moment. Mais nous imaginons qu'elles se produisent dans des circonstances exceptionnelles, lorsqu'on se trouve entre les mains de gens que nous ne connaissons pas et que nous n'accepterions jamais — même au moment où ils nous torturent ou nous tuent — de reconnaître comme étant vraiment des êtres humains. Mais là, il s'agit de l'amant de Betty, de son mari, et là, juste devant ses yeux, il était en train de se transformer en une personne qu'elle aurait fuie si elle l'avait rencontrée tard le soir à un arrêt de bus d'une rue déserte de Manchester, sous la pluie.

« Il y avait beaucoup de monde, au village, lors de leur arrivée à Randazzo. Plus que nécessaire, en fait. Toute la communauté s'était déplacée pour accueillir Agostino et pour juger son épouse étrangère. Au premier rang se trouvait bien sûr la mère d'Agostino. Elle et mon grand-père s'apprêtaient à partager la petite maison familiale avec les nouveaux mariés, donc elle était naturellement curieuse de voir ce que son fils avait ramené de ses aventures à l'étranger. Sa conquête ne lui a pas fait une impression très favorable.

— Mon Dieu, dit Carla, on dirait une histoire à la Verga !

— C'était il y a une trentaine d'années, à une heure de route de l'endroit où nous nous trouvons actuellement. On a vite fait comprendre à ma mère que sa belle-mère dirigeait les affaires du logis, contrôlait les finances et prenait toutes les décisions. Elle en a appelé à Agostino, en vain. Il ne pouvait pas comprendre pourquoi elle ne pouvait pas comprendre que c'était normal et naturel. Au fil des jours, sa métamorphose se poursuivait. Toute trace de romantisme avait disparu dans son attitude. Ils étaient mari et femme, voilà tout. Il remplirait sa part du contrat, en fonction des critères locaux, et il s'attendait à ce qu'elle s'y plie de même.

« Elle a appris qu'il ne lui était pas permis de quitter la maison sans raison valable et sans en avoir obtenu la permission auprès de son mari ou de la mère de celui-ci, et jamais seule. Sinon, elle ne manquerait pas d'attirer la honte sur la famille, et elle en subirait les conséquences. Agostino, quant à lui, avait toute liberté pour disparaître à sa guise, pendant des heures, voire des jours entiers, sans qu'il lui soit demandé la moindre explication. Mari et femme ne sortaient ensemble qu'à l'occasion d'événements familiaux ou communaux au cours desquels leur absence aurait fait jaser. Si elle se permettait de prononcer un mot de protestation, on lui rappelait qu'il y avait encore à effectuer pas mal de travaux de nettoyage, de couture ou de cuisine, et que l'oisiveté est la mère de tous les vices. Et puis, elle allait bientôt être mère. Voilà qui calmerait son étrange insubordination d'étrangère.

« Et pendant une année ou deux, à ce qu'elle m'a dit, c'est ce qui s'est passé. Elle était complètement enchantée par ma présence, complètement absorbée par mes besoins et par ma compagnie. Tout le reste avait cessé de compter. Elle m'a donné le nom de Corinna, d'après une chanson de Bob Dylan, un chanteur qu'elle aimait beaucoup, et elle s'est consacrée à mon bonheur. Elle voulait m'emmener en Angleterre pour me montrer à la famille, mais Agostino ne cessait de retarder le voyage, prétendant que ça coûterait trop cher. Finalement, le père de Betty lui a envoyé un billet de train. Malgré ses précédentes réserves, Agostino en a acheté un pour lui, et ils sont repartis pour l'Angleterre.

« La famille m'a admirée, bichonnée mais, à tous autres égards, la visite a été un échec. Les parents de Betty n'avaient jamais accepté Agostino, et il avait arrêté de faire le moindre effort envers eux pour se rendre agréable. Il prétendait même qu'il ne parlait ni ne comprenait plus l'anglais. Pire encore, les yeux de ma mère se sont dessillés au cours de ses premiers instants de liberté depuis son départ de Manchester. C'était bien agréable tant que cela durait, mais le retour à Randazzo n'en a été que plus amer. Elle s'était procuré un stock de pilules contraceptives en Angleterre et s'était mise à en faire usage. Il n'y aurait plus d'autres enfants avec Agostino, avait-elle décidé...

« Le problème venait de celui qui existait déjà. Au fur et à mesure que je grandissais, elle était de plus

116

en plus accablée par les conditions étouffantes du monde dans lequel elle vivait — elle s'inquiétait non seulement pour elle-même, mais pour moi. À l'idée que sa fille puisse être élevée pour devenir l'une de ces machines à faire des enfants et à exécuter toutes les corvées, elle était horrifiée. Elle ne voulait pas qu'il en soit ainsi. Il ne fallait pas qu'il en soit ainsi.

« Elle a fait plusieurs tentatives pour s'échapper, la première en bus. Il y en avait un à 5 heures, tous les matins, à destination de Catane. Là, elle avait prévu de prendre le train pour Rome et d'y envoyer un télégramme à son père pour qu'il lui envoie l'argent du billet de retour en Angleterre. Un matin, très tôt, elle s'est levée tranquillement, s'est habillée et est sortie en silence de la maison, n'emportant que son sac à main, un peu d'argent qu'elle avait mis de côté et son passeport. Le bus attendait sur la place, portière ouverte et moteur en marche, mais, lorsqu'elle essaya de monter à bord, en me serrant dans ses bras, le chauffeur lui a annoncé qu'il n'y avait pas de place. Le bus était presque vide, ainsi qu'elle l'a fait remarquer au chauffeur, mais celui-ci lui a répondu qu'il devait prendre un groupe au village suivant, un *comitiva* qui se rendait à Catane pour assister à une réunion politique. Elle lui a demandé de lui vendre un billet pour le lendemain, mais il lui a dit qu'il lui fallait, pour faire une réservation, se présenter en personne au siège de la compagnie de bus.

« La fois suivante, elle a essayé le train. C'était plus difficile, car cela impliquait de se tirer en douce au beau milieu de la matinée. Elle est quand même arrivée à se rendre à la gare sans encombre, mais, là encore, il semblait y avoir un problème. Le train avait du retard, peut-être même avait-il été annulé, au dire du chef de gare. Il allait passer un coup de fil pour s'assurer qu'elle n'achète pas un billet pour rien. Cinq minutes plus tard, Agostino faisait son apparition. Il nous a ramenées à la maison, où l'on m'a séparée d'elle. Elle n'a pas voulu me dire ce qu'il lui a fait, ce jour-là, mais je sais que, le soir même, elle a été convoquée par sa belle-mère.

« "Ces petites aventures sont aussi inutiles que stupides, a-t-elle annoncé à ma mère d'un ton méprisant. Autant que tu te mettes ça dans la tête le plus vite possible." Alors, ma mère a pris un ton de défi. Elle était citoyenne britannique, et ils ne pouvaient pas la retenir contre son gré. La mère d'Agostino a souri. Bien sûr que non, a-t-elle dit. Ma mère était libre de partir quand elle voulait — le plus tôt serait le mieux, à en juger par le ton de sa voix. Mais seule. Elle pouvait partir, mais ils ne renonceraient jamais à l'enfant.

« Ma mère menaça de prévenir la police, et le mépris ostensible qu'affichait sa belle-mère n'a fait que s'accroître. La justice serait du côté de la famille, a-t-elle dit, mais les gens comme eux n'avaient pas besoin de policiers ou de juges pour défendre ce qui leur appartenait. Agostino et ses amis étaient parfaitement capables de s'en charger eux-mêmes. Et ils préféreraient me voir morte plutôt que me laisser partir. Ma mère a dit qu'elle ne savait que trop bien que ce n'étaient pas des paroles en l'air.

« Enfin, la situation était claire. Elle pouvait partir, à condition qu'elle m'abandonne. Si elle voulait me garder, il fallait qu'elle reste. Je crois qu'elle n'a jamais vraiment perçu combien il leur en coûtait d'être aussi explicites. Avec l'un des leurs, ils ne se seraient jamais exprimés aussi franchement : la conversation n'aurait été faite que de sous-entendus et d'insinuations, de messages contenant d'autres messages, tous codés. Mais ma mère était une étrangère, et il leur fallait être certains qu'elle avait bien compris.

— Mon Dieu ! Alors, qu'est-ce qu'elle a fait ?

Corinna pencha la tête de côté et sourit. L'une des raisons pour lesquelles elle paraissait si différente était qu'elle avait mis davantage de maquillage sur ses paupières.

— Ah... Eh bien, ce sera pour une autre fois, dit Corinna de manière irrévocable. Assez parlé de ma mère pour ce soir. Votre anniversaire approche, m'avez-vous dit. Ça vous dirait de partir en week-end pour le fêter ?

— Où ça ?

— Que diriez-vous de Taormina ? En dehors du plaisir de votre compagnie, j'aimerais beaucoup quitter la ville un petit moment, loin de ses jeunes brutes avec leurs radios et leurs flingues.

— Mais vous ne voulez pas y aller avec votre petit ami ? demanda Carla avec une timidité feinte.

Corinna Nunziatella lui adressa un regard plein d'assurance.

— Je n'ai pas de petit ami.

— Mais vous avez dit que vous étiez amoureuse...

Il y eut un long silence embarrassé.

— Excusez-moi, dit Carla, je ne voulais pas me mêler de ce qui ne me regarde pas.

— Taormina est un endroit charmant ! reprit Corinna d'un ton enjoué. Et je connais un charmant petit hôtel, en plein centre, mais complètement isolé. Il va falloir songer à trouver un moyen de se débarrasser de mon escorte, mais je crois que c'est possible. Si ça vous intéresse, bien sûr. Qu'en dites-vous ?

Les deux femmes se regardèrent mutuellement pendant un court moment.

— Qu'est-ce que j'ai à perdre ? dit Carla.

11

D'après l'expérience qu'en avait Zen, les chauf-
feurs de taxi romains ne pouvaient appartenir qu'à
deux types, comme s'ils étaient clonés : grognons
jusqu'à en être menaçants, ou hystériquement volu-
biles. Un amendement à cette loi non écrite voulait,
en outre, que vous deviez toujours tomber sur le type
qui correspondait le moins à votre humeur du
moment. Zen ne fut donc pas surpris de constater que
le chauffeur du taxi qu'il avait pris à Fiumicino était
un incorrigible bavard.

D'où venait Zen ? De Sicile ! Eh ben, il doit faire
chaud là-bas en cette saison ! Plus chaud, même,
qu'ici à Rome. Son cousin avait épousé une Sicilienne, qui était carrément plus chaude que les nanas
d'ici, à en croire Maurizio ! Ils vivaient en Belgique,
maintenant, si on peut appeler ça vivre. Et vous allez
où ? Aux Fatebenefratelli ? Bien sûr ! Tout de suite,
et même plus tôt que ça ! Un hôpital merveilleux.
Trois de ses propres familiers y étaient passés sur le
billard. Mais, à Dieu ne plaise, ce n'était pas une
personne de la famille de Zen que celui-ci allait visiter, au moins ? Un ami ? Et Zen avait fait tout ce
chemin juste pour être à ses côtés dans l'épreuve ?
Ça, c'est de l'amitié, de la vraie ! Lui-même, Paolo

Curtillo de son nom, il en aurait bien besoin, d'amis comme ça, alors qu'il n'était entouré que de sang-sues et de vampires qui ne pensaient qu'à s'enrichir à ses dépens... Il aurait pu raconter à Zen des histoires de trahisons sans vergogne, de combines douteuses et de coups de poignards dans le dos à faire se dresser les cheveux sur la tête, mais à quoi bon ?

Et la Lazio, alors ? Ce deuxième but contre la Fiorentina, dimanche ? Non, vraiment ? Zen n'avait pas vu le match ? Il n'était pas supporter — ha ha ! — de la Roma, quand même ? Parce que s'il en était ainsi — ha ha ! — il pouvait sortir de son taxi illico et finir son chemin à pied. Il en avait vu, pourtant, des drôles de loustics, dans son taxi... Des meurtriers, des violeurs, des trafiquants de drogue, des mafiosi — sans vouloir offenser Zen —, des agents des services secrets, des policiers... et même des politiciens ! C'était tout lui, ça, Paolo Curtillo. Tant que vous aviez de quoi payer, il vous emmenait partout, même à Florence ou à Naples — *même si vous apparteniez aux services fiscaux* !

Pourtant, il y avait des limites. Il y avait une certaine catégorie de déchets humains qu'il ne laisserait jamais mettre un pied dans sa Mercedes SE 500 — pour l'achat de laquelle, soit dit en passant, le frère de la *Siciliana* susmentionnée l'avait arnaqué en beauté, elle n'avait qu'un an et demi et regardez-moi ça, presque une épave, trois cent mille bornes au compteur, il allait falloir qu'il en trouve une autre l'année prochaine et sa femme n'arrêtait pas de lui dire d'en acheter une d'occasion, mais lui, il préférait la tranquillité que donne la garantie —, non, il y avait des gens auxquels il ne permettrait jamais de monter dans son taxi, pas pour tout l'or du monde, des gens à qui il ne donnerait même pas l'heure : les soi-disant supporters du soi-disant club de foot qu'on appelait la Roma, cette bande de branleurs dégénérés et de vauriens ignorants qui...

Les rues que parcourait à vive allure le taxi s'ouvraient en grand sur son passage, mises à nu par un éclairage public outrancier. L'air qui s'engouffrait dans le véhicule par la fenêtre ouverte était aussi poisseux et étouffant qu'un oreiller trempé de sueur destiné à asphyxier une victime terrifiée. Où était-il donc ? On avait fabriqué la maquette grandeur nature d'une ville et le paysage urbain demeurait, plaisamment ou austèrement, banal et indistinct, comme si, à force d'avoir servi de décor à tant de farces tumultueuses et de mélodrames larmoyants, la ville ne s'attendait plus à être prise au sérieux pour elle-même. Quel serait le spectacle ce soir ? Voilà la question que semblait poser chaque toile de fond, chaque perspective en trompe-l'œil, en professionnelles chevronnées qu'elles étaient. Vous préférez du triste ou du joyeux ? Du sinistre ou de l'idyllique ? Nous pouvons faire l'un ou l'autre, au choix, et davantage, bien davantage, mais il faut que vous nous disiez ce que vous voulez voir.

— Je ne sais pas, dit Zen, je ne sais vraiment pas.

— Moi, je sais, répondit le chauffeur de taxi. Vous êtes pour la Lazio ! J'avais tout de suite compris. Ces mecs de la Roma sont tous des richards, des salauds pleins de relations en haut lieu. Ils ont le pognon, ils ont le pouvoir, ils ont tout ! La seule chose qu'ils n'ont pas, c'est la seule chose que nous, on a : les couilles ! Le cran. La foi. La fierté. Une volonté indestructible. Ils sont comme ça, les supporters de la Lazio ! On s'en fiche de perdre et de perdre toujours. On sait bien que tout est truqué et qu'on n'a aucune chance de gagner le championnat. *E ce ne freghiamo ! Vero, dottore ?* Qu'ils aillent tous se faire foutre ! On est pour la Lazio jusqu'au bout ! On n'a pas le choix. C'est comme ça que Dieu nous a faits !

Ils avaient à présent dépassé la Piazza di Porta Portuense et poursuivaient leur route le long des quais vers le pont qui mène à l'île au milieu du fleuve. Arrivé là, Zen paya la course, coupant court aux tentatives du chauffeur pour prolonger la conversation, et franchit le Ponte Cestio. Ce qui restait du Tibre, réduit en cette saison à un filet d'eau fétide, s'écoulait précipitamment dans la profonde tranchée obscure que surplombait le pont.

Au milieu du pont, Zen s'arrêta, posa les coudes sur le parapet et se pencha vers l'abîme invisible. Il sortit son paquet fripé de Nazionali, en alluma une et exhala une fluette volute de fumée, comme en hommage au ruisseau amoindri qui n'existait qu'en tant qu'effet sonore secondaire, tel un susurrement émanant des ténèbres.

Tandis qu'il jetait son mégot dans le caniveau, il remarqua qu'il s'y trouvait une petite feuille de papier rectangulaire, gisant là comme une lettre rejetée. En une ultime et vaine tentative de retarder son inévitable arrivée à l'hôpital, il la ramassa. Au toucher, la surface brillante se révéla être froissée à force d'avoir été piétinée par les semelles des passants sur la surface rugueuse du trottoir. Ce n'était qu'un de ces prospectus publicitaires qu'on distribuait aux passants ou qu'on posait sur le pare-brise des voitures en stationnement. *Diventare investigatore privato,* disait le titre d'accroche : « Devenez détective privé ». À l'arrière-plan, en rouge sur blanc, se trouvait un portrait rappelant vaguement Sherlock Holmes, avec bésicles et pipe proéminente. « Nos stages sont ouverts à tous ceux que les détectives passionnent et peuvent vous ouvrir les portes d'une profession novatrice et fascinante », poursuivait un texte placé sous le titre.

Zen jeta le prospectus au loin et poursuivit son chemin. Peut-être devrait-il s'inscrire. Le seul problème venait du nom de l'entreprise qui organisait ces stages, laquelle s'autoproclamait Istituto Superiore di Criminalità. S'il y avait vraiment une haute criminalité institutionnelle à Rome, Zen commençait à avoir l'impression d'être déjà à son service.

À l'hôpital, il n'y avait âme qui vive à l'accueil, et l'unique personne dans la zone d'attente était un vieux clochard, ivre ou fou, en pleine dispute avec un antagoniste invisible. Zen se mit à remonter le couloir étincelant qui semblait s'étendre à l'infini, avec son sol en faux marbre qui réfléchissait un halo de lumière agressive. Il y avait des portes de chaque côté, mais il hésitait à les ouvrir, de peur d'interrompre d'éventuelles interventions chirurgicales. Il faudrait vraiment qu'ils installent des lampes rouges à l'extérieur pour prévenir, songea-t-il, comme dans les studios radiophoniques quand quelqu'un parle en direct.

Un peu plus loin dans le couloir, un homme était en train de lessiver le sol avec des gestes circulaires précis, entrecoupés du rinçage du balai dans un seau métallique posé sur une serviette, aussitôt suivi d'un essorage. En fait, Zen s'en rendit alors compte, il était trop éloigné de l'homme pour voir exactement ce qu'il faisait, mais c'est ainsi que sa mère avait toujours procédé avec les grandes dalles ocre et rouge qui ornaient le sol de leur maison, à Venise. Il avait toujours pensé que cette activité plaisait à sa mère, de même qu'il aimait jouer à ses jeux favoris. Sinon, pourquoi se serait-elle donné tant de mal ? Le manche du balai était plus sombre à l'endroit où elle l'empoignait de ses mains calleuses et osseuses. De temps à autre, elle se redressait et posait la main gauche sur le creux de ses reins en lâchant un léger gémissement.

Le technicien de surface avait la peau sombre, Zen s'en aperçut en approchant de lui. Un immigré, probablement. Sans doute ne parlait-il pas italien. Mais ça valait quand même la peine d'essayer.

— Je cherche ma mère, dit-il.

L'homme se redressa, posa sa main gauche sur le creux de ses reins et émit une légère plainte. Il ne parla pas mais regarda Zen avec une intensité déconcertante, comme s'il prenait acte sans surprise d'une naissance ou d'un meurtre.

— Ma mère, répéta Zen en articulant avec outrance chaque syllabe.

— Qu'est-ce qui lui arrive ? répondit l'homme.

Ses yeux d'une stupéfiante fluidité fixèrent Zen du même air de neutralité, sans sympathie ni antipathie.

— Elle est train de mourir.

Le balayeur essora son balai, étalant les franges de l'ustensile comme la chevelure d'une sorcière avant de le poser contre le mur.

— Venez avec moi, dit-il.

Il se mit à marcher à grands pas dans le couloir, sans jamais se retourner. À quelques pas derrière lui, Zen le suivit dans l'escalier et franchit plusieurs portes à double battant.

— Le nom de votre mère ? demanda son guide dans un italien aux intonations étrangères et sinistres.

— Zen, Giuseppina.

L'homme s'immobilisa un instant, comme s'il percevait quelque son inaudible ou quelque odeur imperceptible.

— Voici le pavillon des incurables, déclara-t-il tout en dévisageant Zen de son regard si étrangement lucide.

Zen hocha la tête. Le balayeur lui tourna le dos, s'essuya les mains sur sa combinaison de travail bleue en regardant les noms griffonnés au feutre noir sur les tableaux luisants qui ornaient chacune des portes. Il arriva au bout du couloir, puis revint sur ses pas et s'arrêta devant une porte sur le tableau de laquelle nul nom n'était inscrit, juste une grosse croix noire tracée d'un coin à l'autre.

— Cela veut dire que le patient est mort, mais qu'ils n'ont pas encore enlevé le corps, dit-il en étreignant la poignée de la porte. Aucun des autres noms ne correspond, alors c'est peut-être elle qui est là-dedans.

La chambre était plus petite que Zen ne s'y était attendu : la majeure partie de l'espace était occupée par un lit sur lequel était allongé le corps d'une vieille femme, recouverte d'un drap. Le balayeur souleva un coin d'étoffe. Une étiquette pendait au bout d'un fil en plastique noué autour du gros orteil droit de la femme. Il retourna l'étiquette et fit signe à Zen de s'approcher, lequel se pencha pour lire. Il y avait un nom et une adresse. Tous deux lui étaient familiers, contrairement au corps qui gisait sur le lit.

— Ce n'est pas elle, dit-il en se tournant vers la porte.

— Aurelio ?

La voix semblait venir de nulle part et de partout. Puis Zen s'aperçut que le corps qui gisait sur le lit avait ouvert un œil et le fixait.

— *Mamma ?* chuchota-t-il.

Un bras tout desséché se tendit vers lui, réduit au minimum : veines, tendons, os. Zen s'assit au bord du lit et l'empoigna.

— Je viens d'arriver, *mamma*, marmonna-t-il, le souffle court, comme s'il avait parcouru tout le chemin depuis Catane en courant. Gilberto m'a appelé et puis j'ai parlé à Maria Grazia. Où sont-ils, ceux-là ? Ils n'auraient pas dû te laisser toute seule comme ça ! Mais enfin je suis là, maintenant, et je vais m'occuper de tout. Plus la peine de t'inquiéter. Je vais m'occuper de toi.

La femme se mit à parler, en un mélodieux monologue à voix basse que Zen écouta avec un désespoir croissant, en hochant la tête frénétiquement et en étreignant le membre fibreux qui était à présent, à l'instar d'une vieille amarre toute rouillée, son dernier espoir. Peut-être suis-je devenu fou, se dit-il pendant que la femme parlait sans cesse — son verbiage semblait composé d'expressions parfaitement articulées et de vocables aux inflexions variées, mais Zen n'en comprenait pas un seul mot.

— Elle a eu une attaque d'apoplexie, psalmodia une voix hors champ. Ils l'ont amenée ici, les gens dont vous avez parlé, mais les médecins leur ont dit qu'elle resterait dans le coma pendant un petit bout de temps et qu'il ne servait à rien de rester avec elle. Et puis ils sont revenus, les médecins, et ils ont dit qu'elle était morte. Depuis, c'est calme. Elle a eu peur quand la porte s'est ouverte parce qu'elle a pensé qu'ils revenaient pour la tourmenter. Et puis elle a entendu votre voix, et elle a compris que c'était vous, son fils bien-aimé, et alors elle a compris pourquoi il ne lui avait pas été permis de mourir quand les médecins l'auraient voulu. Elle vous aime et... Comment dit-on ? Elle s'inquiéterait pour vous si elle ne savait pas qu'il n'y a aucune raison de s'inquiéter. Elle dit que vous lui avez procuré une immense joie. Toute sa vie valait d'être vécue, chaque instant de chaque heure qui s'est écoulée. Il ne faut jamais que vous en doutiez. Elle est désolée de vous avoir causé tant d'ennuis, mais elle est heureuse que vous ayez pu venir. À présent, elle va mourir.

À l'instant où la voix se tut, Zen pivota. Le balayeur était adossé au mur, fixant un point se trouvant au-dessus du lit, légèrement sur le côté.

— C'était quoi, tout ce putain de fatras sentimental ? cria Zen en se levant. Elle parlait en charabia !

— Elle parlait en français, répliqua l'homme sans déplacer son regard du point qu'il semblait fixer au hasard.

Zen éclata d'un rire brutal.

— En français ? Ben voyons ! Avec un peu de grec et de latin, sans doute !

— Non, c'était du pur français. Bon, avec quelques petites fautes de-ci, de-là, surtout sur le genre des noms, souvent différent en italien. Mais parfaitement compréhensible, néanmoins.

Zen le dévisagea. Il essaya de rire à nouveau, mais sans succès.

— Vous voulez me faire croire que vous comprenez le français ? demanda-t-il.

Lorsque le balayeur baissa enfin son implacable regard pour croiser celui de Zen, il devint évident qu'il avait tenté de lui épargner ce contact visuel depuis le début.

— Je viens de Tunisie, dit-il. Je parle français et arabe. Et maintenant, un peu d'italien.

Zen fit un geste en direction du lit.

— Et ma mère ? Elle est tunisienne aussi, peut-être ? Elle est née et a été élevée à Venise ! Elle n'est même jamais allée à Turin, alors la France... ! Comment aurait-elle pu se mettre à débiter en français des absurdités sur son lit de mort ! Tout cela est ridicule !

Le balayeur haussa les épaules.

— J'ai vu des choses plus étranges encore, en particulier dans les cas de traumatismes cérébraux. Je me souviens d'une anecdote, lorsque j'étais interne dans un hôpital, à Tunis. Un homme avait été amené aux urgences. Il avait été renversé par un tramway. Cet homme était du désert, vous comprenez. Un Berbère, venu de l'extrême sud du pays. Il n'y a pas de tramways, là-bas, alors il n'a pas fait attention.

— Et alors ? Que s'est-il passé ? demanda Zen sur un ton tranchant, comme s'il était assis à son bureau de la questure de Catane.

Le balayeur haussa les épaules.

— Il s'en est remis. Par la suite. Mais d'abord, il a causé. Pendant des heures, peut-être des jours, dans un charabia que personne ne comprenait. On a fait venir des professeurs de l'université, des experts en toutes sortes de dialectes et de patois des peuplades du désert. Et puis enfin, l'un d'entre eux, qui avait étudié la Renaissance à la faculté, découvrit que cet homme parlait italien.

— Italien ?

— Dans sa jeunesse, il avait passé un bout de temps dans cette partie du désert qu'on appelle Libye, de nos jours. À l'époque, c'était une colonie italienne. On a découvert ensuite qu'il ne pouvait pas avoir eu plus de six ans quand il avait été emmené dans une ville de cette contrée par un de ses proches qui cherchait à résoudre un problème administratif. Un meurtre, peut-être, ou un mariage. Il n'avait séjourné que quelques jours dans cette ville, absorbant cette nouvelle langue que tout le monde parlait autour de lui. Et puis il était reparti, le problème administratif étant peut-être résolu, et il n'avait jamais, depuis, reparlé ou entendu parler italien, jusqu'à ce que le choc du tramway déclenche le phénomène que nous avions constaté.

Il jeta un coup d'œil à Zen avant de tourner autour de lui. Il prit le bras de la femme et tâta son pouls de deux doigts délicats. Zen s'assit lourdement dans un fauteuil à côté du lit.

— Quand elle était adolescente, ma mère travaillait pour une famille française qui louait un palazzo donnant sur le Grand Canal, dit-il d'un ton rêveur. Je me souviens qu'elle me parlait, il y a des années de cela... quand j'étais un enfant... des robes chic et des bijoux éblouissants que possédait la maîtresse de maison. Ma mère n'avait jamais rien vu de tel. Elle a vécu chez eux pendant trois mois, le temps d'un été, dans les années trente.

Il y avait des larmes dans ses yeux. Il les essuya à la hâte.

— Ainsi, vous avez étudié la médecine ? demanda-t-il au Tunisien.

— Oui, dit l'homme en reposant le bras de la signora Zen sur le drap. J'ai aussi fait des études d'ingénieur, à un moment. Une formation idéale pour ma profession actuelle, quand on y pense. Entretien et nettoyage des locaux hospitaliers.

Il éclata d'un rire sinistre.

— Bon, il faut que je retourne à mon balai. Votre mère vous a peut-être parlé en français mais, pour elle, tous les langages sont semblables, maintenant. Parlez-lui. C'est votre dernière chance. Dites-lui tout ce que vous regretteriez toute votre vie de ne pas lui avoir dit si vous laissiez passer cette occasion.

Il se pencha sur la forme inerte qui était allongée sur le lit et marmonna hâtivement quelques mots dans une langue que Zen ne comprenait pas, avant de quitter la pièce. La porte à ressort pneumatique se referma doucement derrière lui.

Seul avec cette étrangère agonisante, Zen, d'abord, ne sut pas quoi dire. Mais, comme le temps passait, une chose étrange se produisit. Il se mit à éprouver de la sympathie envers cette vieille dame, quelle que fût son identité, qui lui avait parlé en français. Peu lui importait de savoir qui elle était vraiment. Peut-être était-elle réellement sa mère. Quelle différence, après tout ? Elle avait été la mère de quelqu'un. Même si ce n'était pas la sienne, cela la rendait-elle moins admirable, moins digne de pitié et d'amour ? Il se surprit à prendre cette main toute desséchée, à embrasser cette joue rugueuse. Puis, soudainement, les mots vinrent à sa bouche. Un bégaiement d'abord, mais qui ne tarda pas à se transformer en une logorrhée, un épanchement dénué de honte et ayant aboli toute distinction entre ce qui pouvait se dire et ce qui aurait dû rester caché.

Par la suite, il sentit qu'il avait froid. Et que la vieille dame l'était aussi, froide. La lumière se faufilait entre les volets fermés de la fenêtre, réduisant à néant l'obscure splendeur de la nuit. Des hommes en blouse blanche firent leur apparition et écartèrent Zen du lit. Des rideaux furent disposés au-dessus du lit où reposait une vieille dame. Étranger et intrus, Zen fut bousculé hors de la chambre dans le couloir, en pleine lumière, parmi les bruits de pas sur le linoléum lustré et le bourdonnement lointain d'appareils électriques. Il trouva son chemin jusqu'à l'ascenseur et appuya sur le bouton du rez-de-chaussée. L'ascenseur s'arrêta avant : le balayeur monta dans la cabine et posa son seau, sa serviette et son balai dans un coin.

— Ils disent qu'elle est morte, lui annonça Zen.

L'homme hocha la tête.

— Elle était déjà morte quand je vous ai quitté.

Zen le regarda d'un air incrédule.

— Mais vous m'avez dit de lui parler ! Vous m'avez dit que c'était ma dernière chance, que je le regretterais toute ma vie si je laissais passer cette occasion. Et maintenant, vous me dites qu'elle était déjà morte !

L'ascenseur s'immobilisa. Le balayeur prit son attirail et sortit de la cabine.

— Oui, mais vous, vous êtes vivant, dit-il pendant que les portes se refermaient.

Dehors, il pleuvait. Ce n'était en fait qu'une légère poussière, qui se déposait sur le manteau de Zen comme un brouillard. Elle paraissait rose. Il prit le pont, s'arrêta au même endroit qu'à l'aller pour griller une cigarette. Une douce pulvérisation, douce mais pas liquide, avait imprégné la nuit, couvrant chaque surface d'une patine de poussière rougeâtre.

Ce ne fut que lorsqu'il vit que cette poussière couvrait ses manches et ses mains que Zen s'aperçut que ce n'était pas une illusion d'optique engendrée par la lumière. Cette poudre était partout, saturant l'atmosphère et recouvrant chaque surface qui s'offrait au vent, comme une fine couche de peinture projetée par un aérographe. Arrivé sur la terre ferme, il trouva un homme qui nettoyait énergiquement le pare-brise de sa voiture.

— C'est pareil à chaque fois, dit-il d'un ton dégoûté en regardant Zen.

— Quoi donc ?

— Hier, je suis allé faire laver et cirer la voiture, vous comprenez ? Alors, bien sûr, aujourd'hui on a droit à la *pioggia di sangue*.

— L'orage de sang ? répéta Zen.

— Le sable du Sahara ! Le vent l'emporte à des milliers de mètres d'altitude et puis, arrivé à un certain point, la pression atmosphérique change, le vent perd de sa force et la pluie de sable nous tombe dessus. Et c'est toujours le lendemain du jour où je fais nettoyer ma voiture. C'est pareil à chaque fois !

Avec un geste de la main qui signifiait : « C'est la vie ! », l'homme s'installa dans le siège du conducteur et entreprit de faire démarrer le moteur. Zen poursuivit son chemin en faisant craquer sous ses pas le sable fin.

12

Carla Arduini avait calculé qu'il lui faudrait deux heures pour se rendre en voiture à Palerme, mais elle n'avait pas prévu que des travaux étaient en cours — ou, plutôt, n'étaient pas en cours — dans les tunnels par lesquels l'autoroute A19 descend dans la vallée de l'Imera, après la traversée de la chaîne montagneuse du centre de l'île, non loin d'Enna. À présent, elle était coincée dans un bouchon qui, de l'endroit où elle se trouvait, semblait se prolonger à l'infini sur la route, et elle commençait à craindre d'être en retard à son rendez-vous. Elle était pleinement consciente que cette inquiétude ne faisait que couvrir ses véritables appréhensions, lesquelles tenaient aux raisons mêmes de ce rendez-vous.

Il était 7 heures tout juste lorsque son téléphone portable avait sonné. Carla était sur le point de quitter son appartement pour aller prendre son café du matin avec son père au bar de la Piazza Carlo Alberto. Cet appel, à une heure si matinale, ne pouvait qu'annoncer de mauvaises nouvelles. Elle avait deux portables, et celui qui avait sonné était à usage professionnel, fourni et défrayé par la société qui l'employait. C'était donc officiel et urgent, et Carla avait mauvaise conscience, parce que le travail qu'elle avait effectué pendant la nuit, jusqu'au petit matin, dépassait certainement ses attributions et était très possiblement illégal.

Dans ses efforts pour mettre à l'épreuve ses hypothèses purement théoriques sur les intrusions illicites dans le réseau de la DIA, elle avait décidé de jouer un peu à son tour les cyberpirates. Grâce aux informations déjà en sa possession, en tant qu'installatrice dûment habilitée, elle n'avait guère eu de mal à pénétrer les différentes défenses dont le système était équipé. Elle avait ensuite activé les bases de données ouvertes par le visiteur nocturne qu'elle avait provisoirement surnommé Comte Dracula. Elle ne savait toujours pas si ce cybervampire appartenait à la Mafia, à la presse ou à quelque autre secteur de la société, et elle avait pensé pouvoir trouver un indice propre à l'éclairer à ce sujet en examinant les données auxquelles il avait choisi d'accéder.

Jusque-là, un tel indice restait à découvrir. Dans le cas de la plus récente interception, le texte piraté consistait en la transcription d'un entretien entre un magistrat de Palerme et un *pentito,* un de ces anciens membres de Cosa Nostra « repentis » ayant accepté de collaborer avec les autorités en échange d'une nouvelle identité, pour eux et leur famille, fournie par l'État dans le cadre d'un programme de protection des témoins permettant à ceux-ci d'échapper à la vengeance de ceux qu'ils trahissaient.

— *Parfois, oui, mais normalement on se contente de les tuer. C'est plus rapide et moins cher. Ça nous épargne beaucoup d'efforts. En tuant quelqu'un, on envoie un message. Parfois même plusieurs messages à la fois.*

— Même des messages contradictoires ?

— *Surtout. Mais il faut savoir s'y prendre.*

134

C'est tout un art. Parce qu'il ne peut y avoir une mort sans message. Vous me suivez ?

— Autrement dit, quand un message n'existe pas, quelqu'un se charge d'en inventer un.

— *Exactement. C'est pour ça qu'il faut bien faire attention à ce que certains messages soient bien clairs. Sinon, il risque d'y avoir des ratés dans la communication. Et quand ça arrive, ça...*

— Oui ?

— *Quand les messages commencent à s'égarer, plus rien ne tourne rond. Personne ne sait ce qui se passe, alors tout le monde est sur les nerfs. Des erreurs se produisent et ces erreurs en entraînent d'autres. Et avant qu'on ait le temps de s'en apercevoir, on se retrouve avec une nouvelle guerre des clans.*

— Donc, ces exécutions doivent être effectuées dans les formes. C'est une sorte de théâtre rituel, en d'autres mots, comme le prêtre lorsqu'il consacre l'hostie. Qu'y a-t-il ?

— *Écoutez, j'essaie de coopérer, d'accord ? Vous et moi, on est des hommes différents avec des objectifs différents, mais je vous respecte autant que vous me respectez.*

— Bien sûr.

— *Alors plus de plaisanteries sur la sainte messe, je vous prie.*

— Excusez-moi. Pour revenir à notre sujet, pouvez-vous me donner un exemple d'un tel message ?

— *Il y en a eu tant. Mais je vais vous parler d'un exemple récent.*

— Juste pour me montrer que, alors même que vous êtes à l'isolement, pour votre propre sécurité, à la prison d'Ucciardone, vous êtes toujours au courant.

— *Pourquoi me prendriez-vous au sérieux si vous pensiez que vous aviez affaire à quelqu'un*

*dont la montre s'est arrêtée quand il est tombé ?
Quoi qu'il en soit, le truc auquel je pense, c'est
ce cadavre qu'ils ont trouvé dans un wagon près
de Catane.*

— L'affaire Limina.

— *Sauf que c'était pas du tout le fils Limina,
voilà ce que j'ai entendu dire.*

— Qui était-ce, alors ?

— *Un petit voleur qui s'était déjà fait pincer
à agir en territoire protégé. Il avait déjà été averti,
mais il avait plus de couilles que de cervelle. Ils
s'apprêtaient à le liquider dans une ruelle, à la
première occasion. Mais quelqu'un a eu une
meilleure idée. Le voleur ressemblait pas mal à
Tonino Limina. Même âge, même taille et même
corpulence, même couleur de cheveux. Les gens
du clan Limina emmerdaient un peu tout le monde
dans cette partie de l'île, alors un avertissement
a paru s'imposer. Ils ont enfermé le voleur dans
un wagon sur un train qui allait de Palerme à
Catane, avec un bordereau où ils avaient gribouillé Limina. D'une pierre deux coups : un message envoyé et un élément indésirable éliminé. La
solution parfaite.*

— Mais les Limina ont explicitement démenti
que la victime était leur fils. À l'évidence, ils
savaient que Tonino était encore vivant. Donc, le
message n'a pas de sens.

— *Tous les messages ont un sens. Dans ce cas,
peut-être n'était-ce pas le jeune Limina, d'accord...
Mais la prochaine fois ?*

Elle était en train de lire cette dernière phrase
lorsque le téléphone avait sonné. Sur le moment, elle
ressentit une sorte de culpabilité panique, comme le
jour où sa mère avait fait irruption dans sa chambre
alors qu'elle lisait une lettre de son petit ami du
moment. Elle tâtonna à la hâte sur son clavier, ferma

le document qui défilait sur l'écran et sortit sans encombre de la base de données de la DIA. Ce ne fut qu'alors qu'elle répondit au téléphone.

— Signorina Arduini ?

— Elle-même.

— Nous aimerions vous voir aujourd'hui pour être informés dans le détail des progrès effectués au sujet de l'installation informatique dont vous êtes responsable. Comme vous le savez sans doute, la date de mise en route a déjà été retardée deux fois. Je suis sûr que ce n'est pas votre faute mais, naturellement, nous sommes impatients de voir le système fonctionner le plus vite possible. J'ai donc réservé une table pour le déjeuner, à l'hôtel Zagarella. C'est à Santa Flavia, à l'est de la ville. Nous vous attendons pour 13 heures.

Son correspondant raccrocha. Carla alla chercher sa carte de l'île, mais n'y trouva pas de village nommé Santa Flavia. Et puis, comment pouvait-il se trouver « juste à l'est de la ville » ? À l'est de Catane, il n'y avait rien d'autre que de l'eau. Elle essaya d'appeler son père, d'abord à la questure puis chez lui, et enfin sur son portable, mais en vain. Finalement, ne sachant que faire, elle avait appelé Corinna Nunziatella. Carla fut plutôt surprise de constater que la juge semblait ravie de pouvoir l'aider. Elle lui apprit que la ville à l'est de laquelle se trouvait Santa Flavia était Palerme.

— Sortez de l'autoroute à Casteldáccia et suivez les panneaux indicateurs, lui dit la magistrate. Qui sont ces gens, d'ailleurs ?

— Il ne me l'a pas dit, mais cela semble concerner mon travail.

— Où avez-vous rendez-vous ?

— Dans un hôtel, le Zagarella.

La seule réponse fut un petit sifflement.

— Vous connaissez ? demanda Carla.

Il y eut un long silence.

— C'est un établissement très réputé, finit par répondre Corinna Nunziatella. Où se déroulent toutes sortes d'événements. Écoutez, Carla, faites bien savoir à ces gens que vous avez rendez-vous avec moi ce soir à Catane.

— Mais c'est faux.

La réaction de Corinna fut inhabituellement brusque.

— Ne vous en faites pas pour ça ! Assurez-vous qu'ils aient bien compris que vous m'avez dit que vous déjeuniez avec eux au Zagarella et que je vous attends à 18 heures. C'est l'heure à laquelle je vous appellerai pour être sûre que vous êtes bien rentrée.

Carla éclata de rire.

— Pourquoi ne le serais-je pas ?

— Je vous expliquerai ça demain, répliqua Corinna. Suivez mes instructions, c'est tout. Faites bien en sorte que ces gens soient au courant de la situation, d'accord ? C'est peut-être important.

— Très bien.

— Et puis, écoutez, ne faites pas...

Corinna s'interrompit.

— Ne faites pas quoi ?

— Oh rien. Je m'inquiète pour rien. Bon, je vous rappelle à 18 heures.

L'embouteillage dans lequel la Fiat Uno de Carla roulait au pas finit par traverser les différents tunnels où tant de travaux, si coûteux et si urgents, n'étaient pas en cours. Et elle poursuivit sa route vers la côte nord de l'île puis vira vers l'ouest, en direction de sa destination. L'hôtel Zagarella, qui se révéla être une monstruosité moderne, se dressait sur ce qui avait dû être une merveilleuse péninsule, avec une vue superbe sur la baie voisine et au loin sur la grande bleue. À côté de l'hôtel se trouvait un site en construction, l'un de ces chantiers voués à l'éternité, qui ressemblait un peu à une centrale nucléaire en train d'être bâtie par deux hommes armés de seaux, de pelles et d'un palan.

Des somptueuses villas de la noblesse palermitaine qui s'étaient autrefois élevées en ces lieux, il ne restait à peu près rien de visible. Celles qui demeuraient étaient emprisonnées dans un goulag de béton, absurdité architecturale construite par « l'État dans l'État », où le souvenir de ce qui aurait pu être était sans doute la plus cruelle punition dans cette société de forçats modernes où même les gagnants sont perdants.

Lorsque Carla arrêta sa Fiat devant l'hôtel, un larbin se précipita pour ouvrir la portière.

— Signorina Arduini, on vous attend à l'intérieur. Je m'occupe de la voiture.

Ainsi, quels qu'« ils » fussent, ils connaissaient, outre le numéro de son *telefonino,* la marque et le numéro d'immatriculation de sa voiture. Mais l'aspect le plus troublant de cette situation était qu'ils ne faisaient à l'évidence aucun effort pour cacher le fait qu'ils savaient tout cela. Carla tendit les clés au chasseur et gravit les marches richement tapissées de rouge. Au sommet de celles-ci, un autre laquais lui ouvrit la porte, non sans s'incliner respectueusement. Une fois à l'intérieur, elle vit un petit homme rondouillard en costume-cravate marcher vers elle d'un air affairé.

— Bienvenue au Zagarella, signorina Arduini ! J'espère que votre voyage n'a pas été trop difficile. Vos amis vous attendent dans une arrière-salle privée. Si vous me le permettez, je serais heureux de vous y accompagner moi-même. Par ici, s'il vous plaît !

Elle avait imaginé que cette « salle privée » était un endroit intime situé au-delà de la salle à manger de l'hôtel, peut-être séparée de cette dernière par une cloison en lattes de bois. En réalité, elle avait les dimensions d'un terrain de football. Des rangées de tables et de chaises métalliques s'étendaient vers de hautes fenêtres qui s'étiraient jusqu'au plafond. Malgré les énormes piliers en béton qui soutenaient celui-ci, tout paraissait bon marché, vulgaire et provisoire.

Au milieu de la salle se trouvait une table croulant sous les victuailles au centre de laquelle se dressait un vase, qui avait à peu près la taille d'un évier et duquel surgissait un immense bouquet de fleurs. Trois hommes étaient assis à cette table. Tous trois fixèrent ostensiblement Carla tandis qu'elle marchait vers eux sur le revêtement de sol industriel complètement éraflé.

Ayant atteint le coin de la table, Carla s'immobilisa. Après une longue pause, celui des hommes qui était assis au milieu des deux autres se leva d'un bond, comme s'il venait de s'apercevoir de sa présence. Il était vêtu de l'uniforme standardisé des cadres modernes, veste en tweed, chemise bleue et cravate rouge sous un pull-over jaune, un pantalon brun et des souliers extrêmement vernis.

— Bonjour, signorina, dit-il froidement. Je suis heureux que vous puissiez vous joindre à nous. Puis-je vous présenter mon assistant Carmelo. Et voici Gaetano, un très estimé collègue qui est venu de Rome.

D'un geste, il désigna successivement les deux hommes. Carla gratifia chacun d'entre eux d'un bref hochement de tête avant de se tourner vers celui qui avait parlé.

— Et vous êtes ?

L'homme fronça les sourcils. Il se tapota le menton du revers de la main.

— Mais, bien sûr, j'ai oublié que vous n'aviez pas eu notre message !

Il se tourna vers les deux autres.

— Il semblerait qu'elle n'ait pas eu notre message, annonça-t-il.

Les deux hommes restèrent impassibles, avec l'air de gens qui ont mieux à faire.

— Je m'appelle Vito Alagna, déclara l'homme en s'adressant à Carla avec une petite courbette cérémonieuse.

— Comment avez-vous eu mon numéro de portable ? demanda Carla, émerveillée par sa propre témérité.

Ces gens semblaient avoir le pouvoir comme d'autres ont des muscles.

— J'ai laissé un message hier, auprès de l'accueil, au palais de justice. Comme vous n'aviez pas répondu, j'ai rappelé au palais et on m'a dit que vous travailliez chez vous, alors je vous y ai appelée ce matin. Asseyez-vous, je vous en prie !

Il désigna de la main l'énorme buffet sur lequel s'offraient toutes sortes de mets froids. Carla choisit une chaise au hasard, la plus proche. Personne au Palazzo di Giustizia, en dehors de Corinna Nunziatella, ne connaissait ses numéros de portable, privé ou professionnel. Elle avait bien veillé à ne pas les donner à la ronde afin d'éviter d'incessantes sollicitations.

— Pardonnez-nous ce qui doit vous apparaître comme une mystification, poursuivit Vito Alagna. C'est très simple, en fait, tout ce qu'il y a de plus simple. Je travaille pour le Parlement autonome, ici, à Palerme, lequel exerce son contrôle sur les affaires intérieures de notre petite île. Nous avons, naturellement, collaboré avec nos collègues de Rome pour créer et développer les différents organismes spécialisés mis sur pied pour enquêter sur ce qu'on appelle les « activités criminelles de type mafieux », dans les limites de notre juridiction politique et administrative.

Il consulta du regard les deux autres hommes comme s'il en attendait confirmation. Auquel cas, son attente fut déçue. Comme s'il était embarrassé par l'absence de réponse de ses collègues, Alagna fit un geste en direction de la nourriture.

— Mais, je vous en prie, servez-vous !

Carla le regarda, puis les deux autres, avant de fixer les mets. Bien que ces derniers fussent, selon toute apparence, plutôt appétissants, leur choix avait quelque chose d'un peu étrange. Il y avait à la fois du saumon fumé et du saumon poché, un bloc de pâté enveloppé de beurre figé et de gelée, un imposant rôti de bœuf froid et un plateau de fromages parmi lesquels du brie, du stilton et une sorte de fromage crémeux recouvert de noix. Un instant plus tard, Carla avait compris pourquoi cela lui avait paru étrange : chaque aliment était un produit d'importation.

— Vous ne mangez pas ? demanda-t-elle à Vito.

Celui-ci lui adressa un sourire en haussant les épaules.

— Nous n'avons pas faim, dit-il.

Carla hocha la tête.

— Moi non plus.

L'homme qui se trouvait à l'autre bout de la table et qu'Alagna avait dit s'appeler Gaetano se mit subitement à parler.

— Peut-être plus tard, dit-il. Nous avons toute la journée.

Carla se souvint des recommandations de Corinna.

— Pas moi, malheureusement. Une de mes amies m'attend pour dîner.

— Qui ça ?

La question venait de Gaetano.

— La dottoressa Nunziatella, répondit succinctement Carla. C'est une juge du pool antimafia pour lequel je travaille en ce moment.

— Vous devez être très proches l'une de l'autre.

C'était à nouveau Gaetano.

— Nous sommes amies, c'est vrai, répliqua Carla.

Gaetano regarda le plafond où une lampe de verre ressemblant à un zeppelin fondu recueillait de la poussière au bout de son cordon noir.

— Et vous dînez encore avec elle ce soir ? Deux soirs de suite. Ça, c'est de l'amitié.

Les trois hommes ricanèrent sous cape.

— Comment savez-vous cela ? demanda sèchement Carla.

Les trois hommes échangèrent un coup d'œil avant de reprendre leur regard délibérément inexpressif.

— Eh, c'est petit, la Sicile ! dit enfin celui qui se nommait Carmelo.

Les suaves intonations de Vito parurent rassurantes, par contraste.

— Soyez sûre que nous ne vous retiendrons pas longtemps, signorina. Tout ce dont nous avons besoin, c'est d'une petite mise à jour concernant la situation actuelle du système sur lequel vous travaillez. Une sorte de compte rendu, en fait.

— J'ai fourni au directeur de la DIA de Catane toute une série de comptes rendus, répliqua Carla.

Vito Alagna haussa les épaules d'un air las.

— Oui, je n'en doute pas, mais vous savez ce que c'est ! Avec les problèmes de communication, les rivalités habituelles et les petites médisances, les comptes rendus ne nous parviennent pas toujours aussi vite que nécessaire, voire pas du tout. Je suis sûr que votre grand souhait, c'est de terminer votre mission et de retourner chez vous dans le Nord, n'est-ce pas ?

Carla Arduini ne put réprimer un hochement de tête catégorique. Alagna éclata de rire.

— Excellent ! Dans ce cas, nos intérêts coïncident parfaitement. Alors allons-y, faisons le point sur l'état actuel du projet et examinons les problèmes éventuels, puis vous nous ferez part de votre pronostic personnel quant à une date d'achèvement.

Et c'est exactement ce qu'on a fait, se dit Carla sur le chemin du retour. Elle avait donné aux trois hommes un aperçu succinct et professionnel de la situation à ce jour, omettant soigneusement toute allusion au Comte Dracula, puis elle leur avait exposé sa vision optimale d'une date de remise au pool anti-mafia. Vito Alagna avait écouté son compte rendu tranquillement et attentivement, sans prendre de notes mais en donnant l'impression de retenir chaque détail mentionné par Carla. Les deux autres étaient restés assis, sans rien dire. Il était environ 15 heures lorsque celui qui se nommait Gaetano s'était appuyé lourdement sur sa fesse gauche et avait lâché un pet sonore.

— Il est temps de se mettre en route, avait-il dit sans s'adresser à personne en particulier.

— Bien sûr, bien sûr ! s'était exclamé Vito Alagna en se levant. Merci infiniment d'être venue, signorina. Votre aide nous a été extrêmement précieuse. Le chasseur va chercher votre voiture. Et encore merci. Au revoir, au revoir !

Le trajet du retour fut plus facile, car les tunnels de l'Al9, dans le sens est-ouest, étaient préservés des prétendus travaux. Le seul problème vint d'un motard qui se traînait juste devant elle, sur sa puissante moto rouge certainement capable d'atteindre les deux cents kilomètres à l'heure. La petite Fiat de Carla n'était pas assez puissante pour le dépasser, et comme il se contenta de rouler à quatre-vingt-dix kilomètres à l'heure tout le long du parcours, elle n'eut d'autre choix que de contempler sa silhouette bardée de cuir jusqu'à Catane.

De retour dans son appartement, elle essaya d'appeler son père, mais sa ligne ne répondait toujours pas. Elle prit une douche puis se rendit dans la chambre à coucher de son appartement moderne, en quête de son peignoir de bain blanc dans lequel elle avait pour habitude de se sécher. Il ne se trouvait pas sur le crochet où elle le mettait d'ordinaire et il lui fallut un moment pour le retrouver, accroché à un crochet similaire, de l'autre côté du même placard. La veste et le pantalon qu'elle avait accrochés là, toujours enveloppés dans l'emballage en plastique du teinturier chez qui elle les avait récupérés l'avant-veille, étaient suspendus à l'autre crochet, celui où Carla mettait d'habitude son peignoir.

Son portable personnel se mit à sonner. Carla se dirigea sans hâte vers le téléphone, jetant au passage un regard par la porte vers les différents recoins de l'appartement qu'elle n'avait pas encore examinés.

— Signorina Arduini ? demanda une voix dépourvue de charme. Ici le bar Nettuno. Nous avons un message qu'une de vos amies a laissé pour vous. Elle nous a demandé de vous appeler pour vous dire de venir le chercher immédiatement.

— Vous ne pouvez pas me dire ce que c'est maintenant ? demanda Carla avec irritation. Et comment s'appelle cette amie ?

— Elle n'a pas laissé son nom, signorina, juste un message écrit dans une enveloppe fermée. Elle m'a dit de vous appeler à 6 heures précises et de vous dire de venir le chercher.

Carla jeta un coup d'œil sur la pendule. Il était tout juste 18 heures.

— Très bien, j'arrive tout de suite, dit-elle.

Toute nue, avec pour seule parure une serviette de bain nouée autour du ventre, elle ouvrit chacune des portes du petit appartement et s'assura que personne ne s'y cachait. Rien ne semblait manquer non plus. Carla alluma son ordinateur portable Toshiba et se détourna de la machine pour aller chercher quelques vêtements. Lorsqu'elle revint à sa table de travail, l'écran scintillait. Au centre se trouvait une fenêtre avec un cercle barré de rouge et ces mots : *Message d'erreur fatale ! Cet ordinateur a accompli une opération illicite et ne peut plus fonctionner.* Tout en regardant par la fenêtre le grand immeuble qui se dressait en face du sien, Carla pressa doucement sur l'interrupteur de l'ordinateur pour l'éteindre, avant d'en refermer le couvercle.

Le bar Nettuno n'était qu'à quelques pas, un établissement banal installé au rez-de-chaussée de l'immeuble que Carla pouvait voir de sa fenêtre. Hâtivement habillée d'un jean et d'un pull-over, Carla fit irruption dans le bar et se présenta au barman, lequel hocha la tête de manière totalement inexpressive en lui remettant une enveloppe qui portait le nom de Carla. À l'intérieur, elle trouva un mot rédigé à la main : « J'appellerai la cabine qui est au fond dans le coin, à côté du jeu vidéo, à 6 heures et quart, puis toutes les cinq minutes jusqu'à ce que ce soit vous qui répondiez. C. N. »

Carla consulta sa montre. Il était 18 h 12. Trois minutes plus tard, le téléphone se mit à sonner. Corinna paraissait gênée.

— Excusez toutes ces absurdités, *cara,* mais tant qu'à faire tout ça, autant le faire correctement.

— Vous pensez que votre téléphone est sur écoute ?

— Dans de telles circonstances, c'est l'unique hypothèse sensée qu'on puisse formuler. Le vôtre aussi, pour autant que je sache. Et les téléphones portables sont bien connus pour être peu fiables à cet égard. Alors, cette manière de procéder m'a paru préférable. Comment s'est passée votre journée à Palerme ?

Carla lui raconta son entrevue. Il y eut un silence à l'autre bout du fil, puis un lent soupir.

— Ça veut dire qu'il va nous falloir être encore plus prudentes au sujet de nos arrangements pour demain.

— Que voulez-vous dire ?

— Je vous expliquerai cela demain. Vous avez de quoi écrire ? Alors écoutez-moi bien. Prenez le bus AST de 10 heures du matin, jusqu'à Aci Castello. Descendez jusqu'au rivage et marchez vers le nord jusqu'à Aci Trezza. Ce n'est qu'à deux kilomètres, le long d'un très joli sentier qui donne sur les roches que le Cyclope Polyphème a jetées sur Ulysse et ses hommes après qu'ils l'eurent aveuglé. Vous connaissez Homère ?

— Mais ça ne s'est pas passé en Grèce ?

— Au temps d'Homère, la Sicile faisait partie de la Grèce. Vous m'écoutez ? À Aci Trezza, il y a un hôtel qui s'appelle I Ciclopi. Allez au bar et attendez-moi là. Si je ne vous ai pas contactée avant midi, rentrez chez vous. Ne mentionnez aucun nom, ne posez aucune question, n'essayez pas de m'appeler, rentrez juste chez vous. D'après ce que vous venez de me dire, il est possible que vous soyez filée. Si vous repérez quelqu'un qui vous suit, essayez de le semer. Si vous n'y arrivez pas, rentrez chez vous. Surtout, n'amenez en aucun cas quelqu'un qui vous suivrait à notre lieu de rendez-vous. C'est bien compris ?

— Bien sûr, mais pourquoi me suivrait-on ? Personne ne s'intéresse à moi.

— Moi, je m'intéresse à vous, *cara*. Et eux, ils s'intéressent à moi. Votre déjeuner dans le « triangle de la mort » le prouve sans que le moindre doute soit permis.

— Mais c'était...

— Je vous en prie, faites-moi confiance. Pour eux, nous sommes un couple. C'est pourquoi ils vont vous surveiller.

— On se croirait dans un film idiot ! s'exclama Carla à la manière théâtrale d'un des personnages de ce genre de film.

— Raison de plus pour ne pas agir comme des idiotes nous-mêmes, répliqua calmement Corinna. *A domani, cara.*

13

Six hommes étaient assis autour d'une table métallique disposée à l'ombre d'antiques palmiers et caroubiers, au centre de la petite place. Sur la table verte à la peinture écaillée et parsemée de taches de rouille, se trouvait un échiquier. Les six hommes étaient assis sur des chaises pliantes de la même couleur et dans le même état de délabrement que la table. Seuls deux des hommes étaient en train de jouer, mais les quatre autres regardaient la partie comme si leur vie dépendait de l'issue de celle-ci. On aurait pu en dire de même, quoique à un moindre degré, du groupe d'une dizaine de spectateurs debout qui formaient un cercle, à respectueuse distance des joueurs et de leur entourage immédiat. Au-delà de ce cercle, des voitures en stationnement semblaient abandonnées dans la rue vide, des rangées de maisons aux volets clos gardaient leurs secrets, surplombées par l'Etna qui semblait couver comme un feu mal éteint.

— La reine, dit l'homme qui jouait avec les blancs en posant son cigare dans le cendrier qui se trouvait à droite de l'échiquier.

Tous les spectateurs redoublèrent d'attention, mais personne ne dit rien pendant un long moment.

— Elle est exposée, finit par admettre l'autre joueur.

— Mais ce pion n'est pas loin de faire une reine, dit le premier d'un ton songeur. Si je menace la reine, le pion aura une chance d'y arriver. Que faire ?

— Essayez la défense sicilienne ! lança l'un des spectateurs.

Des rires anonymes et ironiques éclatèrent au sein du petit groupe, comme pour protéger celui qui venait de s'exprimer ainsi des possibles conséquences de son insolence.

L'homme assis à la table verte ramassa son cigare et se pencha lentement en arrière, contemplant le bleu du ciel à travers l'épais feuillage. Un terrible silence se fit. L'homme exhala toute une galaxie de fumée.

— Il nous faut réagir sans trop tarder à la récente communication en provenance de nos amis de Corleone, dit-il. Ne pas le faire pourrait avoir l'air discourtois.

— Mais comment ? demanda son adversaire en déplaçant une de ses tours de cinq cases.

Il avait instantanément retiré sa main, si rapidement qu'on aurait pu croire que la pièce avait avancé toute seule.

L'homme qui avait les blancs ne regarda même pas l'échiquier.

— Je pense à une invitation à déjeuner, dit-il.

— Ils ne viendraient jamais ! s'exclama la même voix dans le groupe des spectateurs.

— Pas à Catane, bien sûr. Mais si l'invitation venait de Messine...

Il jeta un coup d'œil à la table et prit la tour avec un cavalier.

— Alors, il faudrait leur donner quelque chose en échange, remarqua Noir.

— Précisément. Nous pourrions leur donner la juge.

— Nunziatella ? Elle n'est déjà plus dans le tableau.

— De notre point de vue, c'est vrai. Mais elle enquête toujours sur l'affaire Maresi, qui concerne de bien des manières les intérêts de nos amis de Messine.

Il y eut un long silence.

— Si nous faisons ça, alors les autorités vont nous tomber dessus, dit Noir.

— Non, cela n'arrivera pas, répliqua Blanc. Personne ne saura que c'est nous. Comme tu l'as remarqué, nous n'avons aucune raison de nous intéresser à la Nunziatella. Pourquoi nous attirer des ennuis alors que tout s'arrange de manière si peinarde ?

— Dans ce cas, ils s'en prendront aux gens de Messine. Et nos amis, là-bas, ne vont pas apprécier.

— Qui s'en soucie ? Il sera trop tard, alors. D'ailleurs, je trouve qu'ils ont un peu trop pris la grosse tête, ces derniers temps.

Il tira sur son cigare et aspira une longue bouffée satisfaite, jeta un nouveau coup d'œil à l'échiquier et déplaça sa reine en diagonale d'un bout à l'autre du jeu.

— Échec.

L'homme qui jouait avec les noirs le regarda avec stupéfaction.

— Mais comment faites-vous, Don Gaspare ?

— Ça te plaît ? s'enquit le fumeur de cigare.

— C'est magnifique !

Une ombre se fit sur son front.

— Mais, au sujet des gens de Corleone ?

— Oui, eh bien ?

— Eh bien, à supposer qu'ils viennent à ce déjeuner...

— Ils viendront, c'est sûr ! À présent que Totò est en prison et que Binù se terre, ils ont besoin d'alliés. Il se trouve que je sais qu'ils flirtent avec nos amis de Messine depuis quelque temps. Une invitation comme ça ? Il y a de quoi les faire mouiller dans leurs petites culottes !

Nouvelle tournée de rires dans la petite foule des spectateurs.

— Bon, d'accord. Donc, ils se pointent, dit Noir. Et alors ?

— Alors, après ça, ils rentrent chez eux, dit l'autre homme d'une voix subitement dure et en regardant fixement son adversaire. Comme il n'y a pas de voie ferrée qui mène à Corleone, on ne peut pas leur offrir un voyage gratuit en wagon de marchandises. Mais pour éviter d'avoir l'air discourtois, il nous faut leur rendre d'une manière ou d'une autre la politesse. Saverio !

— *Sì, capo,* dit la voix de gouape dans le groupe des spectateurs.

L'homme qui était assis à la table fit une pause pour tirer sur son cigare.

— On aura besoin d'un camion, finit-il par dire. Quelque chose de grand. Peut-être un semi-remorque. On ne peut pas savoir combien ils seront, et nous ne voulons surtout pas qu'ils soient à l'étroit.

Nouveaux rires.

— Tu penses que tu peux arranger ça ? demanda le fumeur de cigare.

— En deux heures, *capo,* répondit Saverio. Un fourgon frigorifique, ça vous irait, par hasard ?

L'homme attablé se pencha pour fixer l'échiquier pendant un si long moment qu'on aurait pu croire qu'il n'avait pas entendu la question, son attention étant entièrement consacrée au jeu. Puis un léger sourire vint lentement illuminer son visage. Il pivota sur sa chaise et regarda celui qui s'était adressé à lui.

— Frigorifique, répéta-t-il.

— Il y en a beaucoup, expliqua Saverio. Pour les légumes, la viande et tout ça. Ce ne serait pas difficile d'en trouver un, sur l'*autostrada*.

— Frigorifique ! répéta le joueur d'échecs, dont le sourire s'était encore élargi. Saverio, tu es un génie.

Saverio haussa humblement les épaules et resta muet. Le fumeur de cigare se retourna vers la table.

— Ils nous ont servi du chaud, nous, on va leur faire un buffet froid ! s'exclama-t-il triomphalement.

L'homme qui jouait avec les noirs déplaça un pion pour empêcher la reine blanche de menacer son roi.

— Ils sauront que ça vient de nous, remarqua-t-il d'un ton neutre.

— Bien sûr qu'ils le sauront ! s'écria l'autre homme. Tout comme leurs hôtes de Messine. Ceux-là sauront aussi que leurs explications et leurs excuses ne seront jamais crues. Alors, avec les gens de Corleone rendus fous furieux à l'ouest des monts et les Calabrais qui se pointent par l'est, nos amis de Messine seront enfin forcés de s'allier à nous s'ils ne veulent pas être pris en tenaille sur deux fronts.

Le silence se fit. Au bout d'un moment, l'autre joueur d'échecs le rompit en aspirant profondément à travers ses dents gâtées.

— Mais comment faites-vous, Don Gaspare ? répéta-t-il avec émerveillement.

L'autre homme suça son cigare d'un air suffisant.

— Je réfléchis, dit-il. Je réfléchis... et je réfléchis encore. Puis je passe en revue mes conclusions ici avec mes amis, dans ma ville natale. Et de temps en temps, j'ai même le plaisir de découvrir que l'un d'entre eux est capable d'apporter une touche d'imagination à tel ou tel détail de mon plan, comme le jeune Saverio ici présent.

Il se pencha et fixa l'homme qui lui faisait face.

— Tu étais comme ça, dans le temps, Rosario. C'est pour ça que j'ai toujours voulu causer d'abord avec toi. Tu étais intelligent et créatif. Qu'est-il arrivé, Rosario ? Où est passée toute ton énergie ?

Il n'y eut pas de réponse. Dans le profond silence qui était tombé sur le groupe, un son bien spécifique se fit entendre. Personne ne tourna la tête, mais chacun des présents semblait être légèrement plus attentif, plus rigide. Heurtant le pavé en rythme, un bruit de pas se rapprochait : il passa sous la statue d'un enfant de la ville — poète ayant acquis une gloire aussi limitée que fugitive au XIXe siècle — avant de se transformer en un épais crissement sur le gravier qui entourait les arbres au centre de la place.

Le nouveau venu se fraya sans ralentir un chemin à travers le petit groupe d'hommes qui étaient rassemblés autour de la table sur laquelle était posé l'échiquier. Il était de haute taille et imposant. Il devait avoir dans les quatre-vingts ans, son crâne était penché sur sa carcasse, mais ses yeux bleus étaient d'une saisissante limpidité. Il portait un blazer brun sur une chemise à carreaux, une cravate bordeaux et un pantalon de flanelle grise. Ses pieds étaient chaussés de socquettes beiges et de sandales en cuir et il tenait d'une main noueuse une canne en bruyère qui suppléait à la faiblesse de sa jambe gauche. Nul ne lui adressa la parole ni ne donna la moindre impression d'être conscient de sa présence. L'homme s'arrêta devant la table verte. Il n'accorda pas un regard aux deux joueurs, pas plus qu'à leur entourage, mais fixa l'échiquier.

Il resta là, debout, pendant une bonne minute, entièrement absorbé par son examen du jeu. Personne ne parla ni ne bougea, mais un malaise semblait s'être emparé de la compagnie. Le nouveau venu finit par se redresser et renifla profondément.

— Noir peut gagner en cinq coups, annonça-t-il dans un italien guttural dénué de flexibilité.

Ce ne fut qu'ensuite qu'il regarda les deux joueurs. Celui qui se nommait Don Gaspare lui jeta un coup d'œil plein de curiosité, où se lisaient mépris et appréhension à la fois.

— Ah, c'est vrai, j'oubliais... Vous êtes un spécialiste de la victoire, Herr Genzler.

L'autre homme regarda à nouveau l'échiquier pendant un instant avant de se tourner d'un air implacable vers Don Gaspare.

— Noir en cinq coups, répéta-t-il. À moins que l'un de vous ne fasse une erreur.

Il y eut un halètement subliminal tout autour de la table. Personne n'avait le droit de parler au *capo* sur ce ton. Mais Don Gaspare se contenta de rejeter une bouffée de fumée.

— Je ne fais jamais d'erreur, répliqua-t-il tranquillement.

— Peut-être. Mais j'ai entendu dire que Rosario, lui, n'est plus aussi doué qu'avant.

L'intrus s'inclina vaguement.

— À votre service, Don Gaspare.

Le joueur d'échecs lui adressa une courbette encore plus rudimentaire.

— Moi de même, général.

L'intrus tourna les talons et s'en fut. Les hommes qui étaient rassemblés autour de la table écoutèrent avec une attention collective le crissement de ses pas sur le gravier puis le claquement de ses sandales tandis qu'il traversait la place vers ce qui semblait constituer l'unique entreprise commerciale de la ville, un bar faisant également office d'épicerie, dans lequel il s'engouffra.

Sur le petit square au milieu de la place, le silence se prolongea pendant un moment.

— Noir en cinq coups, hein ? finit par remarquer Don Gaspare. Tu vois comment, Rosario ?

L'autre joueur haussa les épaules en grimaçant.

— C'est facile de dire un truc comme ça pour se faire mousser ! s'exclama-t-il.

— *Tu vois comment ?* répéta Don Gaspare avec insistance.

Rosario ne répondit pas. L'autre homme exhiba un téléphone portable et se mit à pianoter sur le clavier.

— Turi ? Don Gaspà. Passe-moi le général.

Une pause.

— Herr Genzler ? Noir en cinq coups, vous avez dit. Comment, exactement ?

Il sortit un stylo de sa poche et se mit à griffonner sur le dos d'une enveloppe.

— La reine par le pion ? Mais c'est... D'accord. Et puis ? Ah, je comprends. Merci. Qu'est-ce que vous buvez ? Parfait. Dites à Turi que c'est sur mon compte.

Il posa son téléphone portable. Il prit l'échiquier et le tourna de manière que le camp noir soit de son côté. Au bout d'un moment, il déplaça un fou de deux cases. Rosario le regarda d'un air anxieux puis, prenant les blancs, il saisit un pion noir. Don Gaspare joua immédiatement, déplaçant tel un crabe un cavalier jusque-là ignoré. Rosario fixa l'échiquier jusqu'à ce que son adversaire frappe violemment du poing sur la table.

— Les gens viennent me voir pour me soumettre leurs problèmes, cria-t-il furieusement. J'en ai marre, des problèmes. J'ai besoin de solutions. C'est clair ?

Il se leva en balayant l'assistance du regard.

— C'est clair ?

— *Sì, capo,* murmura celle-ci telle l'assemblée de fidèles donnant la réplique au prêtre officiant.

Don Gaspare fixa ses hommes un par un. Puis ses yeux revinrent à l'échiquier. Sans un regard pour son adversaire, il joua trois coups avant de heurter le roi blanc de l'index droit, l'envoyant valdinguer sur le gravier sous les arbres.

14

— Carla ?

— *Papà !* Où étais-tu passé ? Je m'inquiétais...

— Je suis à Rome.

— C'est quoi, cette musique ?

— Quelle musique ?

— De la soupe... de la variétoche...

— Je n'entends rien.

— Eh bien, moi, j'entends quelque chose. Alors, tu es à Rome ? Pourquoi ?

— J'ai dû partir précipitamment.

— Tu peux parler plus fort, s'il te plaît ? Cette musique...

— J'ai été obligé d'aller à Rome. À l'improviste. Une affaire personnelle.

— Ah, je vois. Oui, je vois.

— Je ne sais pas quand je serai de retour exactement. Je prends quelques jours de repos.

Outre le fond sonore de musique douce, la communication était défaillante, avec des variations de volume mais toujours indistincte, étouffée.

— Quel temps fait-il, là-bas ? demanda une voix semblable à celle de son père.

— Comme d'habitude. Et à Rome ?

— Sableux...

— Comment ?

— Pas grave. Écoute, je ne serai peut-être pas rentré avant un petit bout de temps. Ça ira, pour toi ?

— Évidemment. Je préférerais quand même que tu sois là. On a fouillé ma chambre.

— Comment ça ? Qui ça ?

— Je ne sais pas. Mais quelqu'un est entré chez moi. On a laissé un message sur mon ordinateur.

— Ton quoi ?

— Mon ordinateur portable. Toute ma vie est contenue dedans, et quelqu'un y a foutu le bordel. J'ai des sauvegardes, bien sûr, mais...

— Des sauvegardes de ta vie ?

Carla éclata de rire.

— Excuse-moi, j'avais oublié que tu ne connais pas le jargon.

— Écoute, Carla, si quelqu'un s'est introduit dans ton appartement, appelle la police. Je vais te donner un numéro. Un nom, aussi. Baccio Sinico. C'est un brave homme et il...

— Je n'ai pas le temps, là, tout de suite. Je suis sur le point de partir en week-end. Je m'en occuperai lundi. Tu crois que tu seras rentré ?

— Tu vas où ?

— À Taormina. Il paraît que c'est magnifique, et la personne avec qui j'y vais connaît un hôtel merveilleux. C'est en altitude et il fera sans doute plus frais. La vie n'est pas facile pour moi, ici, papa. Je ne me suis pas vraiment encore fait d'amis, et ça me fera du bien de m'aérer et de rencontrer des gens.

Une pause.

— Eh bien, amuse-toi bien.

— Toi aussi. Tu rentres quand ?

— Je ne sais pas encore. Je te le ferai savoir. Prends bien soin de toi.

— Toi aussi, papa. Comme tu me l'as dit à Alba, tu es le seul père que j'aurai jamais.

Sa voix se brisa légèrement en prononçant ces derniers mots. Elle éteignit son téléphone et se tourna vers sa valise à moitié faite, posée sur le lit. Puis elle prit quelques autres vêtements dans la penderie et les plia soigneusement dans sa valise entre des couches de papier de soie. Elle avait entendu dire que Taormina était un lieu de villégiature internationale pour les riches, et on pouvait s'attendre à y rencontrer toutes sortes de gens, peut-être même l'homme de sa vie.

À ce stade, Carla soupçonnait fortement Corinna Nunziatella de vouloir être un peu plus qu'une « copine ». Le scénario que Carla envisageait était le suivant : quelques martinis de trop au bar, suivis d'un lent et délicieux repas au restaurant, une balade à la tombée de la nuit pour rentrer à cet hôtel fabuleux et hop ! la juge lui proposerait la botte. Bon, c'était de bonne guerre. Elle n'avait jamais fait l'amour avec une femme, mais il y avait une première fois en toutes choses, et elle était adulte, à présent. De toute façon, elle prévoyait de payer sa part, ce qui lui permettrait de dire non, tout simplement. Ou pas, c'était selon...

Ce ne fut qu'après qu'elle eut refermé et soulevé la valise que Carla se souvint qu'elle allait devoir la trimballer tout au long du chemin. Corinna avait beau jeu de lui dire qu'il n'y avait que deux kilomètres à marcher, le long d'un joli sentier et ainsi de suite. Elle, elle avait une voiture. Carla faillit appeler la juge pour lui exposer le problème. Mais elle eut une meilleure idée.

Dans la rue, à 9 h 20 déjà, la chaleur commençait à se faire écrasante, même si ce n'était qu'un avant-goût dérisoire de celle qui allait embraser la ville vers

160

midi. Le temps qu'elle parvienne au coin de la rue, Carla avait déjà l'impression que sa valise contenait une enclume. Il lui fallut dix minutes pour trouver un taxi.

— Vous connaissez l'hôtel I Ciclopi à Aci Trezza ? demanda-t-elle.

Le chauffeur hocha la tête.

— Montez.

— Non, ce n'est pas pour moi. Mais je voudrais que cette valise soit livrée là-bas, à l'accueil. Elle doit être récupérée par une certaine Carla Arduini. Vous avez compris ?

Consultant une carte routière, le chauffeur se livra à une estimation pointilleuse de la distance aller et retour jusqu'à Aci Trezza. Il détermina le prix de la course sur une calculette électronique et refusa le pourboire que lui offrit Carla. Il lui fallut un gigantesque effort pour ne pas monter dans la voiture climatisée, mais Corinna lui avait dit d'y aller à pied, alors elle irait à pied. Non sans regret, elle tendit sa valise et l'argent au chauffeur, et regarda le taxi s'éloigner.

À l'arrêt de bus était rassemblée l'habituelle petite foule de personnes âgées : des femmes dont la fécondité nubile s'était flétrie au fil des ans, comme une tomate séchée au soleil ; et des hommes qui avaient l'air diminués aussi mais d'une autre manière, comme arrachés, par l'âge ou la maladie, à une vie consacrée à un travail aussi productif que valorisant. Les seuls passagers appartenant à la tranche d'âge de Carla étaient un couple de punks néo-gothiques aux cheveux dressés sur la tête et piercés de partout, ainsi qu'un *figlio di mamma* à surcharge pondérale, vêtu d'un blazer, d'un jean et d'un pull-over jaune.

Le bus de la ligne 36 finit par arriver et Carla le prit jusqu'à la Piazza Giovanni XXIII, où elle acheta un billet pour le bus AST qui longeait la côte vers le nord. Trente minutes plus tard, elle descendit à Aci Castello, petite station balnéaire surplombée d'un château normand qui lui donnait son nom. De nombreux passagers descendirent là aussi, tous équipés pour passer la journée au bord de la mer.

Carla les suivit jusqu'à la plage, empruntant le passage piétonnier en bois qui enjambait les rochers et menait à un sentier rocailleux partant en direction du nord. Là, hors de la ville, le soleil éclatant semblait bienfaisant, tandis que la brise marine était merveilleusement revigorante. Les gens nageaient et se faisaient bronzer sur les rochers de lave ; des vendeurs à la sauvette, à l'impeccable épiderme couleur de chocolat, proposaient des gadgets importés en contrebande et des articles de luxe factices, d'une manière paresseuse et affable, comme s'ils n'étaient pas là pour gagner de l'argent mais pour passer le temps, tout simplement.

Carla s'arrêta un instant pour bavarder avec l'un d'entre eux et se mit à débattre du prix d'un sac à bandoulière qu'elle aimait bien mais qu'elle n'avait nullement l'intention d'acheter, ne souhaitant pas le porter pendant tout le trajet. En prenant congé du *vucomprà*, elle remarqua un homme immobile, à vingt mètres derrière elle, qui paraissait contempler la mer. Il portait un jean, un pull-over canari et un blazer bleu à boutons dorés. Cet accoutrement lui parut tout aussi voyant et tout aussi inadapté pour passer une journée à la plage qu'une heure auparavant, à l'arrêt de bus en bas de chez elle.

Carla marcha hâtivement pendant quelque temps avant de s'asseoir sur l'un des bancs disposés le long du sentier qui donnait sur l'Isole Ciclopi : les rochers hauts et déchiquetés pouvaient en effet faire penser qu'un géant en colère les avait jetés là du haut du cratère fumant de l'Etna, comme un enfant désireux de voir quelle belle éclaboussure cela ferait. Jetant un coup d'œil derrière elle sur la droite, elle nota que Blazer bleu avait soudainement, lui aussi, ressenti le besoin de s'arrêter. Il n'y avait pas d'autre banc aux alentours, ce qui l'avait obligé à s'asseoir sur une saillie en lave pétrifiée, non sans l'avoir méticuleusement épousseté avant d'en faire un siège digne de recevoir son Levi's 501.

Carla se leva et poursuivit son chemin, puis fit une nouvelle pause, quelques minutes plus tard, pour admirer la vue. Blazer bleu avait lui aussi décidé de se remettre en route, mais il s'arrêta en même temps que Carla, apparemment pour résoudre un problème de lacets. Lorsque Carla atteignit le prochain promontoire miniature, elle quitta le sentier et marcha jusqu'à l'extrémité d'un rocher en lame de couteau qui plongeait à pic dans la mer. En se tournant comme pour contempler le panorama, elle s'aperçut que sa doublure était, quant à lui, en train d'admirer une vue de l'Etna, tout en téléphonant sur son portable.

Carla redressa les épaules et revint rapidement sur le sentier. Elle ne pouvait plus se permettre de perdre du temps, au risque d'arriver en retard. Par ailleurs, Carla avait été catégorique quant à la nécessité d'éviter une éventuelle filature, et il n'était que trop clair qu'elle était en effet suivie. Elle décida que la confrontation était l'unique manière de résoudre le problème. Elle se mit à marcher vite le long du sentier qui montait avant de redescendre à nouveau, épousant la forme de l'un des promontoires déchiquetés. Dès qu'elle fut hors de vue, de l'autre côté de la pente, elle s'arrêta. Il n'y avait personne sur le sentier devant elle, en dehors d'un vieux monsieur qui observait les oiseaux marins avec ses jumelles.

Quelques instants plus tard, Blazer bleu fit son apparition au sommet, légèrement essoufflé. Il s'immobilisa sur place quand Carla se mit à marcher vers lui d'un pas résolu.

— Pourquoi me suivez-vous ? demanda-t-elle.

L'homme esquissa un geste penaud.

— Comment ça ?

— N'essayez pas de nier ! Vous avez pris le même bus que moi, juste en bas de chez moi, puis l'AST jusqu'à Aci Castello, et ensuite vous m'avez suivie sur ce sentier, vous vous arrêtez chaque fois que je m'arrête...

— Je ne vois pas de quoi vous voulez parler ! protesta l'homme d'un ton paniqué. Je me promène, c'est tout, comme vous. C'est un sentier public, il y a plein de gens qui viennent ici. Vous n'êtes pas seule à avoir le droit d'y marcher, vous savez.

Une ombre se dessina entre eux sur les scories de lave.

— Puis-je vous être utile, signorina ?

Carla se retourna. C'était le vieil homme qui observait les oiseaux. Il avait une crinière de cheveux argentés soigneusement coiffés, une moustache bien lustrée et portait un costume en lin orné d'une paire de jumelles en sautoir.

— C'est très aimable à vous, répliqua Carla chaleureusement. Cet homme me suit depuis que je suis sortie de chez moi, ce matin.

— C'est pas vrai ! protesta Blazer bleu. Elle s'imagine des choses. C'est une pure coïncidence. Je n'ai rien fait de mal !

Le vieil homme avança vers lui d'un pas décidé. Son visage s'était considérablement assombri.

— Pas encore, peut-être, dit-il d'une voix basse et glaçante. Tu attendais ton heure, hein ? Tu guettais l'occasion de te présenter et de trouver assez de

164

courage pour y aller. On sait bien ce que sont les gens comme toi, mon ami. On sait aussi comment s'en occuper.

Il ajouta trois courtes phrases en sicilien. Carla ne put en comprendre le sens, mais il était impossible de se tromper quant à leur brutalité lapidaire. Blazer bleu recula de quelques pas et se mit à trembler. Il marmonna quelques paroles incohérentes puis tourna les talons et partit sans demander son reste, presque au pas de course, dans la direction d'où il était venu.

— Je vous prie d'accepter mes excuses pour ce moment désagréable, signorina, déclara le vieil homme d'un ton courtois.

Carla sourit.

— Vous n'avez aucune raison de vous excuser. Bien au contraire. Merci pour votre aide.

L'homme secoua la tête avec une expression de dégoût.

— Vous êtes du Nord, je crois. Oui, venir ici et avoir cette horrible expérience, cette entorse consternante à toutes les lois du savoir-vivre sicilien... J'ai vraiment honte, signorina, mais la dure réalité, c'est qu'il y a des vauriens partout, de nos jours. Il fut un temps où un homme de ce genre n'aurait même pas osé pointer son nez hors de chez lui. Évidemment, une ravissante jeune femme comme vous ne pouvait, alors, même pas imaginer se promener comme ça, toute seule, dans un endroit aussi isolé. Mais enfin, les vieilles règles ne s'appliquent plus, et les nouvelles règles ne sont pas encore en usage.

Carla hocha la tête vivement. Apparemment, elle n'avait échappé à son suiveur amateur que pour tomber entre les griffes d'un vieux raseur.

— Eh bien, merci de m'en avoir débarrassée. À présent, il faut que j'y aille, ou je vais arriver en retard à mon rendez-vous.

— Bien sûr, bien sûr ! Vous allez loin ?

— À Aci Trezza.

— Ça alors, c'est justement là que j'habite ! Ce n'est qu'à une dizaine de minutes de marche d'ici. Permettez-moi de vous accompagner, signorina. Non, non, j'insiste ! Je rentrais chez moi, de toute façon, et après ce désagréable incident, je m'en voudrais de vous laisser continuer toute seule. Vous êtes déjà venue ici ? Moi, je viens tous les matins, histoire de faire un peu d'exercice et d'étudier la faune marine. Il y a vraiment une variété tout à fait étonnante d'espèces à observer, certaines locales, d'autres migratrices...

Et, prenant Carla par le bras, il la guida sur le sentier, sans cesser de parler de la faune et de la flore du littoral, à propos desquelles il semblait ne rien ignorer, et ce de manière tout à fait accablante. Dès qu'ils eurent atteint les abords d'Aci Trezza, Carla lui expliqua qu'elle devait rejoindre quelqu'un à l'hôtel I Ciclopi et prit congé de son élégant compagnon, non sans qu'il lui eût indiqué le chemin pour se rendre à l'hôtel et donné sa carte, en insistant pour qu'elle le contacte lors de sa prochaine visite dans les parages.

Corinna ne se trouvait pas au restaurant, mais la valise de Carla était arrivée. Elle la récupéra et sirota un cappuccino pendant une vingtaine de minutes, puis elle alla faire quelques pas dehors. Il était alors 11 h 45, soit quinze minutes avant l'heure où elle était censée renoncer et rentrer chez elle. La chaleur était délicieuse et légère à l'ombre de l'immense marquise. Les seuls sons perceptibles étaient le clapotis des vaguelettes contre les rochers, le bruit sporadique de casseroles et de poêles en provenance des cuisines, et le ronronnement lointain d'un hélicoptère qui tournoyait quelque part au-dessus de sa tête.

— Signorina Arduini ?

C'était un serveur en tenue, à la déférence toute professionnelle.

— Oui

— Il y a un appel téléphonique pour vous. Par ici, s'il vous plaît.

Elle traversa le hall d'entrée à la suite de l'homme qui la mena à une table sur laquelle était posé un téléphone. Le serveur composa le zéro et passa le combiné à Carla.

— Allô ?

— Carla ?

— Oui.

— C'est moi. Sortez de l'hôtel et tournez à gauche dans la Via San Leonarbello. Au numéro 63 de cette rue, vous trouverez une Nissan verte. Elle n'est pas verrouillée. Suivez les instructions qui seront sur le siège du conducteur.

La communication fut coupée.

La Via San Leonarbello se révéla être une ruelle bordée de maisons de pêcheurs à deux étages, dont la plupart paraissaient avoir été converties en maisons de vacances. Une berline Nissan verte était en effet garée devant le numéro 63. Carla jeta un coup d'œil sur la rue avant d'ouvrir la porte du passager et de monter dedans. Un bout de papier était posé sur le siège du conducteur.

LES CLÉS SONT DANS LA BOÎTE À GANTS
CONDUISEZ JUSQU'AU BOUT DE LA RUE
PUIS TOURNEZ À GAUCHE.
ARRÊTEZ-VOUS EN FACE DE L'ÉPICERIE SPAR.
LAISSEZ LE MOTEUR EN MARCHE.

Carla poussa un soupir plein d'amertume. Si elle avait imaginé tout ce que cela impliquait, elle n'aurait jamais accepté d'accompagner Corinna en week-end à Taormina. Tous ces petits jeux commençaient à lui porter sur les nerfs. Mais il était trop tard pour reculer, à présent. Elle mit sa valise à l'arrière de la voiture, s'installa dans le siège du conducteur et démarra.

L'épicerie, appartenant à l'omniprésente chaîne SPAR, fut facile à trouver, mais il n'y avait aucune place où se garer dans la rue étroite. Carla s'arrêta devant la boutique, klaxonna et consulta sa montre. D'accord, Corinna, songea-t-elle, tu as soixante secondes, pas plus. Après, j'abandonne la voiture et je prends le prochain bus pour Catane. Elle avait du linge à laver et du courrier en souffrance, et cela faisait un certain temps qu'elle voulait aller voir le dernier film de Nanni Moretti. Elle avait adoré *Caro Diario,* et même si celui-ci n'était pas aussi bon, la perspective de passer deux heures dans une salle de cinéma climatisée constituait une puissante motivation.

La portière du passager s'ouvrit et Corinna Nunziatella s'installa à ses côtés, presque méconnaissable dans un costume d'homme, avec cravate et chemise. Son visage était en partie dissimulé par des lunettes d'aviateur tandis que ses cheveux coupés ras étaient à peine visibles sous un grand chapeau de paille.

— Roulez ! dit-elle précipitamment.

— Où ça ?

— Roulez, c'est tout ! Je vous indiquerai le chemin plus tard.

Carla enclencha la première et conduisit jusqu'au bout de la rue.

— À gauche, ici, lui dit Corinna Nunziatella. À droite, maintenant. Arrivée au milieu de ce pâté de maisons, faites demi-tour et tournez encore à droite.

Brûlez le feu, il n'y a pas de police de la route dans le coin. Vous aimez ma tenue ?

Carla sourit d'un air gêné.

— C'est, euh... intéressant.

— Cette voiture appartient à une amie. Sa famille en a quatre en tout, alors elle ne lui manquera pas. Le plus dur a été de sortir de la maison sans que mon escorte ne s'en aperçoive. D'où le déguisement.

— Vous ne pensez pas que ça va étonner, à l'hôtel ?

Corinna éclata de rire.

— Pas à Taormina ! Ils en ont vu d'autres, là-bas. Taormina a toujours été une sorte d'enclave extraterritoriale en Sicile, un endroit où aucune des règles habituelles ne s'applique. Tant qu'on a de l'argent, personne ne se soucie de ce qu'on fait. À gauche, ici, traversez la voie ferrée, puis à droite toute, et suivez les panneaux indiquant l'autoroute.

Elle lança un coup d'œil taquin à Carla.

— Quoi qu'il en soit, je trouve que j'ai l'air plutôt séduisante. Et vous ? Pas de problèmes ?

Carla balança sa tête de droite à gauche pour indiquer que cela n'avait pas été précisément le cas.

— J'ai été suivie. Mais je suis presque sûre que ce n'était qu'un pervers qui habite chez sa mère et qui voulait mater mes jambes. Il était trop lourd pour être un professionnel. De toute façon, un vieux monsieur qui observait les oiseaux sur le sentier m'en a débarrassée.

À la surprise de Carla, Corinna insista pour qu'elle lui raconte toute l'histoire, dans ses moindres détails. Le visage de la juge s'assombrit de plus en plus.

— Un sacrifice, c'est classique, remarqua-t-elle lorsque Carla eut achevé son récit. Je ne veux pas vous affoler, mais ce n'est pas une bonne nouvelle. Cela confirme qu'ils vous surveillent aussi.

— Qui ça ?

— Ce « pervers » dont vous dites qu'il vous suivait, sa manière voyante de s'habiller et son comportement peu discret, tout cela était voulu. Avec moi, ils auraient agi de manière plus subtile, mais ils savent que vous n'êtes pas accoutumée aux règles du jeu, alors ils y sont allés franchement. Ils avaient prévu que vous le repéreriez et que cela vous rendrait suspicieuse. C'est ça, la ruse. Puis, juste au bon moment, du point de vue psychologique, voilà que survient le vieux monsieur chevaleresque, inoffensif et légèrement barbant, lequel vous débarrasse en vitesse de votre ostensible suiveur. Vous êtes naturellement si reconnaissante et soulagée que vous n'allez pas le soupçonner, lui.

— Mais il ne me suivait pas, Corinna !

— Ne m'avez-vous pas dit à l'instant qu'il vous a accompagnée jusqu'à Aci Trezza et que vous lui avez demandé le chemin de l'hôtel ?

— Oui, mais...

— Vous l'avez revu, après ça ?

— Non !

— Il ne vous a pas, par hasard, suivie jusqu'à la voiture ?

— Bien sûr que non ! Je ne crois pas, du moins. Je ne l'ai pas vu, en tout cas.

— Vous en êtes sûre ?

Carla ne répondit pas. Elles roulèrent le long d'une route toute droite entre deux rangées de hauts palmiers aux troncs bien taillés, se dressant de part et d'autre comme des poteaux téléphoniques verdoyants et exotiques. Elles arrivèrent ensuite à une bifurcation, annoncée par une grosse flèche verte sur laquelle était inscrit : AI 8.

— Tournez à droite et prenez l'autoroute, dit Corinna. Suivez les panneaux jusqu'à Messine.

— Messine ? Mais je pensais qu'on allait à...

— Je propose que vous vous concentriez sur la conduite et que vous me laissiez penser, *cara*, remarqua Corinna d'un ton crispé.

Carla ne dit rien. Après quelques instants de silence, Corinna soupira.

— Je suis désolée d'être sèche comme ça. J'essaye de réfléchir à ce qu'il convient de faire. Si je m'en tenais aux règles habituelles, j'annulerais notre petite excursion.

Elle jeta un regard enfantin à Carla.

— Mais je ne peux pas. Renoncer à ce merveilleux week-end avec vous, juste à cause de ma paranoïa, à cause de tout ce que j'imagine...

— Vous voulez parler de cet homme qui est censé m'avoir suivie ?

Corinna Nunziatella secoua la tête.

— Ce n'est pas seulement ça. Cette entrevue, hier, par exemple. Il est clair qu'ils me transmettaient un message par votre intermédiaire. Pour s'en tenir à un seul aspect de la question, l'hôtel Zagarella est un symbole notoire du pouvoir de la Mafia. Il a été construit par Ignazio et Nino Salvo, cousins appartenant à l'une des familles les plus puissantes et qui ont depuis accaparé le monopole de la perception des impôts sur l'île tout entière, grâce à leurs amis bien placés au gouvernement régional. Grâce à cela, ils sont devenus effroyablement riches, ce qui n'empêche pas que le Zagarella a été presque entièrement financé par de l'argent public, puisé dans la *Cassa per il Mezzogiorno,* qui est censée stimuler le développement économique du Sud. Et le poids symbolique de l'hôtel a été confirmé une bonne fois pour toutes en 1979 lorsque le Premier ministre d'alors, Giulio Andreotti, a fait un discours au cours d'une réunion qui s'y est tenue, entouré de tout ce que Palerme comptait alors de politiciens mafieux.

Elles se trouvaient sur l'autoroute, à présent, filant dans le flot des voitures se dirigeant vers le détroit de Messine et le ferry qui assurait la traversée vers le continent européen. Corinna Nunziatella alluma une cigarette qu'elle venait d'extirper d'un paquet tout flétri posé sur le tableau de bord.

— Quand j'ai appris votre invitation à déjeuner au Zagarella, par trois hommes qui prétendaient représenter le gouvernement régional et qui n'ont pas caché qu'ils connaissaient nos relations, poursuivit-elle en rejetant la fumée, je n'avais pas besoin d'être un génie pour comprendre le message qu'on voulait me transmettre.

— Lequel ?

— « Faites attention. Nous nous intéressons à vous. Vous êtes seule, vous ne pouvez faire confiance à personne, nos gens sont partout. Prenez bien garde à cet avertissement. La prochaine fois, il n'y en aura peut-être pas. »

— Et vous croyez qu'ils sont sérieux ?

— Bien sûr qu'ils sont sérieux ! Ils ont tué Mino Pecorelli et Giuseppe Impastato, et aussi Pio Della Torre. Ils ont tué Giorgio Ambrosio et Michele Sindona, Boris Giuliano et Emanuele Basile, le général Dalla Chiesa et sa femme. Ils ont tué Cesare Terranora, Rocco Chinnici et Ciaccio Montalto. Ils ont tué Falcone et Borsellino. Et ils ont tué ma mère et des centaines d'autres personnes, peut-être des milliers...

Elle ouvrit la fenêtre et jeta au-dehors la cigarette à moitié consumée avec un geste de dégoût.

— Eh bien, ils ne m'auront pas, moi !

Troublée par l'intensité du ton de la voix de Corinna, Carla détourna les yeux de la route pendant un instant pour jeter un coup d'œil à sa passagère.

— Que voulez-vous dire, ils ont tué votre mère ? L'autre soir, vous m'avez dit qu'elle était encore en vie.

— Non, je ne vous ai pas dit ça. Vous m'avez questionnée à son sujet et je vous ai répondu : « Je suppose qu'on peut dire qu'elle est encore vivante. » Elle est vivante mais enfermée dans une maison de repos. Un établissement privé, remarquez, et relativement agréable, mais qui n'en est pas moins un hospice. Elle a fini par craquer quand mon père s'est fait tuer d'une manière particulièrement cruelle par un clan rival. Depuis, elle ne parle plus qu'en anglais. Elle raconte qu'elle va prendre le train pour Londres et recommencer sa vie...

Elle s'interrompit en secouant la tête et tapota le genou de Carla d'un geste gracieux.

— Je suis navrée de vous enquiquiner avec toutes ces horribles histoires personnelles, *cara,* mais vous ne pouvez pas me comprendre sans cela. Pour le meilleur ou pour le pire, c'est la cause de ce que je suis devenue. J'ai compris très tôt que rien ne pouvait se faire sans le pouvoir. Le seul pouvoir qui me soit accessible, à moi, femme sicilienne, c'est celui de l'institution étatique, c'est pourquoi j'ai étudié le droit et j'ai intégré l'appareil judiciaire. L'État italien n'est pas aussi puissant que la Mafia, comme nous l'avons appris à nos dépens, mais le rapport de forces est en train de changer. À la mi-temps, c'est nous qui menons, mais la partie est loin d'être finie. La chose la plus importante à présent est de s'assurer qu'ils ne sont pas en train de modifier les règles. Mais je continuerai, même s'ils les changent. C'est un engagement personnel. La seule manière d'en finir avec la structure patriarcale de la *mafiosità,* c'est de l'attaquer par l'intermédiaire d'une autorité tout aussi patriarcale, dont il se trouve que les intérêts sont opposés à ceux des gens qui ont détruit ma mère.

Elle se mit subitement à rire et se tourna vers Carla.

— Et maintenant, je vais la fermer à ce sujet jusqu'à la fin du week-end ! annonça-t-elle joyeusement. Nous allons limiter la conversation à la sape, aux bijoux et aux chaussures, aux potins de bureau et aux frasques des personnalités et des vedettes. Je vais prendre mon petit déjeuner au lit, mon déjeuner au bord de la piscine et mon dîner dans un fabuleux restaurant de poissons que je connais au bord de la mer. Bref, j'ai bien l'intention de me conduire comme la petite garce superficielle que j'ai toujours voulu être secrètement. Et vous ?

Carla lui adressa un sourire éblouissant.

— Ça me paraît parfait, comme programme. Je vais essayer de m'y plier.

— Voilà la sortie pour Giardini, dit Corinna en désignant un panneau. On sort à la prochaine. Taormina sera indiqué. Il faudra que vous rouliez plus lentement. Une fois qu'on a quitté l'*autostrada,* la route devient raide et étroite. J'espère que vous aimerez l'hôtel.

— Vous y avez déjà séjourné ?

— Oui.

— Seule ?

— Non, je n'étais pas seule. Prenez la prochaine sortie.

Carla mit son clignotant pour indiquer qu'elle tournait à droite.

— Alors, vous faites souvent ce genre de chose ? demanda-t-elle.

— Pas aussi souvent que je le voudrais. C'est une stratégie de survie. La Sicile est une cocotte-minute. Non pas que la vie ici soit si dangereuse. On pourrait même avancer qu'elle l'est moins qu'à Rome ou qu'à Milan. C'est un processus d'usure, surtout pour une femme. Tout ce qu'on fait ou qu'on ne fait pas est noté et rapporté. Il n'existe littéralement pas d'intimité. Il n'y a même pas de mot, en sicilien, pour dire intimité.

Carla se retrouva sur une route sinueuse et escarpée qui montait en zigzaguant laborieusement une colline en direction d'une ville haut perchée qui était sans doute Taormina. Une moto était sortie de l'autoroute derrière la Nissan et faisait à présent d'agressives mais inefficaces tentatives pour la doubler, en dépit de la raideur de la pente. Les deux hommes qui la chevauchaient étaient enveloppés dans des combinaisons en cuir rayé de rouge et de blanc. Ils semblaient engagés dans une conversation animée, par le biais d'un système de micros intégré dans leurs casques intégraux de cosmonautes.

— Et puis, il y a la mentalité insulaire, poursuivit Corinna. Une sorte de provincialisme fait à la fois de passivité et d'agressivité. Rome n'est qu'à une heure d'avion, mais elle pourrait fort bien se trouver sur une autre planète. Même à Reggio de Calabre, on respire plus à l'aise. Vu de Palerme ou de Catane, le détroit de Messine a l'air plus vaste que l'Atlantique. Ce qui se passe au-delà de ce détroit ne peut avoir ici qu'une importance marginale, tout au plus. Et cela dépend de l'influence de ces événements sur le rapport de forces qui prévaut ici.

Après la courbe suivante, la route s'élargissait de manière permettant à Carla de se laisser dépasser par les motards bardés de cuir. Elle ralentit et signala son intention de déboîter. Le moteur de la moto Guzzi rouge vif se mit à rugir tandis que l'engin s'apprêtait à dépasser. Au moment où elle passait, le passager de la moto brandit quelque chose qui était emballé dans une étoffe et qui avait jusqu'alors été posé sur ses genoux. Il y eut un fracas, comme si le moteur était sur le point de caler, et des morceaux de verre se mirent à voler en tous sens dans l'habitacle de la voiture. Corinna se tourna vers Carla, qui s'efforçait de maintenir la Nissan sur la route malgré l'éruption de petites éraflures qui se formait sur son torse et sur ses épaules. Le passager de la moto exhiba un paquet rectangulaire qu'il balança au travers de la vitre brisée, comme s'il renvoyait quelque chose qui ne lui appartenait pas, à l'instant où la voiture vira à gauche, passa par-dessus l'accotement et poursuivit son chemin dans l'oliveraie plantée à flanc d'une pente vertigineuse, roulant normalement d'abord, malgré l'inclinaison, mais finissant par basculer et se renverser.

L'explosion qui survint presque immédiatement après détruisit un olivier *centenario* qui avait été planté en juillet 1860 pour commémorer la victoire décisive de Garibaldi sur l'armée des Bourbons à la bataille de Milazzo ainsi que la réunification de la Sicile au nouveau royaume d'Italie qui en résulta. Mais plus personne à Taormina ne se rappelait de cela, et l'arbre avait presque cessé de donner des fruits, ce qui fait que l'incident ne revêtit guère d'importance.

II

15

Un collègue du service Criminalpol avait un jour raconté à Aurelio Zen un tour qu'il avait joué à un autre collègue, originaire d'Ombrie et aussi zélé que dépourvu d'imagination. La plaisanterie consistait à obtenir de sa victime qu'il essaie d'identifier un train imaginaire prétendument indiqué dans les horaires officiels, train qui, si on s'en tenait à son itinéraire d'une gare à l'autre du réseau, se révélait tourner en rond de manière perpétuelle. Dans la réalité, un tel train n'existait pas, hélas ! et Zen se vit donc contraint d'improviser.

Il lui fallait pour cela consulter les horaires, affichés sous verre, à chacune des gares où il débarquait avant de prendre le prochain train au départ, quelle que fût la destination de celui-ci. S'il n'y en avait pas avant le lendemain, il passait la nuit dans un hôtel à proximité de la gare et se remettait en route dès le matin. Il n'y avait que trois autres règles : il s'était interdit de revenir directement à la ville dont il venait, d'utiliser tout autre moyen de transport et de traverser la frontière.

Pour se distraire au cours de son périple, il avait acheté, dans une maison de la presse, des polars bon marché, édités par Mondadori dans sa collection à couverture jaune ornée d'une illustration aux couleurs criardes — ouvrages dans lesquels deux étroites colonnes étaient imprimées, page à page, sur un papier de mauvaise qualité qui jaunissait au fil de la lecture. Il en avait choisi une demi-douzaine au hasard sans prendre la peine de lire l'accroche en quatrième de couverture. Il lui suffisait que le nom de l'auteur ait l'air anglais ou américain, offrant ainsi la perspective d'un tour guidé soigneusement organisé dans un parc à thème où étaient exhibées les rassurantes turpitudes de ces étranges étrangers — et se concluant invariablement par un chapitre où la vérité était mise à nu et les coupables identifiés et dûment châtiés.

Par contraste, les trains eux-mêmes présentaient une grande variété, allant des véritables missiles aérodynamiques qui frôlaient à peine des rails conçus pour la Très Grande Vitesse aux convois rustiques et hideux, tractés par de vieilles locos diesels crachant la fumée, qui traçaient péniblement leur route le long de lignes secondaires mal entretenues. Mais ces différences apparentes revêtaient aussi peu d'importance que celles qui distinguaient les polars que lisait Zen. Certains personnages étaient beaux et fascinants, d'autres ternes et consciencieux, mais il était bien entendu — les personnages de fiction eux-mêmes semblaient l'admettre — qu'ils n'existaient que pour les besoins de l'intrigue. Se déplacer sans cesse : telle était la clé. S'il arrivait à Zen de s'arrêter ou de s'attarder au même endroit plus d'une nuit, alors ils seraient capables de le retrouver, comme ils avaient retrouvé sa mère et sa fille. Pour avoir une chance de survivre, il lui fallait être une cible mouvante.

Les villes allaient et venaient. Ce n'était pas leur rôle habituel, lequel consistait à rester immobile et à offrir aux regards leurs innombrables couches d'histoire, de culture, de tradition. Les visiteurs étaient censés s'en approcher avec déférence, ainsi qu'avec un portefeuille bien garni et une connaissance au moins superficielle des merveilles étalées devant eux. Ils n'étaient certainement pas censés arriver sur place subrepticement pour s'en aller aussitôt, avec une telle désinvolture. Il y avait, pour de telles villes, quelque chose d'inédit à se voir traiter en simples étapes d'un itinéraire improvisé, mais Zen s'aperçut vite que, une fois le premier choc passé, elles ne détestaient pas se laisser draguer avec si peu d'assiduité.

Et comme elles avaient de jolis noms ! Pérouse, Arezzo, Sienne, Empoli, Pise, Parme... Ce qui n'était pas plus mal, car tout ce que Zen en voyait, à l'ordinaire, était justement leurs noms, en caractères blancs sur le bleu des panneaux de quai émaillés — ça, et aussi leurs banlieues, toutes semblables, qui retraçaient l'histoire à l'envers, comme des strates dans une carotte géologique : des immeubles des années soixante, puis des bâtisses à l'allure spartiate datant de l'époque fasciste, des ensembles industriels construits au début du siècle et enfin l'architecture pompeuse et triomphaliste des lendemains de l'Unité italienne.

S'il avait un peu de temps à tuer en attendant son train, il s'autorisait une petite balade dans les rues environnant la gare, en quête d'un sandwich ou d'une tasse de café. Dans ce cas, la ville — surtout si elle portait un nom célèbre — semblait souvent légèrement choquée. « Tu veux dire que tu ne vas pas visiter les musées, et la cathédrale, et les ruines des remparts médiévaux ? » lui demandait-elle d'un ton pressant pendant qu'il parcourait en coup de vent les alentours miteux et bruyants de la gare, n'ayant qu'une idée en tête : repartir le plus vite possible. « La prochaine fois, peut-être, répondait-il en son for

181

intérieur. Mais pas maintenant. Il faut que j'y aille. Il faut que je continue de bouger. »

Il se savait en état de fugue psychique, bien sûr, mais cette notion ne changeait rien. Il était comme un toxicomane qui aurait pleinement conscience de sa dépendance et de ses éventuelles conséquences, mais qui serait incapable de s'en sortir quand même. Dès qu'il tentait de briser sa dépendance, elle reprenait aisément le contrôle de son esprit en ravivant certains souvenirs, comme si des zones obscures de son cortex lui enjoignaient de monter en toute hâte dans le premier train en partance, pour toute autre destination que cet intolérable terminus. Sa mère, toute desséchée, qui babillait dans une langue étrangère. Son cercueil, presque aussi menu que celui d'un enfant, disparaissant dans les entrailles du crématorium. La cérémonie au cimetière, avec Maria Grazia et la famille Nieddu pour unique assistance. Et puis, comme si tout ça ne suffisait pas, il se revoyait chez lui ce soir-là, regardant les informations à la télévision, y découvrant les images de l'épave carbonisée et déformée de la voiture dans laquelle un magistrat antimafia, un de plus, avait trouvé la mort, flingué sur une petite route non loin de Taormina. Une certaine Carla Arduini, amie de la victime, avait également été tuée dans l'attentat.

Plaisance, Pavie, Novara, Lugano, Bolzano, Trente, Padoue, Trévise, Trieste... De l'autre côté de la fenêtre, le paysage défilait, présentant différentes textures et nuances qui évoquaient le pelage d'un animal précieux, appartenant à une espèce depuis longtemps éteinte. Le polar qu'il lisait était, lui aussi, éteint. Il avait dû y avoir une erreur à l'imprimerie, car les trente dernières pages étaient absentes. Enfin, elles n'étaient pas exactement absentes. Les pages y étaient, mais elles provenaient d'un autre livre de la même collection, dont l'intrigue et les personnages différaient du tout au tout. Il en éprouva une double frustration : non seulement il ne connaîtrait jamais la vérité sur les événements du premier récit, mais il en était réduit à essayer d'extrapoler les différentes péripéties qui avaient mené à cette conclusion parasitaire.

À Crémone, puis à nouveau à Mantoue, il essaya d'acheter un autre exemplaire du livre, mais se vit annoncer que l'ouvrage était épuisé. Les trains locaux semblaient avoir hérité des symptômes de la malaria autrefois endémique dans le delta du Pô. Ils étaient irréguliers et roulaient à peu près à la vitesse de l'écoulement du fleuve lui-même, tandis qu'ils franchissaient inlassablement ses bras secondaires. Lorsque Zen finit par rejoindre la ligne principale à Fidenza, il était 20 heures, et un orage spectaculaire était en cours. En descendant du wagon, il sentit sous ses pieds une surface qui lui parut furtivement étrangement familière : craquante, mouvante, granulée. Mais c'était de la grêle, pas du sable.

Il était sur le point de traverser le hall pour consulter les horaires de départ lorsqu'un carillon se mit à retentir entre les murs de la gare, annonçant l'arrivée d'un train en provenance du nord. Au même moment, le convoi tracté par une locomotive diesel duquel il venait de débarquer émit un brusque rugissement et disparut sans se presser dans la pénombre qui commençait à gagner. Trop tard : Zen se souvint qu'il y avait laissé le polar qu'il était en train de lire sur le siège opposé au sien, sans en avoir achevé la lecture. Il ne se souvenait pas du titre du livre, encore moins de son auteur. À présent, il ne connaîtrait jamais la fin de l'histoire.

Dans la cascade de grêle qui se transformait progressivement en grosse averse, une lumière apparut au loin sur la ligne principale. Son annonce ayant été confirmée par cette preuve visuelle, le carillon électrique cessa de retentir, mais il fallut encore une ou deux minutes avant que le halo de lumière sur la voie ne s'élargisse et ne s'intensifie, tandis que la locomotive électrique suivie de son long convoi de wagons était enfin visible à travers le rideau de pluie. Ce ne fut qu'alors que Zen se rendit compte qu'il avait également oublié son paquet de cigarettes dans l'autre train.

Heureusement, il y avait un bar sur le quai, surmonté du panneau noir carré où s'inscrivait un T blanc indiquant qu'on y vendait du tabac. Pendant que le train s'immobilisait en grinçant, Zen fouilla dans sa poche et y trouva un billet de dix mille lires. Avec cela, il avait de quoi se payer deux paquets de Nazionali. Cela lui ferait rater le train, mais chaque chose en son temps. Il y en aurait forcément un autre ensuite, ayant une autre destination. Or, elles se valaient toutes.

Le wagon qui était à l'arrêt devant Zen n'était pas immédiatement reconnaissable en tant que tel. La décoration extérieure habituelle des wagons-lits, sobrement peints en bleu et blanc, avait été presque entièrement recouverte d'épais graffitis à la bombe de peinture — des commentaires sur le dopage des sportifs aux stéroïdes — y compris sur les fenêtres, privant les passagers de toute vue sur le monde extérieur. Sur la portière se trouvaient une signature, une date et le slogan : *Fier d'être dingue.* Zen se souvint qu'il n'avait pas vu de graffitis en Sicile. Peut-être les insulaires avaient-ils du retard sur l'époque en ce domaine, comme dans tant d'autres. Ou alors la Mafia avait traîné tous les mégalos de l'aérosol derrière un hangar pour les descendre un par un.

La portière s'ouvrit, laissant le passage à un

homme en uniforme. Il s'empara du billet de banque que Zen tenait à la main, prit ses bagages et remonta dans le train d'un air affairé, à l'abri des rafales pluvieuses qui bombardaient le quai. Sur un panneau blanc encastré, à côté de la portière derrière laquelle il avait disparu, était affichée la destination du train : MILANO C. — BOLOGNA — FIRENZE — C. DI MARTE — ROMA TIB. — NAPOLI — VILLA S. GIOV. — MESSINE — CATANIA. Plus loin sur le quai, le chef de gare marchait à grands pas d'un air important en brandissant au-dessus de sa tête un bâton lumineux vert. L'employé des wagons-lits réapparut dans l'embrasure de la portière.

— Vite ! cria-t-il. C'est votre dernière chance !

Le train s'était déjà ébranlé, presque imperceptiblement d'abord, mais déjà avec cette énergie qui allait lui permettre de traverser toute l'Italie en une nuit et de parvenir ainsi, par-delà le détroit de Messine, jusqu'en Sicile. Zen fit quelques pas vers la droite pour se mettre à portée du convoi, puis il s'empara de la poignée luisante et, juste à temps, bondit à bord.

16

Le camion était garé dans un virage sur l'une des routes qui menaient à Corleone lorsqu'on venait de la vallée du fleuve Frattina, simple filet d'eau saumâtre à cette époque de l'année. C'était un véhicule imposant pourvu d'une chambre frigorifique et immatriculé à Catane. Des deux côtés du camion, une fresque aux couleurs chatoyantes vantait les mérites d'une entreprise de Catane spécialisée dans la filière de la viande, et on pouvait être sûr que sa production, selon le slogan qui accompagnait l'image d'une ménagère satisfaite, était « toujours fraîche, toujours saine ».

Le chauffeur descendit de la cabine et étira langoureusement ses muscles. Il avait la trentaine et était de constitution noueuse. Sa coupe de cheveux était de type militaire et son menton comme ses joues s'ornaient d'une barbe de plusieurs jours. Il était 3 heures, en plein cœur de la nuit, ici, en plein cœur de l'île, presque à mi-chemin entre ses côtes nord et sud. Hormis les motifs que dessinaient les étoiles et la pâle lueur de la lune, à ce moment occultée par une fine couche nuageuse, il n'y avait nulle lumière aux alentours, et il régnait un silence absolu.

À côté de la route étroite, étayée de l'autre côté

par un mur de soutien en pierres sèches, se trouvait un bâtiment à deux niveaux, sans toit et délabré, qui aurait pu être une petite ferme mais était en fait une *cantoniera* abandonnée : un abri et un atelier à la fois pour les hommes qui avaient charge, jadis, d'entretenir ce bout de route. Le chauffeur du camion alluma une cigarette et contempla le ciel nocturne, identifiant les constellations dont la prétendue signification, et même la cohérence physique, s'étaient révélées n'être qu'une illusion.

Au bout d'un moment, un son, d'abord presque imperceptible, vint troubler le silence cristallin. Une lumière se mit à briller au loin puis disparut, oscillant d'un côté puis de l'autre. Le chauffeur jeta sa cigarette, se rendit à l'arrière du camion et ouvrit de lourdes portes métalliques. Il tendit le bras à l'intérieur et en sortit un gros paquet emballé dans du papier. Réagissant au changement de température, le système de refroidissement du fourgon frigorifique se mit de lui-même en route, mais son ronronnement fut vite noyé dans l'autre bruit, qui s'était considérablement rapproché. Le halo de lumière, qui s'était évanoui, réapparut soudain, froid et éblouissant, tranchant l'obscurité tel un couteau de boucher. Un moment plus tard, la moto s'immobilisa à côté du camion dont le chauffeur se hissa sur le siège arrière, serrant dans sa main le volumineux paquet. La moto démarra en trombe et fila sur la route.

Moins d'une minute plus tard, elle roulait dans les ruelles étroites et les rues sinueuses de Corleone. Là, rebondissant contre les murs des maisons, le rugissement du moteur se fit assourdissant. La moto parcourut ainsi les entrailles de la ville endormie, ne ralentissant que pour laisser au passager le temps de lancer son paquet contre la porte d'une des maisons, avant de repartir à toute vitesse sur la Statale 118, la route principale qui partait vers l'est et traversait les bois en direction de Prizzi. Des jeunes voyous en goguette, c'est ce que se dirent les habitants qui avaient été tirés de leur sommeil. Ils n'auraient jamais osé, dans le temps, mais maintenant que Totò était parti, il n'y avait plus de respect.

Trois heures s'écoulèrent avant que cette vision des choses ne se mette à changer. Il y eut le « jambon », pour commencer. C'est ainsi qu'Annunziata le décrivit au prêtre, qui s'apprêtait à célébrer la première messe du matin.

— Là, sur le seuil de la porte, poursuivit-elle.

— Mais où exactement, *figlia mia* ? répondit le prêtre d'un ton irrité.

Il avait passé une nuit blanche, à administrer l'extrême-onction à une mourante et à essayer de consoler les membres de sa famille. Une autre femme hystérique, c'était bien le pire qui puisse lui arriver à présent.

— Sur le seuil, répéta Annunziata avec obstination.

— Quel seuil ?

Le silence de la femme valait une réponse.

— *Di loro ?* demanda le prêtre.

Étant prêtre, il était en droit de poser des questions bizarres, mais, dans un tel cas, même lui se devait d'user de sous-entendus. Ce seuil était-ce le *leur* ? Annunziata répondit d'un hochement de tête aussi minimal que catégorique.

— Un jambon ? fut la question suivante.

— Je ne sais pas. Il était emballé dans du papier de boucherie. Et il y avait un chien, un chiot que Leoluca avait essayé de noyer dans l'égout mais qui s'en est tiré. Il reniflait le jambon.

Entre-temps, le jambon avait attiré l'attention d'autres chiens. En fait, tous les chiens errants de la ville semblaient s'être donné rendez-vous, haletant autour du paquet comme si c'était une chienne en chaleur. Les scènes de chahut canin et d'aboiements qui s'ensuivirent finirent par attirer l'attention des passants, et quelqu'un finit par alerter les habitants de la maison.

À ce moment-là, le camion n'était plus garé dans le virage face à la *cantoniera* abandonnée, grâce à un gars du coin dont l'initiative allait lui valoir un lent étranglement avant qu'il ne soit précipité dans le puits d'une mine de soufre désaffectée. Ignazio avait repéré le camion en revenant de conclure une bonne affaire : la vente de trente-quatre immigrés clandestins originaires d'Afrique du Nord à des représentants d'une entreprise agro-industrielle au sud de Naples qui avait besoin de main-d'œuvre bon marché peu qualifiée.

La transaction s'était déroulée après inspection de la marchandise à Mazara del Vallo, port de pêche situé au coin sud-ouest de l'île. C'est-à-dire en plein territoire des clans de Marsala et strictement interdit aux hommes d'affaires résidant ailleurs, surtout à ceux de Corleone, ce qui avait conduit Ignazio à fixer le rendez-vous — dont le lieu était une conserverie désaffectée au sud de la ville — dans les toutes premières heures de la matinée. Il put ainsi s'y rendre incognito, en pleine obscurité, et s'éclipser aussitôt que le sac de pognon eut changé de mains.

Les trajets nord-sud dans cette région de la Sicile sont relativement faciles à effectuer en automobile, mais pour se rendre d'ouest en est, autant y aller à dos de mule. Il y avait plusieurs chemins possibles, tous plus mauvais les uns que les autres. Ignazio souhaitait sortir de ce territoire hostile aussi vite que possible et choisit en conséquence d'emprunter l'autostrada jusqu'à la sortie pour Gallitello, puis de couper en roulant sur des petites routes de campagne. Il n'était pas loin de 6 heures lorsqu'il arriva en vue de sa destination : Corleone se dessinait au sommet de sa colline dans les premières lueurs de l'aube. Quelques minutes plus tard, il vit le camion.

Ignazio était par nature opportuniste, et même s'il venait de tirer une belle somme de son travail nocturne — y compris après la part qu'il avait dû verser au passeur et aux différents intermédiaires —, il n'était pas homme à laisser passer une telle occasion. Un camion frigorifique de Catane, abandonné sur le bord de la route ! Il était dans son secteur, à présent, et personne ici ne vouait un respect immense à la famille Limina. Et tout ce que le hasard pouvait apporter de leur territoire était bon à prendre. Le chauffeur ne l'ignorait pas, bien sûr, et c'était sans doute ce qui l'avait incité à disparaître après que son bahut fut tombé en panne sur cette pente si raide qui mène à Corleone. Drôle d'itinéraire, certes, mais il avait dû s'égarer.

Ignazio freina brusquement et prit un chemin muletier abandonné sur sa gauche. Il passa un virage puis s'arrêta hors de vue de la route avant de courir vers le camion. Il lui suffisait de pénétrer par effraction dans la cabine et de réparer la panne. S'il n'y arrivait pas, il appellerait son frère avec son portable. Au pire, ils pouvaient mettre Concetto dans la combine et lui filer une part en échange de l'usage de sa dépanneuse.

Aucune de ces complications ne fut nécessaire. La porte de la cabine n'était pas verrouillée et les clés étaient sur le contact ; le moteur démarra du premier coup. À bien y penser, cela aurait dû mettre la puce à l'oreille d'Ignazio. Mais il était opportuniste et l'opportunité, en l'occurrence, lui tendait les bras.

La route était trop étroite pour manœuvrer le

camion, ce qui contraignit Ignazio à passer par le centre de la bourgade avant de se diriger vers la montagne, à l'est, en quête d'un lieu où le planquer quelques heures, le temps pour lui de retourner à sa voiture, de contacter son frère et de trouver un débouché. Il ne tarda pas à dénicher un endroit adéquat, sous forme du lit d'une rivière asséchée qui longeait l'ancienne route de Monte Cardella menant directement à Prizzi, supplantée de nos jours par une *strada statale* plus longue mais plus praticable. De là, il y avait six bons kilomètres à marcher pour revenir là où il avait laissé sa voiture, mais tout en descente. Ignazio verrouilla le camion, glissa les clés dans sa poche et se mit à marcher.

Il lui fallut une quarantaine de minutes pour atteindre l'endroit où il avait caché sa voiture, contournant la ville par un autre des chemins muletiers qui formaient un véritable réseau dans le coin. Cinq minutes plus tard, il était de retour à Corleone, mais à présent le drame en était déjà à son troisième acte, et le rôle qu'il tint fut tout au plus celui d'un figurant. Le temps qu'il revienne au camion, en compagnie de son frère, d'autres y étaient pour les accueillir.

L'explication qui s'ensuivit prit environ trois heures. Bien avant la fin, Ignazio se mit à crier :

— Tuez-moi ! Je vous ai dit tout ce que je sais, alors tuez-moi, qu'on en finisse !

Ce qu'ils firent, bien sûr, mais plus tard. On avait découvert que le fourgon frigorifique contenait les corps de cinq des « hommes en vue » de la ville, parmi lesquels le propre petit-fils de Bernardo Provenzano, le *capo* de la famille, qui se planquait pour l'heure à Palerme. Les gens de Corleone avaient accepté de se rendre à Messine, à l'invitation d'un clan local, pour participer à un déjeuner destiné à célébrer et à renforcer les contacts entre les deux clans. Un peu plus tard, les cinq hommes avaient été placés, vivants, à l'arrière du camion, dont le système de congélation était en marche. En raison de la température inférieure à zéro, aucun des cadavres ne présentait de signe de décomposition post mortem, mais ils n'en étaient pas moins méconnaissables. De manière plutôt ironique, le seul qui n'était pas abîmé était celui du petit-fils de Binù, du fait que sa jambe gauche avait été amputée avant qu'il n'entre dans la « chambre de la mort », et ainsi, il n'avait pu tenter de s'échapper. C'était sa cuisse, emballée comme il se doit, qui avait été trouvée sur le seuil de *leur* porte. Un examen du moignon permit d'établir que l'amputation avait été pratiquée au moyen d'une tronçonneuse.

17

Le bar de la Piazza Carlo Alberto était plus bondé que jamais, mais la clientèle était mieux répartie dans la salle à présent que la zone d'exclusion engendrée par la présence de Carla Arduini n'avait plus lieu d'être. C'est tout juste s'il y eut une vague réminiscence de l'ancienne tension lorsque Aurelio Zen fit son apparition, mais elle se dissipa aussitôt dans le brouhaha des discussions et des commentaires.

Zen se fraya un chemin jusqu'au comptoir et commanda un café. Le barman lui parut étrangement agité, comme égaré. Il ne prononça pas un mot, vaquant à son activité en silence, par gestes saccadés et compulsifs, tel un acteur dans un film muet.

— Où est la jeune femme que j'avais l'habitude de retrouver ici ? s'enquit Zen tandis que la tasse de café atterrissait sur la soucoupe.

Le visage du barman passa par différentes expressions, comme s'il essayait des chapeaux et qu'aucun ne lui allait.

— Comment je le saurais ? finit-il par dire en essuyant frénétiquement le comptoir luisant avec un torchon. Elle n'est pas venue, aujourd'hui. Je sais pas pourquoi. Elle est pas venue, c'est tout. Peut-être demain...

Zen avala son café d'un trait.

— Non, dit-il. Elle ne viendra pas demain. Elle ne viendra jamais plus.

Il sourit d'un air triste et ajouta :

— Moi non plus, d'ailleurs.

Sans quitter des yeux ceux du barman, il sortit son portefeuille et en tira une coupure de deux mille lires qu'il posa sur le comptoir. Autour du billet apparut un peu de poudre qui ressemblait à de la poussière. Cela n'échappa pas à Zen, qui retourna son portefeuille. Un filet de minuscules grains rougeâtres se déversa sur le comptoir en Inox, formant un petit tas.

— C'est quoi, ça ? demanda le barman.

— On appelle ça un « orage de sang », lui apprit Zen. Pensez-y comme à un message.

— Un message ?

Zen hocha la tête.

— Un message de Rome.

Son arrivée à la questure eut quelque chose d'intempestif. Le garde en faction dans sa cabine blindée parut pris au dépourvu, comme s'il avait vu un fantôme ; de même que les deux collègues de Zen que ce dernier croisa dans l'escalier. Mais sa plus grande surprise l'attendait dans son bureau, lequel était entièrement bâché de draps mouchetés de taches de peinture. Perché au sommet d'un escabeau tout branlant, un homme trapu, vêtu d'une combinaison et coiffé d'un chapeau en papier, était en train de passer une couche de peinture au plafond à l'aide d'une large brosse.

— *Attenzione !* cria-t-il. Ne marchez pas sur les bâches, il y a des éclaboussures. Et faites gaffe à la peinture !

Zen retira brusquement son bras de ce qui avait naguère été son cartonnier et, ce faisant, il renversa un pot de peinture contenant environ cinq litres de blanc cassé.

— *Capo !*

C'était Baccio Sinico, qui se tenait dans l'embrasure de la porte et arborait une expression qui parut à Zen identique à celle de tous ceux qu'il avait croisés jusque-là : *Et dire qu'on croyait ne plus jamais le revoir.*

— Ils repeignent, ajouta Sinico sans craindre d'être redondant tandis que le peintre descendait précipitamment de son perchoir en proférant des imprécations en dialecte.

Heureusement pour Zen, le pot avait basculé à l'opposé de sa personne, et seuls le sol et les meubles avaient subi de vrais dégâts. Entre-temps, une petite foule de collègues, subordonnés et supérieurs confondus, avait formé un arc de cercle, discrètement situé juste de l'autre côté de la porte, à distance de la flaque de peinture qui s'étendait. Un concert de voix se déclencha de tous côtés, mêlant en cadence les lamentations les plus convenues et des litanies de commisération. Se faire tuer sa fille ! Et revenir si peu de temps après le décès de sa mère ! Un destin aussi cruel aurait fait perdre la tête même aux plus solides des hommes. Personne n'était censé pouvoir résister à un coup du sort aussi fatal et violent.

Zen se tourna vers Baccio Sinico.

— Il faut que je vous parle.

Le jeune officier de police jeta un coup d'œil circulaire sur l'assistance, avec l'air gêné de celui qui est importuné par un fou inoffensif.

— Désolé, *dottore*, mais je ne peux pas. Pas le temps, avec toutes mes responsabilités et tout ça.

Sinico sortit son portefeuille et entreprit d'en examiner le contenu. Avec un soin qui semblait exagéré, il plia en deux un billet de cinquante mille lires et le tendit à Zen.

— Voilà la moitié de ce que je vous dois, dit-il avec

une feinte bonhomie. Vous aurez le reste dès que j'en aurai les moyens. En attendant, puisqu'on vous a accordé un mois de congé exceptionnel pour deuil en raison de cette horrible tragédie, je pense que vous devriez en tirer pleinement avantage. Hein, les gars ?

Il consulta le chœur du regard, lequel opina du chef comme le font les chœurs.

— Alors pourquoi n'allez-vous pas prendre un café sur mon compte, dottore ? conclut Sinico en prenant le bras de Zen de manière ouvertement condescendante.

Il se tourna vers l'assistance en prenant la mine de celui qui adresse un clin d'œil de connivence à des initiés. Zen se dirigea vers l'escalier, serrant dans sa main le billet plié. À mi-chemin, il le déplia. À l'intérieur se trouvait un petit bout de papier imprimé. C'était une *ricevuta fiscale,* le reçu exigé par la loi et provenant d'une caisse enregistreuse afin de prouver, pour des raisons fiscales, qu'une transaction commerciale avait eu lieu. Le reçu était au nom d'un bar de la Via Gisira, à quelques centaines de mètres de la questure.

Il s'y trouvait depuis moins de dix minutes lorsque Baccio Sinico l'y rejoignit. Zen lui rendit son billet de cinquante mille lires.

— Mais qu'est-ce qui se passe, nom de Dieu ? demanda-t-il.

Sinico commanda un café avant de faire face à Zen.

— D'abord, mettons les choses au clair : vous n'êtes jamais venu ici, vous ne m'y avez pas rencontré, et je n'ai jamais dit ce que je suis en train de vous dire.

— C'est aussi grave que ça ?

Sinico haussa les épaules.

— Possiblement. Probablement. En tout cas, faisons comme si. Comme ça, on aura peut-être une agréable surprise plus tard.

Zen alluma une cigarette et fixa Sinico.

— Mais pourquoi ? Je ne fais que rencontrer un collègue pour bavarder autour d'un café. Ça nous est arrivé plus d'une fois, auparavant. Pourquoi est-ce si différent, à présent ?

Sinico scruta la salle soigneusement.

— À cause de la Nunziatella, bien sûr.

— Mais quel rapport y a-t-il avec moi ?

Sinico soupira longuement, comme s'il conversait avec un étranger qui ne maîtrisait pas tout à fait l'italien.

— Écoutez, dottore, votre fille est morte avec elle, n'est-ce pas ?

— Et alors ?

— Alors, le point de vue officiel est que votre implication émotionnelle en tant que père de la victime vous rend inapte au service pour le moment.

Zen éclata de rire.

— Je ne savais pas que le ministère était devenu si humain, si compatissant à l'égard de son personnel. De toute façon, il n'y a aucun problème, de ce côté-là. J'ai traversé de mauvais moments, quand j'ai appris la nouvelle. Mais maintenant, ça va. J'ai un plan, voyez-vous. Un objectif.

— Lequel ?

— Je vais découvrir qui a tué Carla.

— Personne n'a voulu tuer votre fille ! Elle a été victime d'une balle perdue, pour ainsi dire...

— Ce qui ne la rend pas moins morte pour autant. Et je veux savoir qui a fait le coup.

Sinico secoua la tête.

— Toute la Direzione Investigativa Antimafia travaille là-dessus, dottore ! Quand un de nos juges se fait descendre, on laisse tomber tout le reste. Si on n'arrive pas à boucler l'affaire et à identifier les meurtriers, avec toutes les ressources dont on dispose, comment pouvez-vous espérer y arriver ?

— Baccio, ma fille a été assassinée ! Qu'est-ce qu'il faut que je fasse, selon vous ? Rester chez moi à regarder la télévision ?

Le jeune officier fixa Zen d'un air effaré, apparemment plus choqué par cet usage un peu nonchalant de son prénom que par tout ce qu'il avait entendu d'autre.

— Cet appartement, finit-il par dire. Combien il vous coûte ?

— Quel rapport ?

— Combien ?

Zen le lui dit.

— Et combien de temps avez-vous mis à le trouver ?

— Trois jours ? Quatre ? Moins d'une semaine, en tout cas. Quelqu'un m'a appelé à la questure. Il m'a dit qu'il travaillait dans un autre service et qu'il avait entendu dire que je cherchais un logement. Il se trouvait justement qu'un ami à lui était propriétaire d'un appartement qui pourrait me convenir.

— Il vous a donné son nom ?

— Oui, mais je n'arrive pas à m'en souvenir. Un nom d'arme, peut-être...

— Une épée ? *Spada ?*

— Oui, c'est ça.

Sinico hocha la tête d'un air lugubre qui en disait long.

— Alors, comme ça, vous débarquez ici et en moins d'une semaine vous avez trouvé un appartement élégant et spacieux, en plein centre-ville, à quelques minutes de marche de votre lieu de travail, le tout à un prix pour lequel vous n'obtiendriez pas un trois pièces dans un grand ensemble délabré d'une banlieue sordide comme Cíbali ou Nésima. Comment croyez-vous y être arrivé ?

Zen secoua la tête d'un air troublé.

— Je n'y ai pas pensé. Je ne connais pas les prix de l'immobilier dans le coin. Je pensais seulement que...

— Vous pensiez que les gens du coin se montraient humains et compatissants, tout comme le ministère, répliqua Sinico d'un ton sarcastique. Eh bien, ça me fait mal de vous l'annoncer, dottore, mais vous vous trompez dans les deux cas. Vos employeurs ne s'intéressent à votre état mental que dans la mesure où celui-ci pourrait vous inciter à prendre des initiatives qui gêneraient les opérations en cours de la DIA. Ils ne veulent pas prendre de risques avec vous, mais ce ne sont pas les dangers que vous courez qui les inquiètent.

— Ils me mettent en quarantaine ? demanda Zen.

— Prenez-le comme un congé exceptionnel obligatoire.

Zen lâcha sa cigarette sur le sol en marbre et la piétina.

— C'est pour ça que vous avez été obligé de vous éclipser en douce pour me parler ?

Sinico hocha la tête.

— Quant à l'homme qui prétend s'appeler Spada, on le connaît bien. Il fait office de médiateur et de messager entre les différents clans, ainsi qu'entre les clans et les autorités.

— Pourquoi ne se téléphonent-ils pas directement, tout simplement ?

— Pour toutes sortes de raisons. La plus importante, peut-être, tient à la possibilité de tout nier ensuite.

— Comme avec votre « Vous n'êtes jamais venu ici, vous ne m'y avez pas rencontré et je n'ai jamais dit ce que je suis en train de vous dire ».

Un hochement de tête.

— Parfait, donc ce Spada, dont le vrai nom n'est pas Spada, gagne sa vie en transmettant des messages d'une manière qui est aussi un message en soi. Je me trompe ?

— Bravo, dit Sinico avec un bref signe de tête. Vous commencez à comprendre.

— Tout ce que je comprends, c'est que je ne comprends rien à tout ça.

— Vous seriez surpris de connaître le nombre de gens qui ne comprennent même pas ça, dottore.

— Je ne vois toujours pas le rapport avec mon appartement.

— Votre appartement était un message.

— Quelle était sa signification ?

Sinico éclata de rire.

— Avez-vous déjà envoyé des fleurs à une femme dont vous étiez épris, dottore ?

— Je ne vois pas le rapport.

— L'offre de cet appartement était un message typiquement mafieux. Il n'était pas entièrement explicite, pas plus que vous ne joindriez à ces fleurs de carte disant : « Voilà quelques fleurs, maintenant si on baisait ? » Ces gens sont bien plus subtils que vous n'avez l'air de comprendre. De leur point de vue, tout ce qui compte, c'est qu'ils vous ont approché et que vous avez réagi positivement. Vous êtes en contact, sur la ligne. Et s'ils ont besoin de vous demander un service, ils savent où vous trouver. C'est leur appartement, après tout.

— Mais pourquoi se donneraient-ils tant de mal pour moi ? demanda Zen d'un ton ingénu. Je n'ai rien à voir avec la DIA. Je ne suis qu'un officier de liaison, après tout.

Baccio Sinico lui adressa un sourire étrange.

— Peut-être qu'ils croient que vous êtes davantage que cela.

Zen ouvrit la bouche pour dire quelque chose puis la referma.

— Dans ce cas, nous nous trompons tous, les uns et les autres, dit-il enfin. Ils ont cru que je suis plus important que je ne le suis en réalité et, quant à moi, je n'ai rien compris à cette histoire d'appartement avant que vous ne me l'expliquiez. Ainsi, on peut dire que le message n'a pas été compris.

— Prenez les choses du bon côté, dottore, dit Sinico sèchement. Au moins, vous êtes encore vivant.

Zen fronça les sourcils.

— Que voulez-vous dire par là ?

— Ici, quand les messages se brouillent ou sont mal compris, cela peut constituer... Quel est ce terme qu'on emploie en informatique ? Une « erreur fatale ».

Il jeta à Zen un regard pénétrant.

— Je n'y connais rien, à l'informatique, moi, dit Zen en haussant les épaules.

— Cela vaut sans doute mieux. L'informatique peut vous attirer toutes sortes d'ennuis, quand on ne sait pas bien s'y prendre.

Il tapota l'épaule de Zen.

— Suivez mon conseil. Oubliez tout ce délire et partez vous détendre une ou deux semaines. Vous êtes déjà allé à Malte ? C'est un endroit fascinant, le carrefour de la Méditerranée, une île chargée d'histoire... Et on y est en un rien de temps. Vous avez connu l'enfer, dottore. Vous avez besoin de repos. Il est temps de panser vos plaies.

Zen hocha la tête d'un air absent.

— Mais Carla ? J'ai besoin de connaître la vérité.

— Laissez-nous nous charger de ça, répliqua Baccio Sinico d'un ton réconfortant. On va s'en occuper comme il faut.

18

— Bourrons un camion de dynamite et garons-le au centre du village. Une mèche lente de soixante secondes et une deuxième équipe pour récupérer le conducteur.

— Non. On va bombarder la maison de Limina dans le village pendant qu'il est là, le week-end. On pourrait louer le Cessna que ces parvenus de Raguse ont utilisé pour importer de la drogue de Malte. Je parie que le pilote connaît quelqu'un, là-bas, qui pourrait nous vendre des bombes.

— Ou un lance-missiles. On se gare sur la route qui surplombe le village et on leur balance un de ces engins téléguidés.

— O, *ragazzi,* tout ça, c'est de la branlette. En Russie, on peut trouver des têtes nucléaires sur le marché. La CIA essaie de les racheter toutes, mais je suis sûr que nos amis russes pourraient nous en trouver une. Oublions ce putain de village, et faisons-la sauter en plein centre de Catane. On va rayer cette ville de la carte, comme quand il y a eu l'éruption de l'Etna !

Quatre hommes étaient assis autour des restes d'un repas. Les restes constituaient presque un repas complet, car la nourriture n'avait pour ainsi dire pas été touchée. Il n'y avait qu'une seule fenêtre, et ses vitres étaient en verre dépoli. Malgré la chaleur, elle était bien fermée. Le peu d'air qu'il y avait était teinté d'un gris bleuté par les innombrables cigarettes dont les cendres parsemaient le sol. La chaleur atteignait certainement plus de trente degrés dans la pièce, mais personne n'était en sueur.

Les hommes avaient tous la cinquantaine et étaient vêtus de chemises au col ouvert et d'épais pantalons. Courtauds mais costauds, avec des visages denses, compacts et opaques. Celui qui venait de parler était surtout remarquable par ses mains, au service desquelles semblait fonctionner le reste de son corps, simple équipement d'assistance aux fonctions vitales. Elles virevoltaient, voltigeaient, plongeaient et déferlaient comme une paire d'oiseaux repoussant des intrus hors de leur territoire.

L'homme qui était assis à côté de lui avait un visage affaissé et creusé, strié de rides comme un ballon crevé.

— Alors comme ça, tu penses qu'on devrait atomiser Catane ? observa-t-il d'un ton sarcastique.

— Qu'est-ce qu'on a à perdre ? On l'a dans le cul, de toute façon.

— Eux aussi, Nicolò.

— Certes, mais nous, on le sait. Et eux, ils le savent pas. On a perdu, quoi qu'il arrive, alors autant tirer notre révérence en beauté !

L'un des deux autres hommes assis en face tapa du poing sur le bois de la table. Son large visage à la physionomie sommaire était grêlé, comme brouillé.

— Qui a dit qu'on était finis ? cria-t-il.

Le quatrième homme, dont le visage basané s'ornait d'une moustache extraordinairement blanche, assortie à ses favoris, posa une main sur le bras de celui qui venait de s'indigner ainsi.

— Nous tous, Calogero, dit-il.

— Moi, j'ai jamais dit ça ! rétorqua l'autre, furieux.

— Si, tu le dis. Tu le dis par ta colère, par tes gestes violents, par le ton strident de ta voix. Ceux qui gaspillent leur énergie et leur temps comme ça sont des gens qui savent qu'ils ont perdu. Et on a perdu. On a eu notre moment de pouvoir, mais maintenant c'est fini. Et la seule manière de continuer à se faire respecter un peu, c'est de reconnaître ce fait.

Il y eut un silence, qui ne fut rompu que par un léger cliquetis.

— J'ai un message de Binù.

Les quatre hommes se tournèrent vers la personne qui était assise en bout de table. C'était une silhouette boulotte et fripée, vêtue d'une robe noire informe, qui n'avait pas cessé de tricoter pendant la précédente discussion. À présent, elle avait posé ses aiguilles. Malgré son âge, son sexe et son aspect, son intervention suscita une attention unanime et respectueuse.

— Pourquoi ne nous l'avez-vous pas dit avant ? demanda celui qui se nommait Calogero.

— C'est lui qui me l'a demandé. Il a dit qu'il voulait savoir ce que chacun d'entre vous avait à dire. Il a dit que ça en dirait long sur vous.

Chacun des hommes baissa le regard, essayant désespérément de se rappeler ce qu'il avait dit *exactement*. Une chose était certaine : la femme, elle, s'en souviendrait. Elle était capable de se rappeler chacune des paroles prononcées par tel ou tel autre sous la torture, pendant les longues heures précédant leur strangulation dans la maison des horreurs que possédait le clan de Corleone à Palerme, du temps de leur gloire révolue. Elle répéterait mot pour mot à son mari ce qu'elle avait entendu, et il donnerait ses instructions en conséquence.

— Et qu'est-ce qu'il a dit, Binù ? osa demander l'homme qui se nommait Nicolò.

— Il a dit : *Cui bono ?*

Les hommes se consultèrent du regard dans un silence lourd d'appréhension.

— C'est en quel dialecte, ça ?

— Ça s'appelle du latin, poursuivit la femme en reprenant ses aiguilles. Ça veut dire : « À qui cela profite-t-il ? »

Il y eut un rire nerveux.

— Je savais pas que Binù parlait latin.

— Il a beaucoup de temps, dit la femme sans s'adresser à personne en particulier. Il a beaucoup lu. Et réfléchi.

— À qui profite quoi ? demanda Nicolò.

La femme le regarda fixement.

— Enlever nos hommes et les laisser mourir dans un fourgon frigorifique après avoir découpé la jambe de Lillo à la tronçonneuse.

— Cet enculé de Limina, bien sûr !

— Et en quoi en a-t-il profité ?

— Il s'est vengé de la mort de son fils.

La femme reposa ses aiguilles, produisant le même cliquetis.

— Mais ce n'est pas nous qui avons tué Tonino Limina.

— Évidemment non. Mais eux, ils croient que c'est nous qui avons fait le coup.

La femme fouilla dans une invisible fente de son vêtement. Elle en tira une feuille de papier, qu'elle parcourut des yeux.

— *Bravi !* observa-t-elle avec une ironie maussade. Jusque-là, vous avez dit tout ce que Binù penserait que vous diriez. Maintenant, voilà la question qu'il vous pose. Qui a tué Tonino Limina ?

— Nos rivaux de Palerme, répliqua vivement

l'homme aux moustaches blanches. Nos concurrents, dans cette ville, cherchent à se venger de préjudices qu'on leur a causés dans le passé, et la manière la plus simple de s'y prendre, pour eux, c'est de monter la famille Limina contre nous.

— Ou c'est peut-être une de ces nouvelles équipes, intervint Calogero. Ce nid de serpents qu'il y a à Raguse, par exemple. Le résultat est le même. Nous et les gens de Catane, on va s'épuiser dans une vendetta sanglante, et c'est un troisième larron qui ramassera la mise.

— Ou le Troisième Niveau, dit la femme d'un ton calme.

Un long silence s'ensuivit, qui ne fut troublé que par l'homme aux mains lestes qui tambourinait des doigts sur la table.

— *Eux ?* finit par murmurer Calogero. Mais ils sont finis. Ils ne réagissent plus.

— Pas quand c'est nous qui les sollicitons. Parce qu'on est finis, nous aussi.

— Qui a dit ça ? répondit l'autre d'un ton agressif.

La femme désigna la feuille de papier, couverte d'une écriture fine et tremblée.

— Lui, il le dit. On a toujours été des réalistes, voilà ce qu'il dit. Ça a été notre force. Et la réalité, maintenant, c'est qu'on ne compte plus, sauf peut-être pour qu'on se serve de nous.

Elle parle comme un homme, pensèrent tous les autres. Ils écoutèrent ses paroles comme celles d'un oracle, parce qu'ils savaient qu'elles ne pouvaient être que vraies. Seule la connaissance de la vérité, émanant de son mari en cavale et transmise par un tel porte-parole, pouvait donner à cette grand-mère rondouillarde l'autorité absolument masculine qu'elle exerçait de droit. Comme pour compenser, les hommes se mirent tous à jacasser comme des femmes.

— Peut-être qu'ils l'ont fait eux-mêmes.

— Buter leur propre enfant ?

— Sûrement pas ! Quelqu'un d'autre, sans importance particulière, mais arrangé pour que ça ait l'air d'être Tonino.

— Mais par l'intermédiaire de leur avocat, ils ont dit à cette juge, celle qui vient de se faire buter, que ce n'était pas lui.

— Depuis quand dit-on la vérité aux juges ?

— Ou même à des avocats ?

— Mais si c'était pas Tonino, pourquoi les représailles contre nous ?

— Tous les prétextes sont bons. On a déjà vu des trucs comme ça, sur cette île. L'est contre l'ouest. Et on sait que les gens de Messine étaient dans la combine.

— Qu'est-ce qu'on en a à foutre, de leurs raisons ? On n'a qu'à les tuer tous, Dieu reconnaîtra les siens.

— Qui d'autre qu'eux aurait pu s'en prendre à cette juge ? Personne d'autre n'aurait osé tenter une opération de ce genre sur leur territoire. En plus, personne d'autre n'y avait intérêt. C'est elle qui enquêtait sur l'affaire Limina.

— J'ai entendu dire qu'on lui avait retiré ce dossier.

— Officiellement ?

Un rire cynique.

— Assez déconné ! finit par crier Calogero. Il reste qu'ils ont tué cinq de nos hommes et si on veut continuer à se faire respecter, il faut qu'on se venge.

— D'accord !

— Ouais !

— Allons-y !

— Et une mort lente, si possible. Une bombe, c'est trop doux pour eux !

— Peut-être qu'on devrait en toucher un mot à ces Noirs qu'Ignazio importait en douce, avant qu'il ne tombe dans ce puits de mine. On m'a dit qu'en Somalie on utilise encore la crucifixion comme méthode d'exécution. Il y en a peut-être un, dans le tas, qui saurait s'y prendre.

— On devrait clouer Don Gaspà et son Rosario l'un à côté de l'autre.

— Avec un panneau où on aurait marqué : *Mais où est passé le Christ ?*

Les quatre hommes éclatèrent de rire. La voix de la femme se fit entendre, tranchant avec l'allégresse collective masculine.

— Mais c'est qui, *eux* ?

— Les Limina, bien sûr ! répliqua l'homme âgé, encore sous l'emprise de cette vague d'empathie chargée de testostérone qui lui rappelait le bon vieux temps, avant que tous les hommes de la famille aient été tués ou enfermés dans de lointaines et froides prisons, ou encore contraints à se planquer dans divers « lieux sûrs », laissant à cette harpie la charge de diriger le clan par procuration.

La femme posa son tricot et leva les yeux vers les hommes. Elle ramassa la feuille de papier.

— « Ils sont comme des enfants. Bien intentionnés, enthousiastes et cons comme des manches. » C'est lui qui le dit.

Un silence choqué s'ensuivit. Personne ne pouvait la contredire, bien sûr. Peut-être avait-il dit ça, peut-être pas. Restons calmes, voilà ce que chacun d'entre eux pensait. Et n'ayons surtout pas l'air de penser. Se mordre la langue, faire bonne contenance, la fermer et laisser le voisin prendre l'initiative.

— « Nous avons eu des guerres claniques, continua à lire la femme. Et regardez où ça nous a menés. Les gens qui se disent prêts à recommencer ne sont pas de nos amis, même s'ils prétendent l'être. Dans le passé, leur devise était Contrôler et diriger. Maintenant, c'est Diviser pour régner. S'ils parviennent à inciter les clans à se déchirer les uns les autres de nouveau, ils pourront faire ce qu'ils veulent de vous, jouer un camp contre l'autre et les deux extrémités contre le milieu. »

Elle prit son tricot et les laissa digérer l'information. L'homme âgé, à l'autre bout de la table, tapota du bout de l'ongle contre son verre à vin.

— Dommage que les Limina ne comprennent pas ça, dit-il.

— Alors, il faut essayer d'éclairer leur lanterne, répliqua la femme sans lever les yeux.

— On va leur couper la tête, à ces enculés, marmonna Calogero. Ça les éclairera bien assez comme ça, ces fils de pute.

Son éclat, destiné à surfer sur une vague de camaraderie masculine, se heurta au plus complet silence. Puis l'homme qui se nommait Nicolò finit par renifler avant de prendre la parole :

— Avec tout le respect qui vous est dû, signora, comment est-on censé y arriver ? On a envoyé nos gars à Messine pour expliquer que nous n'étions pas responsables de l'assassinat de Tonino Limina et pour qu'ils expliquent ça à leurs amis de Catane. On a vu le résultat. Alors, qu'est-ce qu'on est supposé faire, maintenant ? On les invite à la maison et on leur suce la bite ?

Un rire mal contenu accueillit cet accès de vulgarité qui tombait à point pour atténuer la tension. Le rire s'éteignit au son du cliquetis méticuleux des aiguilles. Pendant plusieurs minutes, nul n'osa rompre le silence. Puis le quatrième homme, qui n'avait pas parlé depuis le début, alluma une cigarette et toussa comme pour s'excuser.

— Il y a peut-être un moyen, dit-il.

Il y eut divers sourires forcés et échanges de regards entendus.

— Allez, Santino ! finit par dire le plus âgé. Faisnous connaître le résultat de tes cogitations.

L'autre homme toussa de nouveau.

— Quand cette juge a été tuée...

— Nunziatella ? Quel rapport avec elle ? Cette affaire n'avait rien à voir avec nous, tu le sais.

— Bien sûr. Mais il y avait une autre femme, dans la voiture. D'après les journaux, c'était la fille d'un policier en poste à Catane. Un certain Aurelio Zen.

— Et alors ? demanda Calogero agressivement.

— Eh bien, il me semble qu'il doit être en train de se demander qui a tué sa fille.

— Les Limina, bien sûr ! Même un flic arriverait à découvrir ça !

— Exactement. Alors, il va s'intéresser à la famille. Il doit être plein de ressentiment. Peut-être a-t-il des idées de vengeance.

— Et alors ? répéta le vieux.

— Alors peut-être qu'on peut se servir de ça pour faire passer notre message aux Limina. Ils n'accepteront aucune approche directe de notre part, c'est certain. Mais un flic, plein de rancune personnelle ? Je pense qu'ils y croiront...

— Mais comment faire pour s'assurer que ce Zen fera ce qu'on veut ?

La femme assise au bout de la table leva les yeux de son tricot inachevé.

— Je crois qu'il est temps de réactiver le signor Spada, dit-elle.

19

Alors même qu'il avait la clé, il pénétra dans l'appartement à la dérobée et à pas furtifs, en ayant l'impression de profaner une tombe. L'appartement lui-même n'avait pourtant rien de sépulcral. Au contraire, il était aussi brillant et dur, propre et efficace qu'un rasoir jetable. L'air y était chaud, lourd, sans odeur particulière. Zen se rendit à la fenêtre et l'ouvrit. Il entendit hurler au loin la sirène d'une ambulance : mélodie hoquetée et ressassée par-dessus l'incessant bourdonnement d'une ligne de basse.

Il ne régnait pas la pagaille qu'il avait redoutée — pas de varech après le naufrage de cette *Méduse* personnelle, pas de scories que la mort de celles qui les avaient possédées aurait rendues pathétiques et inutiles à la fois. En fait, l'endroit ressemblait en tout à une chambre d'hôtel quand on y entre pour la première fois. Soit Carla s'était montrée extraordinairement minutieuse dans ses habitudes personnelles, soit...

Soit quoi ? Quelque part aux confins de son cerveau, quelque chose le tiraillait. Quelque chose qu'elle lui avait dit mais qu'il avait effacé de son esprit lors de cet épisode de folie qui avait suivi son double deuil.

Il resta debout, là, parmi les stériles banalités qui

meublaient l'appartement de la morte. Il avait d'abord été soulagé par son aspect impersonnel, à présent, il était déçu. Pourquoi était-il venu, après tout, sinon en quête de souvenirs personnels — et simultanément dans l'effroi d'en découvrir — qui pourraient faire revivre, ne fût-ce qu'un instant, cette enfant choisie sur catalogue ? Il avait décliné l'invitation de se rendre à l'enterrement à Milan, arguant qu'il lui fallait être à Rome pour remplir les mêmes fonctions auprès du cercueil de sa mère. Dans la mort comme dans la vie, les mères se voient accorder la préséance sur les enfants, et nul ne fit le moindre commentaire sur sa défaillance. Deux frères de Carla étaient présents aux funérailles, avait-il appris plus tard, ainsi qu'une tante venue, chose singulière, de Tarente.

Mais pourquoi en serait-il étonné ? Que savait-il vraiment de Carla Arduini, sinon qu'il avait baisé sa mère à un moment, pour les habituelles raisons, lesquelles lui apparaissaient parfaitement absurdes à présent ? Et même ce semblant de fait était dépourvu de signification, puisque Carla n'était pas sa fille. Il n'avait jamais eu de fille. Il n'avait pas d'enfants. Même pas d'enfants morts.

Alors pourquoi être venu dans ce petit cocon propret que Carla s'était aménagé ici à Catane ? Que cherchait-il, à part se donner des raisons supplémentaires de déprimer en ouvrant un placard pour y observer ses vêtements alignés comme des larves de papillons morts ? Il avait déjà vécu une épreuve du même genre à Rome, quand il avait fouillé soigneusement dans les affaires personnelles de sa mère, jusqu'à ce qu'il finisse par craquer et qu'il crie à Maria Grazia : « Sortez-moi tout ça de là ! Toutes ses affaires, vous les sortez ! Je me fiche de leur valeur.

Je ne veux pas d'argent, je veux que ça disparaisse ! »

Néanmoins, il se souvint subitement qu'il y avait quelque chose qu'il ne voulait ni vendre ni jeter. « Il y a toute ma vie, là-dedans », avait dit Carla en parlant de son ordinateur. Toute sa vie. Cela valait sûrement la peine de la conserver. Le problème, c'est qu'elle semblait avoir disparu, cette vie. Aucun signe. Des chaussures et des sous-vêtements, des lettres et des magazines, un animal empaillé, mais pas d'ordinateur.

Non que Zen eût été capable de s'en servir. Mais quelqu'un — Gilberto, par exemple — aurait pu récupérer les données et les imprimer pour que Zen puisse les consulter. Or, il fallait que l'engin soit là, quelque part. Quand elle était venue dîner chez lui, Carla avait parlé à Zen d'un rapport rédigé au sujet d'un problème qu'elle avait rencontré dans l'installation du réseau de la DIA. Elle avait dû le saisir sur son ordinateur portable. Elle avait dû faire ça...

Elle avait dû faire ça au boulot, imbécile ! Il quitta l'appartement, verrouilla la porte et descendit dans la rue.

Plus encore que la plupart des espaces publics en Italie, ceux de Catane étaient sales, peu accueillants et laids. Non que les Siciliens ne se soucient pas des choses comme le faisaient les Suisses, par exemple. Au contraire, aux yeux de Zen, cette attitude était parfaitement délibérée, une sorte de subversion générale, pratiquée précisément parce qu'elle donnait comme une valeur ajoutée à la sphère du privé, de l'intime. Quand le monde offre un visage désagréable, sale et hostile, le foyer et les amis n'en sont que plus précieux. Quand tout est propre et policé, que rien ne semble menaçant, alors on se retrouve... en Suisse.

Et on n'était pas en Suisse. Ce n'était même pas la « Turin du Sud » comme l'avait surnommée Carla. C'était une ville naufragée. Les gens entassaient leurs détritus dans des sacs en plastique rapportés du super-marché et les jetaient dans le caniveau. Ils sortaient leurs chiens pour leur faire souiller le trottoir de gros étrons qui avaient les dimensions d'un repas et la couleur du vomi. Ils salissaient tout ce qui ne leur appartenait pas, à eux ou à leurs amis. Et le reste, ils le volaient. Zen, qui n'avait ni famille ni amis, avançait d'un air lugubre dans la chaleur croissante vers le palais de justice, croisant au passage un trio de filles qui gloussaient en suçant avec enthousiasme de gigantesques et phalliques cônes de crème glacée.

Il eut de la chance. C'était l'heure du déjeuner et la garde était en train d'être relevée, sans quoi il n'aurait sans doute pas été admis dans la section réservée aux bureaux des juges de la DIA. En l'occurrence, les gardes en faction avaient la tête ailleurs, et sa carte de policier ainsi que la mention du nom de Carla suffirent à lui faire passer le point de contrôle. Il demanda où était le local dans lequel elle avait travaillé, mais ce dernier était parfaitement nu. Le nom de Carla était toujours sur la porte, sous forme d'une carte de visite commerciale scotchée sur la porte, mais le bureau avait été entièrement vidé. Pas d'ordinateur personnel, rien de personnel, d'ailleurs. Zen scruta les murs nus et l'unique et crasseuse fenêtre pendant quelques secondes, puis son regard se porta sur la gauche.

Alors qu'il refermait la porte derrière lui, une femme âgée vêtue d'un manteau et d'un foulard passa devant lui dans le couloir.

— Excusez-moi ! dit Zen.

La femme se tourna vers lui. Elle aurait pu être sa mère.

214

— Oui ?

— Je crois que vous m'avez livré quelque chose, commença Zen.

— Moi ?

— Un paquet plein de documents. À mon lieu de travail. À la questure.

— Jamais de la vie ! lâcha-t-elle sèchement en tournant les talons.

Mais Zen se souvint du foulard et du manteau, et il se lança à ses trousses.

— Écoutez, signora, tout ce que je veux...

La femme se tourna de nouveau vers lui, et il vit ses yeux briller de haine et de fureur.

— C'est vous qui l'avez tuée ! siffla-t-elle. Vous et ces autres gars du Nord ! Nettoyez-leur le bureau, qu'on m'avait dit ! Faites en sorte que tout soit bien agréable pour nos invités venus de Rome. Et deux jours plus tard, elle est morte, et où sont Roberto et Alfredo ? Évaporés, comme la rosée du matin ! Et maintenant, le directeur prétend qu'ils n'ont jamais été ici. C'est ça ! On est tous devenus fous ! On a tout imaginé !

Elle s'interrompit pour mimer un gémissement, qui était d'autant plus troublant qu'il était à l'évidence contrefait et stylisé.

— Corinna, Corinna ! Ils t'ont descendue parce que tu faisais trop bien ton boulot et maintenant ils veulent faire porter le chapeau à tes compatriotes !

Abandonnant sa pose, elle revint subitement à Zen.

— Vous pouvez dire ce que vous voulez sur les Siciliens, nous ne faisons pas la guerre aux femmes ! lança-t-elle sèchement.

— Ah oui ? Et la femme de Dalla Chiesa, assassinée en même temps que lui dans la rue, qu'est-ce que vous en faites ? Et la signora Falcone, déchiquetée avec son mari ? Et puis...

— C'était à Palerme ! couina la femme. Ici, on est à Catane. On est civilisés, ici. Non, ma Corinna a été tuée par des gens de chez vous. Je le sais, au plus profond de moi. Tuez-moi aussi, si vous voulez ! Je m'appelle Agatella Mazzà. Je suis une des dames de service. Vous pouvez me trouver ici, tous les jours. Vous croyez que j'en ai quelque chose à fiche de ce que vous pouvez me faire, maintenant que vous l'avez tuée ?

Elle cracha au visage de Zen, l'aspergeant de salive.

— Prends ça, et une malédiction de mère sur toi et les tiens. Puissiez-vous mourir tous, lentement et douloureusement, seuls et désespérés !

Elle tourna les talons et se remit à marcher dans le couloir en se dandinant et en marmonnant. Zen resta éberlué, trop choqué pour réagir. Il essuya le crachat de son visage, appuyé au mur, à bout de souffle.

« On a fouillé ma chambre », lui avait dit Carla au téléphone.

Il pouvait entendre sa voix même à présent, si jeune et vibrante.

« On a laissé un message sur mon ordinateur... Toute ma vie est contenue dedans et quelqu'un a foutu le bordel dedans. J'ai des sauvegardes, bien sûr, mais... »

À quoi il avait répondu :

« Des sauvegardes de ta vie ? »

Sur le moment, c'était censé être drôle.

Il rentra chez lui à pied, longea de larges avenues bordées d'immeubles en lave noire, traversa les places pétrifiées, vit défiler les bas-reliefs stylisés et les fioritures baroques, les messages grandioses et figés du passé, tous dénués de sens, maintenant. Alors qu'il n'avait pas faim, il savait qu'il lui fallait manger et il fit une halte dans un *alimentari* pour acheter un peu de pain, de la *mozzarella di bufala* et de la saucisse sèche, dont le propriétaire de l'établissement prétendait qu'elle lui était fournie par son beau-frère qui habitait dans la ville montagneuse de Norcia, en Ombrie, célèbre pour ses charcuteries. Zen fit mine de le croire, et l'épicier, à son tour, fit semblant de croire que Zen le croyait. Ils se séparèrent fort courtoisement.

Une fois à l'intérieur de son appartement, celui-ci lui apparut comme un linceul, comme dépouillé de son ancien charme par ce que lui avait dit la femme de ménage au palais de justice. Il n'avait aucune raison de ne pas la croire. La douleur ne ment pas. Et ce qu'elle avait dit faisait trop mal pour qu'il n'y croie pas. Il se traîna dans la cuisine, ouvrit le sac contenant les aliments qu'il venait d'acheter et disposa le tout sur des assiettes.

Non seulement il n'avait pas faim, mais il se sentait nauséeux. La masse compacte de la mozzarella, une fois tranchée et mastiquée, lui fit l'effet d'une poitrine de femme enceinte : lait et viande à la fois. Sainte Agathe, la patronne de Catane, avait bien eu les seins tranchés. Il essaya la saucisse sèche, laquelle lui procura la sensation de mâcher un pénis d'enfant mort. Puis il repoussa la nourriture et ouvrit le réfrigérateur, pour vérifier qu'il ne s'y trouvait pas, par hasard, quelque reste d'un repas oublié ou raté.

La première chose qu'il vit, dans le congélateur, fut le non-cadeau d'anniversaire destiné à sa non-fille, désormais non vivante, qu'on lui avait fait porter à la questure, qu'il avait emballé dans un sac de sardines en putréfaction et scellé dans du film alimentaire transparent — et qu'il avait complètement oublié depuis. Non sans difficultés, il l'extirpa du plateau à glaçons fixé à la paroi du freezer par une couche de glace plus épaisse que les glaçons eux-mêmes. Il le renifla avec un air dégoûté avant de le balancer dans l'évier et d'y faire couler de l'eau chaude.

Le téléphone se mit à sonner.

— Bonjour, dottore. Excusez-moi de vous déranger. Je m'appelle Spada.

Celui qui avait parlé s'attendait manifestement à ce que ce nom dise quelque chose à Zen. Celui-ci fronça les sourcils.

— Ah oui ! répondit-il lorsqu'il eut enfin compris qu'il s'agissait de l'intermédiaire de la Mafia qui lui avait trouvé son appartement avec une promptitude miraculeuse.

— J'espère que tout va bien en ce qui concerne votre nouveau logement, continua la voix tout doucement.

— Tout va bien, merci.

Une pause.

— Bien. Néanmoins, je crois que nous devrions avoir une petite conversation prochainement, si c'est possible.

— À quel sujet ?

— Il y a plusieurs questions qui, je crois, nous concernent mutuellement. Je ne peux être plus précis avant de vous avoir rencontré. Connaissez-vous la digue qui se trouve à l'ouest du port ? On y accède de la Piazza dei Martiri. Entre 4 et 5 heures, cet après-midi. Je serai en train de pêcher sur les rochers et j'aurai un parapluie jaune estampillé *Cassa di Risparmio di Catania*.

La communication fut coupée. Zen eut un geste de dédain et raccrocha. Cet homme devait être fou pour penser que Zen allait se présenter à un rendez-vous impromptu dans de si brefs délais. Mais pour qui se prenaient-ils, ces gens ?

Un bruit d'éclaboussure en provenance de la cuisine lui rappela qu'il avait laissé couler l'eau sur son paquet congelé. Il ferma le robinet puis se rendit à l'autre bout de la pièce et ouvrit la porte qui donnait sur le petit balcon. Une vague de chaleur l'enveloppa, suscitant aussitôt une éruption de gouttes de sueur sur son front.

« Vous êtes en contact, sur la ligne. Et s'ils ont besoin de vous demander un service, ils savent où vous trouver. C'est leur appartement, après tout. »

« On a fouillé ma chambre. Quelqu'un est entré chez moi. On a laissé un message sur mon ordinateur. »

Penché sur la balustrade, il fuma une cigarette puis revint vite à la cuisine et prit le paquet qui flottait dans l'évier. Il commençait à être spongieux. Il l'ouvrit, ôta le poisson pourri et le jeta dans la poubelle avant de laver le sac en plastique dans de l'eau savonneuse, de le sécher sur du papier essuie-tout et d'ouvrir l'enveloppe. Elle contenait une photocopie d'une soixantaine de pages, des textes dactylographiés, à première vue juridiques. Dans l'intitulé se lisait le nom « Limina ». Zen l'emporta dans le salon et s'assit sur le canapé pour lire les documents.

Vingt minutes plus tard, il avait parcouru le tout. Tous les documents se rapportaient à l'affaire du « cadavre dans le train » et consistaient en procès-verbaux d'entretiens avec des témoins, auxquels s'ajoutait la première partie d'un rapport préliminaire de la juge chargée de l'instruction, Corinna Nunziatella. Aucun des textes n'avait l'air d'être particulièrement sensible ou scandaleux. La seule chose que Zen n'avait pas déjà lue dans les rapports de la DIA qu'il examinait toutes les semaines était la déposition d'un conducteur de train qui travaillait régulièrement sur la ligne Catane-Syracuse. La teneur de son témoignage se limitait au fait qu'il avait vu un wagon de marchandises garé sur une voie de garage à Passo Martino pendant plusieurs semaines avant la découverte du cadavre. En fait, ajoutait-il, il avait eu l'impression qu'il se trouvait là depuis plusieurs mois, mais, comme il était d'usage courant de ranger du matériel roulant sur de telles voies de garage, il n'y avait guère accordé d'attention. Pressé de questions, il admettait ensuite qu'il n'était pas certain d'avoir vu un tel wagon.

Le seul autre aspect intéressant des documents était une note figurant sur la dernière page du rapport préliminaire inachevé. Elle tendait à conclure que le corps découvert dans le wagon était bien celui de Tonino Limina, mais qu'il n'y avait aucun indice de ce qu'il avait été enlevé et assassiné par un clan mafieux concurrent. Il n'avait pas été possible de retracer avec certitude l'emploi du temps de Tonino avant sa disparition, mais une recherche dans les listes de passagers avait montré qu'il avait pris l'avion pour Milan le 6 juillet, en route vers le Costa Rica pour y passer des vacances, mais qu'il ne s'était pas présenté pour prendre celui qui devait l'emmener en Amérique Centrale. À ce stade, le rapport s'interrompait sur ces mots manuscrits : « Dossier bloqué et transféré le 3-10, documents emportés par Roberto Lessi et Alfredo Ferraro du ROS ».

Zen remit le bloc de pages en ordre et le laissa sur le canapé. En se levant pour aller chercher ses cigarettes, il remarqua pour la première fois le bloc de plastique gris, posé sur son bureau, dans le coin de la pièce. Il faisait à peu près la taille d'un de ces petits attachés-cases dont les hommes d'affaires importants ne se séparent jamais, pour indiquer que ce sont leurs larbins qui se chargent de toute la paperasse.

Zen alla examiner la chose. Sur le couvercle se lisaient de larges caractères noirs dans un cartouche argenté : *Toshiba Satellite*. Sur le flanc de l'appareil était collée une étiquette en papier, sur laquelle étaient inscrits ces mots : *Propriété de Uptime Systems Inc*. Quelqu'un avait ajouté d'une écriture cursive : *Carla Arduini*.

Il tendit une main vers l'ordinateur avant de la retirer précipitamment. Une sirène d'ambulance, identique à celles qu'il avait entendues de l'appartement de Carla, était à peine audible dans le lointain. Zen repéra son téléphone portable, composa le numéro de la DIA et demanda à parler à Baccio Sinico. Le jeune officier parut plutôt intéressé, approuva Zen pour n'avoir pris aucun risque et promit de réagir rapidement.

Vingt minutes plus tard, dans le bar qui se trouvait de l'autre côté de la rue, Zen observait le convoi de voitures de police qui se rassemblaient en bas de chez lui. Des silhouettes en combinaison intégrales, coiffées de casques gigantesques et équipées de tenailles en acier, en descendirent et disparurent dans l'immeuble. D'autres portaient une sorte de malle soutenue par deux poteaux métalliques. Les sirènes hurlaient et les gyrophares clignotaient. Dix autres minutes s'écoulèrent avant que le téléphone portable de Zen ne se mette à sonner.

— Où êtes-vous, dottore ? demanda Baccio Sinico.

— Dans la nature, répliqua Zen.

— Vous aviez raison, au sujet de l'ordinateur. Un premier examen montre que le disque dur et le microprocesseur ont été remplacés par un demi-kilo d'explosifs, avec détonateur se déclenchant à l'ouverture du couvercle.

— Bon, je suis content que vous ne vous soyez pas donné tant de mal pour rien.

— Mais où êtes-vous ? Vous avez besoin de protection ! Il faut que nous vous mettions en lieu sûr...

— Je vais très bien, Baccio. J'ai un rendez-vous. Je vous rappelle plus tard.

Zen consulta sa montre. Il était 15 h 50. Il paya l'addition et se mit à marcher vers la mer.

20

Du temps de ses années de disgrâce, à la suite de l'assassinat d'Aldo Moro, Aurelio Zen avait été muté dans une ville d'Ombrie afin d'enquêter sur une autre affaire d'enlèvement, celui d'un gros industriel de la région. Lors de son séjour, l'un de ses collègues de la questure locale lui avait relaté une plaisanterie classique que les habitants de Pérouse aiment à raconter au sujet de leurs voisins et rivaux tradition-nels de Foligno, ville située dans la vallée à trente kilomètres de leur place forte montagnarde. Les gens de Foligno, disait-on, pensaient ceci : l'Europe était le centre du monde ; la Méditerranée était le centre de l'Europe ; l'Italie était le centre de la Méditerra-née et Foligno était le centre géographique de l'Ita-lie ; au centre de Foligno, se trouvait la Piazza del Duomo, et sur cette place il y avait un bar au centre duquel se trouvait un billard russe ; le trou qui se trouvait au centre de la table de billard, au centre de tous ces centres, était donc l'*omphalos* originel, le nombril et le berceau de l'Univers.

Catane, c'est tout le contraire, songeait Zen en tra-versant précautionneusement l'avenue qui longeait la zone portuaire. Située sur la rive orientale d'une île qui n'avait jamais revêtu qu'une importance secondaire aux yeux des diverses puissances étrangères qui l'avaient successivement dominée, Catane n'avait jamais été au centre de quoi que ce soit. Au contraire, elle était à la lisière. Et à la lisière de Catane se trouvait le port, ceint de murailles impressionnantes, comme pour contenir les contagions venues du large auxquelles la ville était, par sa position naturelle, exposée. À l'une des extrémités du port se dressait la digue, tendue comme un bras brandi contre les vagues.

Et aujourd'hui, ces dernières étaient d'énormes monstres mythiques, émergeant des flots avec une fureur toujours renouvelée, preuves tangibles qu'il existait des puissances abyssales échappant au savoir des hommes. Une tempête avait eu lieu pendant la nuit, et même si le vent de sud-est s'était à présent calmé, les vagues qu'il avait éveillées continuaient à déferler en toute confiance sur le rivage ; mais toute leur vigoureuse détermination se brisait sur l'amas informe de blocs de pierre qui séparait la digue du grand large. Manifestement perplexes et affaiblies, les vagues se fracassaient, aspergeant la roche d'écume pulvérisée avant de se reformer en une débandade de ressac et de remous, vidées d'une énergie initiale qui se retournait contre elles-mêmes.

Sur l'un des blocs de pierre les plus isolés, un pêcheur solitaire tentait sa chance, parmi les tourbillons de la fureur marine. Il était protégé du soleil par un grand parapluie jaune sur lequel on pouvait lire : « Vous avez un ami à la *Cassa di Risparmio di Catania* — la banque amicale ! » Zen escalada le muret qui surplombait la digue et se fraya précautionneusement un chemin d'un rocher à l'autre jusqu'à ce qu'il ait atteint celui qui jouxtait le perchoir du pêcheur.

— Ça mord ? demanda Zen.

L'homme se tourna et examina brièvement Zen.

— Du menu fretin. J'ai tout remis à la mer.

— Vous vous attendiez à quoi ? Un espadon ?

L'homme sourit et eut une mimique singulièrement féminine que Zen savait être typiquement sicilienne. On aurait dit que les hommes, puisque la tradition interdisait aux femmes de se montrer en public, avaient appris à remplir l'espace social qui aurait dû échoir à ces dernières.

— Dottor Zen. C'est un plaisir.

Zen ne cilla pas.

— Vous êtes surpris de me voir ?

— Non, pourquoi ? Nous avions rendez-vous.

— La mort annule tous les rendez-vous.

— La mort ? murmura Spada. Vous voulez parler de votre fille ? Excusez-moi de ne pas avoir mentionné cette terrible tragédie. J'ai pensé, à tort sans doute, qu'une telle évocation pourrait être douloureuse...

— Pas aussi douloureuse qu'une bombe en pleine figure. Ma figure.

L'homme prit un air encore plus stupéfait.

— Une bombe ?

— Sous forme d'un ordinateur portable ayant appartenu à ma fille, vidé de ses entrailles et farci de plastic, placé dans mon appartement.

— Je ne suis absolument pas au courant, dit Spada.

Zen haussa les sourcils.

— Je croyais que l'intérêt de traiter avec des gens comme vous, c'est que vous étiez justement toujours au courant de ce genre de choses.

— Je vous répète que je ne sais rien de tout ça. Mais je vais me renseigner.

— Les informations que vous allez recueillir ne

m'auraient pas sauvé si j'avais ouvert le couvercle de cet ordinateur.

L'homme fendit l'air de la main.

— Qu'est-ce que vous racontez ? Mes amis n'ont aucun intérêt à vous faire du mal, dottore. Mort, vous ne leur serviriez à rien.

Zen opina du chef d'un air ironique.

— Je suis heureux de vous l'entendre dire. Et en quoi puis-je leur être utile, exactement ?

— C'est une question d'intérêts mutuels, dottore. Je me suis laissé dire que vous cherchiez à savoir qui avait tué votre fille. C'est tout naturel.

— Et quels sont vos intérêts, à vous ?

— Faciliter votre enquête.

Zen sourit avec une ironie manifeste.

— Mais tout le monde sait que ma fille a été tuée par vos « amis ». Pourquoi voudriez-vous m'aider à le prouver ?

Spada ramassa sa canne à pêche, ramena sa ligne et la lança à nouveau.

— Ah, mais supposons que nous n'ayons rien à voir là-dedans..., dit-il en regardant l'eau.

— Alors, qui a fait le coup ? demanda Zen.

— Eh bien, là est toute la question, n'est-ce pas ? Zen agita la main d'un air dramatique.

— Et vous ne connaissez pas la réponse à cette question, non plus ? Je commence à me demander, signor Spada, si je dois vraiment vous prendre au sérieux, vous et vos amis...

Le pêcheur relâcha sa prise sur la canne de façon à déchiffrer les vibrations qu'elle transmettait.

— Si vous voulez découvrir la vérité, dit-il, vous allez avoir besoin d'aide. Et pour diverses raisons, qui ne vous concernent pas, nous avons besoin de votre aide. Peut-être pouvons-nous nous arranger.

Zen fixa la mer d'un air parfaitement blasé.

— Mes amis n'ont pas tué Tonino Limina non plus, dit Spada.

Les vagues se fracassèrent contre les rochers au-dessous d'eux, avant de se reformer.

— La famille Limina a démenti la mort de son fils.

— Pourtant, il est mort, et bien mort.

— Alors, pourquoi démentir ?

— Parce que Don Gaspare est un maniaque du contrôle, même si ce qu'il contrôle ne vaut plus grand-chose, de nos jours. Mais il ne veut pas avoir l'air déchu. En outre, il ne voulait pas que les autorités mettent leur nez dans ses affaires. Il préférait se venger le moment venu. Et c'est ce qu'il a fait. Cinq membres du clan de Corleone congelés à mort dans un fourgon à viande.

— Jamais entendu parler de ça.

— Cela n'a pas été rendu public. Les gens de Corleone ne veulent pas avoir l'air affaiblis non plus. Je ne fais que vous présenter mes références. Allez donc voir vos amis de la DIA pour vérifier. C'est la vérité.

Zen regarda au nord, vers l'Etna qui vomissait de gros nuages blancs dans un ciel bleu d'une pâleur à fendre l'âme.

— Qu'est-ce que j'ai à voir là-dedans, moi ? demanda-t-il. Je suis policier. Je devrais vous arrêter sur-le-champ. Vous emmener à la cave pour que les gros bras du commissariat vous passent à tabac.

Il se détourna, se protégeant le visage du vent pour allumer une cigarette. Sur la digue, à une dizaine de mètres, un jeune homme portant des lunettes de soleil le fixait. Zen lui rendit son regard. L'homme se détourna, sortit un téléphone portable de son blouson et s'éloigna de la digue.

— Nous n'avons pas tué Limina, insista Spada.

Zen se tourna vers lui et le gratifia d'une expression de cynisme désabusé.

— D'accord, faisons comme si vous disiez la vérité. Si ce ne sont pas vos amis qui l'ont tué, alors qui a fait le coup ?

Spada leva la canne à pêche et se mit à manier énergiquement le moulinet. À cinq mètres du bord de la digue, un poisson apparut à la surface. Il tira sa prise, tandis qu'elle se débattait et s'agitait en vain — un jeune rouget.

— Peut-être les vôtres, dit-il.

Zen écrasa le mégot de sa cigarette contre le poisson.

— Je n'ai pas d'amis.

— Alors, vous êtes mort, dottore. Sur le plan professionnel, bien sûr. Mais, ici, en Sicile, sans amis...

Il y eut un silence.

— Et qui seraient donc ces amis à moi, en supposant qu'ils existent ? demanda Zen.

Haussement d'épaules ostentatoire.

— Qui sait ? J'ai entendu dire que l'opération a été planifiée et exécutée par des gens venus du continent.

— De Rome ?

Spada ne répondit pas pendant un laps de temps si long que son silence en devint une réponse. Il se pencha en arrière et regarda Zen comme s'il le voyait pour la première fois. Zen se rendit compte que ce n'était pas lui que l'homme fixait, mais que son regard portait ailleurs, plus loin.

— Je crois que nous avons suffisamment traîné ici, dottore, observa Spada.

Il griffonna quelque chose sur un bout de papier et le tendit à Zen.

— Présentez-vous à cette adresse après 8 heures, ce soir. Le concierge est de ma famille. Nous pourrons poursuivre cette conversation sans risque d'être dérangés.

Il démonta promptement sa canne et rangea tout son attirail dans le panier d'osier qu'il avait apporté. Zen tourna les talons et se mit à gravir rocher après rocher jusqu'à ce qu'il puisse marcher sur la digue en béton. Des mouettes voltigeaient au-dessus de sa tête, mais il n'y avait personne en vue.

21

Il avait encore trois rues à parcourir pour arriver à son immeuble lorsqu'ils lui mirent la main dessus. Il ne se rendit compte que plus tard que cela signifiait qu'il avait dû être suivi depuis la digue.

De même que cinq ou six autres passants, il s'était arrêté pour observer le singulier spectacle d'une parade de séduction, dont les protagonistes étaient deux chiens, un jeune dalmatien et une épagneule qui paraissait plus âgée. Leurs propriétaires respectifs étaient une femme corpulente vêtue d'un long manteau et une autre qui aurait pu être sa fille et qui portait un tailleur-pantalon. Les deux chiens étaient tenus en laisse et l'épagneule était manifestement en chaleur. Le dalmatien essayait frénétiquement de la monter tandis que les propriétaires essayaient non moins frénétiquement de séparer les deux amoureux. Entretemps, un petit groupe de badauds s'était attroupé, qui pour offrir ses conseils, qui pour lancer de bien prévisibles plaisanteries.

Zen sentit leur présence un instant avant que l'un d'entre eux ne lui saisisse le bras.

— Dottor Zen ? Je suis Roberto Lessi, du Raggruppamento Operazioni Speciali, détaché auprès du DIA. Il faut que vous nous suiviez. S'il vous plaît.

Ils étaient deux, ils avaient tous deux la trentaine et portaient tous deux des jeans et des blousons d'aviateur. Zen sentit son cœur battre la chamade.

— Vous suivre où ? demanda-t-il.

Une berline bleue vint se garer en double file. Les deux se placèrent de part et d'autre de Zen, le prirent par les épaules et le poussèrent vers la voiture.

— Qu'est-ce qui se passe ? demanda-t-il.

— C'est pour votre propre protection, dit l'autre d'un ton cassant.

La portière arrière de la berline s'ouvrit et Baccio Sinico en sortit.

— Baccio ! cria Zen. Qu'est-ce qui se passe, nom de Dieu ?

Sinico fit un geste de la main, comme pour attraper une mouche. Les deux carabiniers en civil relâchèrent leur étreinte sur Zen.

— Vous ne pouvez pas retourner à votre appartement, dottore, ce n'est plus possible depuis que nous y avons trouvé une bombe. Ces gens-là, quand ils ratent leur coup la première fois, ne vous lâchent plus jamais. Et comme ils sont propriétaires de votre immeuble, il ne leur sera pas difficile d'y accéder.

— Mais quelle autre possibilité y a-t-il ?

Sinico lui adressa un large sourire.

— On vous a mis sur la liste des personnes à haut risque, dottore ! On vous a attribué des quartiers dans la caserne des carabiniers. Vous y serez parfaitement en sécurité, protégé par des gardes armés de jour comme de nuit. Et s'il vous arrivait d'avoir à sortir de la caserne, vous auriez droit à une escorte d'officiers armés à tout instant.

— Oui, j'ai remarqué qu'ils avaient fait du bon boulot, avec cette juge, répliqua Zen avec amertume.

Sinico prit un air indigné.

— Là, ce n'était pas de notre faute ! Elle a délibérément enfreint les règles de sécurité et elle est partie en vadrouille toute seule. On ne pouvait rien faire. Mais ne le prenez pas mal, dottore ! Il y a beaucoup de collègues qui se feraient étriper pour jouir d'un tel honneur.

Il haussa vaguement les épaules et ajouta :

— Façon de parler, bien sûr.

Zen hocha la tête.

— Je tâcherai d'en tenir compte.

— Parfait, alors allons-y.

— Et mes effets personnels ?

— Toutes vos affaires seront emballées et transférées à la caserne et déposées dans les quartiers qui vous ont été attribués.

Zen regarda le trottoir en secouant la tête lentement.

— Eh bien, je l'ai échappé belle ! s'exclama-t-il sur un ton qui aurait pu surprendre quelqu'un le connaissant mieux que Baccio Sinico. Je ne saurai vous remercier assez pour toute la peine que vous vous êtes donnée. Dieu merci, je vais être correctement protégé, désormais... Mais, écoutez, il y a juste une petite chose que je dois aller chercher dans mon appartement.

— Comme je vous l'ai dit, toutes vos affaires seront...

— Il ne s'agit pas d'une de mes affaires, à proprement parler... C'est quelque chose qui...

Il s'interrompit pour se frotter les yeux du revers de la main et ajouta :

— Quelque chose qui a appartenu à ma mère, Giuseppina.

Baccio hocha la tête d'un air compatissant.

— Cela ne change rien. Tout ce qu'il y a là-bas, sauf les meubles, vous sera livré à la...

— C'est tout le problème. C'est un meuble, justement, en quelque sorte... En fait, il s'agit d'un tableau que j'ai rapporté de notre maison romaine après son décès...

— Dites-nous où le trouver, et nous vous l'apporterons.

Zen lâcha un profond soupir.

— C'est bien ça qui me gêne, voyez-vous. Je ne m'en souviens pas. Je l'ai pris un peu au hasard, comme un souvenir d'elle. Mais je n'arrive à me rappeler ni de l'endroit où je l'ai mis ni de ce que représente le tableau. Tout ce que je sais, c'est que je le reconnaîtrais immédiatement si je le voyais.

Il prit Sinico par le bras.

— Écoutez, même la Mafia n'effectuerait pas une nouvelle tentative d'assassinat si peu de temps après l'échec de la première. Allons chez moi maintenant, tous les deux. J'y prendrai le tableau et nous nous rendrons à la caserne juste après.

Baccio Sinico secoua la tête.

— Désolé, dottore. Je ne suis pas autorisé à...

— Et puis, il y a les documents, dit Zen.

Sinico le regarda attentivement.

— Des documents ?

— De la paperasse juridique.

Sinico le fixait à présent avec une intensité muette.

— Relatifs au testament de ma mère, poursuivit Zen. Je les ai cachés pour plus de sûreté. Il serait impossible à qui que ce soit de les trouver. Je vous laisse imaginer leur importance...

— Les documents..., répéta Sinico.

— Oui. Des documents juridiques. S'ils tombaient en de mauvaises mains...

Baccio Sinico hocha la tête comme un maniaque.

— Bien sûr, bien sûr. De mauvaises mains...

— Nous ne voudrions pas que cela arrive, n'est-ce pas ?

— Non, non. Certainement pas.

Il soupira.

— Bon, d'accord. C'est tout à fait irrégulier, mais...

Ils démarrèrent en trombe et roulèrent à grande vitesse pour couvrir la courte distance qui les séparait du logis de Zen, à grand renfort de gyrophares et de sirènes stridentes. S'ils voulaient attirer l'attention de la Mafia sur le fait que la cible revient chez elle, songea Zen, ils ne s'y prendraient pas autrement. La voiture s'immobilisa devant la porte de l'immeuble, fournissant ainsi un indice visuel supplémentaire en se garant à la manière habituelle des policiers : de façon à créer le maximum de désagréments à tout autre qu'eux. Tandis qu'un des deux agents du ROS restait en faction devant la porte d'entrée, Zen et Sinico gravirent les marches avec l'autre. Ce dernier resta sur le palier pour monter la garde devant la porte de l'appartement de Zen, laissant les deux policiers y pénétrer ensemble.

Zen jeta un bref coup d'œil d'ensemble. L'ordinateur Toshiba avait, bien sûr, disparu. Peut-être y avait-il vraiment eu une bombe dedans, ainsi qu'ils l'avaient prétendu. Il ne le saurait jamais. Les documents que Corinna Nunziatella s'était adressés à elle-même via Carla, et que Zen avait laissés sur le canapé, avaient disparu.

— Par ici, dit-il à Sinico en le précédant dans la chambre à coucher.

Alors que Sinico s'apprêtait à en franchir le seuil, Zen lui balança la porte dans la figure. Le jeune officier chancela en se tenant le front et en regardant Zen d'un air furieux. Ce dernier le prit par le bras et par les cheveux et l'entraîna dans la chambre, lui faisant un croche-pied au passage de façon à ce qu'il s'écroule, les bras en croix, sur le sol en marbre luisant.

Au bout d'un moment, Sinico se redressa, puis se releva tout en sortant un revolver d'un holster accroché à sa ceinture, dans son dos. Mais il était trop choqué et trop lent. Zen le tira d'un coup sec par le bras qui tenait l'arme et la lui fit lâcher d'une torsion du poignet avant de lui donner dans le poitrail un coup de genou qui le remit à terre. Il ramassa le revolver et l'examina brièvement, sans lâcher des yeux la silhouette étendue par terre, laquelle haletait comme s'il allait éclater en pleurs.

— Je suis désolé, Baccio, dit tranquillement Zen. Je n'avais pas le choix.

Sinico leva les yeux vers lui.

— Vous êtes fou ! lâcha-t-il d'une voix rauque.

— C'est une hypothèse, mais je ne peux pas prendre le risque de découvrir que je ne le suis pas. Ne vous en faites pas, je ne vous embêterai plus, du moment que vous ne m'embêtez plus. Vous vous souvenez de cette « permission exceptionnelle » dont vous m'avez parlé ? J'ai décidé de suivre votre conseil.

Sinico se redressa tant bien que mal pour adopter une position assise.

— Ils vous tueront, dottore ! Ils ont déjà essayé une fois, et ils ne renonceront pas. Vous avez besoin de nous ! Vous avez besoin de notre aide, de notre protection !

Zen rangea le revolver dans la poche de son manteau et regarda le jeune homme d'un air lugubre.

— Mais qui sont-*ils*, Baccio ? De qui sont-*ils* les amis ?

Sinico secoua la tête d'un air désespéré.

— Quelle folie ! dit-il. De la pure parano !

Zen pencha la tête.

— Comme je l'ai dit, c'est tout à fait concevable... Comme il est concevable que là, vous essayiez avant tout de me faire causer pour laisser le temps à l'un de ces nervis du ROS de venir voir ce qui nous prend autant de temps.

Il se dirigea vers l'entrée.

— Je m'en vais, maintenant, dit-il à Sinico. Si vous essayez de m'en empêcher, je vous abats.

Il traversa rapidement le salon et ouvrit la porte d'entrée. L'agent du ROS qui se nommait Lessi le considéra avec surprise.

— On a trouvé quelque chose ! lui dit Zen à voix basse. Baccio pense que ça pourrait être une autre bombe. Il voudrait que vous y jetiez un œil.

Lessi hocha la tête et pénétra précipitamment à l'intérieur. Zen ferma la porte derrière lui et la verrouilla à quadruple tour avec sa clé complexe en forme de proue de gondole, faisant coulisser les barres de sécurité dans leurs réceptacles. Sans la clé, elle ne pouvait être ouverte de l'intérieur.

Il dévala rapidement l'escalier et se tapit dans la pénombre, au fond du hall d'entrée. Moins de vingt secondes plus tard, la porte de l'immeuble s'ouvrit en grand et l'autre homme du ROS, pistolet en main, entra en courant, tout en parlant d'un air affolé dans son téléphone portable.

— Il a verrouillé la porte ? Ne t'en fais pas, j'arrive tout de suite.

Zen écouta les pas de l'homme s'éloigner au-dessus de sa tête puis il alla à la porte et se mit à courir dans la nuit.

22

Quelques minutes après que 8 heures eurent sonné au clocher de l'imposante église San Nicolò, sur la Piazza Dante, Zen arriva à l'adresse que l'homme qui se faisait appeler Spada lui avait indiquée, dans une petite rue qui donnait sur la Via Gesuiti. Il ne se faisait aucune illusion quant à la valeur des assurances que ce dernier lui avait prodiguées au sujet de sa sécurité, mais il ne s'en souciait guère, d'une manière ou d'une autre. Si sa mère avait été encore en vie, cela aurait été différent, un peu comme s'il avait eu des enfants. Les choses étant arrivées au point où elles en étaient, rien de ce qui pouvait se passer n'avait plus aucune importance à ses yeux — même si cette disposition d'esprit ne l'empêcha pas, tandis qu'il attendait 20 heures sous le portique de San Nicolò, de contrôler méticuleusement le revolver dont il avait dépouillé Baccio Sinico.

Le bâtiment où il avait rendez-vous avec le « signor Spada » était un charmant palazzo baroque à un étage, pourvu de fenêtres bien espacées, de corniches ornementées et de balcons peu profonds à balustrades en fer forgé. L'entrée principale semblait donner sur la Via Gesuiti elle-même, mais l'adresse qui avait été donnée à Zen correspondait à une porte qui se trouvait à peu près à mi-chemin sur la gauche. Zen fut quelque peu surpris de la trouver ouverte. Il frappa doucement mais sans résultat avant de pénétrer dans les lieux. La lumière que diffusait la lampe qui pendait au bout d'un câble révélait un escalier de pierre menant à une autre porte, un mètre plus bas.

Laissant la porte de la rue ouverte, Zen descendit les marches. La porte en contrebas n'était pas verrouillée. Avec un très léger grincement, elle s'ouvrit sur un espace non éclairé mais plus vaste, à en juger par l'acoustique de l'endroit. Zen s'immobilisa, reniflant l'odeur de renfermé et tentant de décrypter un faible son qu'il avait d'abord pris pour l'écho du grincement de la porte, amplifié par la caisse de résonance qui se trouvait au-delà de celle-ci. L'obscurité absolue semblait y régner mais, au fur et à mesure que les yeux de Zen s'y habituaient, il aperçut une vague luminosité qui semblait provenir de...

De ce qu'elles pouvaient bien être, ces rangées de structure massive, identiques en hauteur comme en forme, qui étaient disposées en long et en large dans la pièce. À part leurs dimensions démesurées, ces meubles imposants rappelaient par leur forme de vieux pupitres d'écoliers inclinés, réfléchissant l'infime luminosité de la salle. Sauf que la lumière paraissait y rayonner sur place, en fait. À présent, sa vision nocturne était assez bonne pour identifier d'autres caractéristiques de l'espace qu'il scrutait, telles que des grosses formes humaines hautes de trois mètres environ, adossées au mur à l'autre bout de la pièce. Un entrepôt de meubles scintillants, géré par des géants ? Eh bien, cela ne lui posait aucun problème. C'était parfait. Il était prêt à les affronter. Quoi d'autre ?

La réponse fut un hurlement. Enfin, pas tout à fait.

Un gémissement lugubre et mélodieux, plutôt. Un interminable *lamento* rauque et guttural. Il fallut à Zen une longue cogitation pour l'identifier, non sans hésitation, comme l'un de ces sons presque humains que les chats émettent lorsqu'ils sont impliqués dans des querelles d'ordre sexuel ou territorial. Auquel cas, le ululement lugubre qu'il avait entendu juste avant n'avait sans doute pas été l'écho du grincement de la porte, mais celui des deux matous qui travaillaient leurs voix. Il se demanda soudain quelle taille les chats pouvaient bien avoir, dans les parages. Sans doute celle d'un ocelot, à en juger par les silhouettes massives qu'il apercevait à l'autre bout de la pièce et les pupitres d'écoliers qui s'y trouvaient.

Sauf que ce n'étaient pas des pupitres, comprit-il enfin. Sa vision s'améliorait sans cesse, se remplissant comme l'écran d'un ordinateur lorsqu'on y télécharge un graphique complexe. Il pouvait à présent déterminer que les géants du fond étaient en fait des statues perchées sur leurs socles. Entre les deux statues se trouvait un escalier qui menait dans les ténèbres. Sur les murs latéraux, les taches sombres qu'il avait prises pour des fenêtres se révélèrent être des tableaux peints à l'huile. À ce stade, les rangs de pupitres avaient timidement ôté leurs masques de carnaval et s'étaient transformés en rangées de vitrines d'exposition, éclairées de l'intérieur par une petite ampoule à bas voltage. Il se trouvait dans un musée.

Un bref examen des lieux vint confirmer cette hypothèse. Sous une épaisse couche de verre, chacune des vitrines contenait un choix de pièces de monnaie, de bijoux, d'amulettes et d'autres antiquités, identifiées par des étiquettes où s'inscrivaient un numéro et une description du genre : « Grèce, fin du IIᵉ siècle avant J.-C. (?) ». Il s'agissait d'un de ces musées de province qui ne sont ouverts au public qu'à des horaires impossibles, et seulement quelques jours, choisis au hasard, de l'année — et encore fallait-il que le concierge préposé à la garde de ces lieux n'ait rien de mieux à faire ces jours-là.

Ainsi, seul le bruit demeurait inexpliqué. Il avait diminué en intensité mais il durait encore, troublant le silence, l'excitant comme des ongles lacèrent une peau. Sa vision étant satisfaite, Zen passa à l'écoute. Le bruit semblait venir de l'autre bout de la pièce, là où l'escalier menait sans doute à l'étage. Il marcha précautionneusement le long de l'allée qui séparait les rangées de vitrines et se mit à gravir les marches.

C'était un escalier plein de charme, large et peu escarpé, aussi solide que les pierres de taille qui avaient servi à sa construction et qui étaient flanquées de part et d'autre de balustrades en pierre ornementées. Zen songea que la salle qu'il venait de quitter avait dû se trouver au rez-de-chaussée du palazzo, à l'origine, avant l'élévation du niveau de la rue, par des remblayages ultérieurs ou par l'activité sismovolcanique. Après une longue escalade, les marches menaient à un palier donnant sur une pièce de même dimension que celle du dessous, mais beaucoup plus haute de plafond. Là avait dû se trouver la salle de réception, le *piano nobile*. Là, tout était bien éclairé, car la lumière était allumée.

Et cette lumière était un rayon immobile illuminant ce qui paraissait à première vue être un acte sexuel entre deux hommes. L'un était debout, tournant le dos à l'escalier où se tenait Zen. De temps en temps son corps tressaillait spasmodiquement, chaque spasme étant accompagné d'un grognement satisfait, quoique laborieux. Le deuxième homme, qui était agenouillé devant le premier, émettait, quant à

240

lui, une série continue de faibles miaulements qui étaient, Zen le comprit alors, la source des sons qu'il avait entendus auparavant. Il lui fallut un autre instant pour comprendre que les traits déformés et exsangues de l'homme à genoux n'étaient autres que ceux de l'homme qui se faisait appeler Spada, et qu'il n'était pas en train de pratiquer une fellation mais de se faire étrangler.

Le flot de lumière vacilla d'un côté, et Zen s'aperçut qu'il provenait d'une puissante torche électrique que le mur de droite cachait au regard de Zen.

— Allez, Alfredo, dit une voix blasée. C'est fait. Allons-y, nom de Dieu !

Zen sortit le revolver de Sinico de sa poche et fit feu en direction du plafond.

— Police ! hurla-t-il tandis que la formidable réverbération de la détonation s'estompait. Lâchez vos armes et allongez-vous par terre, les mains sur la tête.

L'étrangleur relâcha son étreinte et se tourna lentement vers Zen, arborant une expression de détermination teintée d'incrédulité. Un instant plus tard, un pistolet apparut dans sa main.

Zen aurait incontestablement trouvé la mort à ce moment si feu Spada n'était pas intervenu, en s'effondrant de tout son poids sur les genoux de son bourreau, lui faisant perdre l'équilibre. À une distance aussi courte, même un tireur aussi peu entraîné que Zen ne pouvait manquer sa cible. Il fit feu et toucha son adversaire à la poitrine. La victime — car tel était dorénavant son statut — réagit à l'impact en arborant une expression où se mêlaient la stupéfaction et la résignation, comme s'il avait toujours su qu'il finirait ainsi, mais qu'il n'avait pas prévu — fort peu lucidement, certes, il le savait maintenant — que cela viendrait si tôt. C'est alors que la lumière s'éteignit.

Ne dépendant désormais plus que de son ouïe, Zen s'aperçut que ce sens s'affinait, comme sa vue quelques instants auparavant dans l'obscurité. Il comprit que nous sommes, la plupart du temps, fonctionnellement sourds. Ce que nous prenons pour du silence est composé d'un substrat permanent de bruits que nous censurons mentalement pour cause d'insignifiance. Il se souvint d'une excursion dans les Dolomites, qu'il avait faite jadis avec un ami de l'université. Là-bas, ses nuits avaient été tout à fait silencieuses, et pourtant ce silence avait témoigné non pas d'une absence mais d'une présence massive et perturbante. À présent qu'il risquait sa vie et que chaque son avait une signification, il se vit bombardé par une avalanche de données auditives, certaines étant potentiellement identifiables — la circulation automobile, la télévision, les éclats de voix dans la rue —, mais toutes ayant été préalablement classées comme insignifiantes, et donc inaudibles. Dans la pièce au seuil de laquelle il se trouvait, il y avait ce silence intimidant qu'il avait connu dans les Alpes tant d'années auparavant.

Puis, comme un animal non identifié surgissant à l'improviste sur les lieux de son excursion montagnarde, vinrent trois sons distincts : un cliquetis, un grincement et, plus fort, un bruit sec et métallique. Ils étaient apparentés par leur position et par la distance qui les séparait de Zen, mais surtout par l'apparition d'une vive lueur éclatante dans la pièce. Déconcerté, Zen fit feu à l'aveuglette. Aussitôt, deux autres sons s'ajoutèrent aux premières discordances : un tintement cristallin et un bruit métallique et rauque, avec en guise de fond sonore la stridence claironnante d'un signal d'alarme. Il gravit les deux ou trois dernières marches juste à temps pour voir un jeune homme coiffé d'une casquette de base-ball assis sur le rebord extérieur de l'une des fenêtres — qu'il venait manifestement d'ouvrir, ainsi que le volet correspondant. Il était éclairé par le réverbère dont la lampe se trouvait au niveau de la fenêtre. Son visage était dans l'ombre mais il se tourna brièvement vers Zen, comme en reconnaissance. Puis il disparut brusquement.

Un bruit sourd et celui d'une course sur le pavé conclurent cette pirouette. Mais, comme Zen était payé pour le savoir, il fallait s'attendre à tout, et il supporta encore quelques minutes le vacarme infernal que faisait le signal d'alarme avant de s'aventurer dans la pièce du dessus. La torche électrique utilisée pour illuminer l'exécution gisait au sol près des deux corps. Zen l'alluma et s'assura rapidement qu'il était bien seul, et que Spada et son assassin étaient bien morts tous les deux. Zen reconnut ce dernier comme étant l'un des deux agents du ROS qui avaient essayé, avec l'aide de Baccio Sinico, de l'emmener au nom de sa « protection rapprochée », un peu plus tôt dans la soirée. Une brève fouille de son blouson permit à Zen de trouver son portefeuille, lequel contenait des papiers l'identifiant sous le nom d'Alfredo Ferraro.

À présent, la stridence du signal d'alarme lui était devenue insupportable. En examinant les lieux, Zen s'aperçut qu'il avait été déclenché par la deuxième balle qu'il avait tirée, laquelle s'était logée dans l'une des vitrines d'exposition, fracassant la vitre au passage. Plongeant la main parmi les précieuses reliques qui s'y trouvaient, il choisit un objet au hasard et se dépêcha de redescendre les marches.

23

Il était presque minuit lorsque l'équipage peu avenant du ferry daigna enfin autoriser les passagers à
embarquer. Cela faisait près de trois heures que le
vieux rafiot bleu et blanc mouillait dans le bassin du
port de Catane, première escale de la liaison Naples-
Tunis. Il va sans dire que personne n'avait pris la
peine d'expliquer la raison de ce retard, moins encore
de s'en excuser. Les employés de la compagnie maritime Tirrenia se distinguaient par une attitude aussi
revêche, péremptoire et inflexible que celle qui caractérise les inspecteurs du fisc ou les gardiens de prison — ou les policiers, tant qu'on y est.

Mais pourquoi se soucieraient-ils des passagers ?
Leurs boulots étaient de véritables sinécures financées par les deniers publics, difficiles à obtenir mais
presque impossibles à perdre. Si les passagers avaient
eu un peu d'argent et de pouvoir, ils auraient pris
l'avion. Si vous vous trouviez là, à faire les cent pas
sur le quai en pleine nuit, à la merci d'une bande
de fainéants incompétents comme eux, c'est que vous
n'aviez manifestement ni argent ni pouvoir. Et dans
ce cas, qui diable se soucierait de vous ?

L'unique consolation des passagers, contraints
d'attendre en plein air pendant des heures et des

heures, tenait à ce que la nuit s'y prêtait à merveille : une légère brise marine aux arômes iodés répandait une agréable fraîcheur, avant-goût propice de la traversée qui s'annonçait. La scène aurait pu passer pour parfaitement idyllique, en fait, s'il n'y avait eu tous ces projecteurs montés sur de hauts mâts, qui mettaient sans merci à nu l'austérité du béton et de l'acier environnants. Et puis, bien sûr, il y avait les étrangers.

Ces derniers composaient la majorité de la trentaine de personnes qui attendaient pour embarquer sur le ferry, mais le boucan qu'ils faisaient donnait l'impression qu'ils étaient bien plus nombreux, et les rendait encore plus insupportables. Ils avaient tous entre vingt et trente ans, les deux sexes étant répartis à peu près également. Les mâles portaient tous un tee-shirt où se lisait le mot ARSENAL, imprimé en gros caractères blancs, tandis que leurs compagnes étaient peu ou prou en petite tenue, exhibant de vastes quantités de cuisses, d'épaules et d'abdomens rougis par le soleil.

L'un des hommes, qui semblait exercer quelque improbable autorité sur le groupe, était assis en bas de la passerelle, les fesses posées sur quatre cartons pleins de canettes de bière Peroni. De temps à autre, il allongeait le bras vers le bas pour prendre une canette bien fraîche dans un cinquième carton, à moitié déchiqueté, qui gisait à ses pieds. Les autres avaient tous une bière à la main, à l'exception d'un petit groupe de dissidents qui se partageaient une bouteille de whisky et d'une fille qui était, selon toutes les apparences, tombée dans les pommes. De temps en temps, l'un des hommes entonnait ce qui semblait être un chant de guerre, et les autres ne tardaient pas à joindre leurs voix à la sienne, même les femmes. L'un des buveurs de whisky cria quelque chose à l'un des membres du groupe principal et Zen eut la surprise d'entendre des mots qui sonnaient comme les mots « Normand » et « bière ».

Ainsi les Normands sont de retour, songea Zen, tapi dans l'ombre que projetait un entassement de conteneurs, tout en essayant de ne pas regarder sous la robe de la jeune femme évanouie, robe qui était remontée au-dessus de la taille de façon tout à fait fascinante. Il se souvint qu'on lui avait appris à l'école que les Normands, qui descendaient d'envahisseurs venus de Norvège, avaient conquis la Sicile au Moyen Âge et avaient gouverné l'île pendant plus de cent ans. Il s'en rappelait parce que, comme c'était souvent le cas pour le peu de souvenirs qu'il avait encore — et qui ne cessaient de se raréfier —, cela lui rappelait une histoire.

L'histoire, Zen s'en apercevait à présent, était presque certainement apocryphe, mais cela n'enlevait rien à son charme mythologique ou à sa pertinence. Un beau jour, selon l'un de ses professeurs, une bande de soldats normands de retour des croisades s'étaient arrêtés dans un port de la Sicile, peut-être bien Catane. Ces Nordiques, qui buvaient sec, se mirent à consommer le vin local sans tenir compte de sa teneur en alcool plus élevée que celle de la bière, et ne tardèrent pas à être très, très joyeux.

C'est alors qu'une flotte de pirates maures fit son entrée dans le port, semant la terreur dans le cœur des habitants. Cela faisait des siècles que ces derniers subissaient, par le fer et par le feu, les viols collectifs, le pillage, le rapt et l'esclavage auxquels se livraient ces pirates. C'était comme la peste. Cela arrivait périodiquement. Certains y perdaient la vie et d'autres y survivaient. Il n'y avait rien à faire.

En quelques minutes, les cloches des églises de la ville se mirent à sonner le tocsin afin de répandre la mauvaise nouvelle. Ce qui, incidemment, dérangea les Normands dans leurs libations : ils saisirent au col l'aubergiste qui leur servait à boire et lui ordonnèrent de faire taire ces putains de cloches, sinon gare ! L'indigène, tout tremblant, leur expliqua la raison de ce tintamarre et conseilla à ses clients de s'enfuir aussitôt — Sans « doute après leur avoir fait régler l'addition », avait glissé le professeur au passage, en adressant un clin d'œil complice à la classe — car les Barbaresques s'apprêtaient à violer et à piller, à emmener des captifs comme esclaves et, d'une manière plus générale, à mettre la ville à feu et à sang, comme d'habitude.

Les Normands se consultèrent du regard et *sourirent*.

Le professeur avait interrompu l'histoire pour gratifier ses élèves d'un bref exposé sur les changements physionomiques qui étaient advenus au cours des siècles, sans oublier de préciser les causes diététiques de ces transformations — et d'insister sur le fait qu'il fallait donc manger des légumes verts —, histoire de montrer que sa digression anecdotique n'avait en rien atténué sa propension au plus fastidieux didactisme. Les Normands, avait souligné le professeur, étaient d'une taille légèrement inférieure à la taille moyenne actuelle des Italiens, ces derniers ayant bénéficié du « miracle économique » de l'après-guerre, mais ils faisaient quand même une tête de plus que les écumeurs des mers sarrasins, et ils étaient plus costauds.

Imaginez, avait-il dit, que vous soyez l'un de ces Sarrasins, partis pour passer une agréable journée de pillage et de ravage dans une ville indéfendable de l'Italie méridionale. Tous les habitants se sont enfuis ou se terrent. Vous pensez qu'il n'y a qu'à se baisser pour se servir et asservir. Et puis, au coin d'une rue, vous tombez sur une horde de géants blonds, ivres morts et n'ayant peur de rien, qui vocifèrent comme des fous furieux et chantent à tue-tête des chants guerriers tout en brandissant d'énormes épées ou de lourdes massues comme si c'étaient des jouets.

Ce n'était pas une question de courage, avait expliqué le professeur. Les Arabes n'avaient encore jamais vu de telles créatures. À leurs yeux, c'étaient comme des extraterrestres dotés de pouvoirs surhumains et incompréhensibles. Essayer de les combattre eût été pure folie. Donc, ils s'empressèrent de regagner leurs navires, enfin, ceux d'entre eux que les Normands n'avaient pas zigouillés, et les citadins demandèrent aux Normands combien ils prendraient pour rester dans le coin et assurer ce type de prestation lorsque les circonstances l'exigeraient. Le prix des Normands n'était guère élevé. « Mais il faut dire, avait conclu le professeur avec un sourire malicieux, que le vin sicilien n'était pas cher. »

Et voilà que les Normands sont de retour, songea Zen tandis que les passagers franchissaient la passerelle. Les cerbères revêches du ferry avaient finalement consenti, après un long échange radio, à en permettre l'accès. La fille endormie avait été secouée et, à moitié consciente, était soutenue par deux des hommes en tee-shirts rouges. *Arsenal,* se dit Zen. Il savait ce que ce mot voulait dire, bien sûr : les ateliers de construction navale dans la rade de sa ville natale, dans lesquels avaient été construites les flottes de galères qui avaient donné à Venise la maîtrise des mers. Mais pourquoi donc ces barbares avinés en faisaient-ils ainsi la réclame sur leurs poitrails charnus ? Mystère. Tout ce qu'il savait, c'est que les Normands étaient de retour, et qu'il allait devoir passer les sept prochaines heures en leur compagnie dans le bar spartiate du ferry, car toutes les cabines étaient déjà occupées.

Hormis les Normands modernes, il y avait parmi les passagers quelques jeunes et intrépides randonneurs et un choix disparate de vieillards siciliens, maltais et tunisiens, dont aucun n'éveilla de suspicion dans l'esprit de Zen. Une fois à bord du ferry, il se posta non loin de la passerelle, pour le cas où quelqu'un embarque au dernier moment. Personne ne vint. Dix minutes plus tard, les amarres étaient larguées et le bateau fendait tranquillement les flots de la mer Ionienne. Il passa devant les lumières étincelantes de la raffinerie d'Augusta puis contourna les deux promontoires qui entourent la rade de Syracuse, avant de poursuivre en grondant son périple vers le sud. Zen quitta son poste d'observation et descendit au bar. Il était en sécurité. Voilà, c'était fait : il était hors de leur portée.

Le bar était en ébullition, et c'était l'employé de la Tirrenia en charge de l'endroit qui avait mis le feu aux poudres en tentant de fermer le débit de boissons. Cette décision était contestée avec la plus grande vigueur par les néo-Normands, parmi lesquels il s'en trouvait un parlant un peu italien. Mais le barman n'accordait aucune attention à ses protestations et supplications. L'heure de fermeture, c'était l'heure de fermeture, un point, c'est tout. La grille métallique vint heurter le comptoir, aussi définitive que le couperet d'une guillotine.

C'est à ce stade que Zen intervint. Les étrangers lui étaient parfaitement indifférents, mais il avait lui-même envie de boire un coup — il était même persuadé de l'avoir bien mérité —, et puis il voulait faire montre d'un peu de pouvoir bureaucratique à son tour, en guise de revanche sur les vexations que lui et les autres passagers avaient subies jusqu'à présent de la part de l'équipage. Exhibant sa carte de policier aux yeux du barman, il lui ordonna de rouvrir le bar sur-le-champ, arguant que son attitude était susceptible de provoquer un trouble de l'ordre public, étant donné la présence d'un grand nombre de barbares nordiques, lesquels étaient manifestement mécontents, ce qui pourrait provoquer échauffourées et bagarres propres à mettre en danger la sécurité du ferry, de son équipage et de ses passagers.

Le barman commit l'erreur de lui rire au nez.

— Je ne sais pas si vous avez remarqué, ricana-t-il, mais nous nous trouvons dans les eaux internationales. En Italie, vous représentez la loi. Ici, la loi, c'est moi. Et moi, je dis que le bar est fermé.

— Où est enregistré ce rafiot ? demanda Zen.

Le barman l'ignorait. Zen lui prit le bras et lui désigna un certificat encadré et accroché à la cloison. Ce certificat, dûment orné du cachet des autorités compétentes, établissait que le navire à moteur diesel *Omero,* construit en 1956, était enregistré à Naples, en Italie.

— Et alors ? fit le barman.

— Et alors, quelle que soit la position géographique de ce bateau, du point de vue légal, nous sommes en territoire italien, et donc la loi italienne s'y applique.

Zen lui adressa un sourire paternel et le gratifia d'une petite claque dans le dos.

— Dites-vous bien que ce bateau est comme une petite île, dit-il avec des accents empruntés directement au professeur d'histoire qui avait relaté l'occupation normande en Sicile. Une île provisoirement ambulante et détachée de la mère patrie, mais néanmoins soumise aux règlements et lois qui s'appliquent sur le territoire de l'État, dont je suis le représentant officiel. Je vous ordonne donc de rouvrir ce bar, *sine die,* au motif susmentionné du risque peut-être mortel d'un trouble de l'ordre public susceptible d'entraîner des dégâts et dommages corporels.

Le barman émit un grondement résigné.

— Bande de fils de pute, c'est comme ça que vous prenez votre pied, hein ? grommela-t-il en relevant bruyamment la grille.

— Eh oui, chacun ses petits plaisirs, répliqua Zen.

Le Normand qui parlait italien fit son apparition aux côtés de Zen.

— Ça a rouvert ? demanda-t-il.

Zen hocha la tête.

— C'est ouvert, et ça ne fermera que si j'en donne l'ordre.

L'étranger hurla quelque chose d'inintelligible à l'adresse de ses compagnons, lesquels convergèrent tous aussitôt vers le bar.

— Comment vous avez fait ? demanda l'Italo-Normand à Zen.

— Et vous, comment faites-vous ?

— Comment je fais quoi ?

— Comment faites-vous pour parler italien ?

— Ma grand-mère venait de chez vous. Moi, je suis de Glasgow. C'est en Écosse, ajouta-t-il en constatant l'air intrigué de Zen. Elle est venue dans les années vingt. Elle est jamais retournée en Italie. Mais elle a appris à ma mère à baragouiner un peu le rital, et ma maman me l'a appris à son tour.

— Et pourquoi vos maillots portent-ils tous ce mot ? demanda Zen.

— Arsenal ? C'est un club de foot. On a gagné un concours dans la boîte où on bosse tous, à Croydon, dans la banlieue de Londres. Vous savez où c'est, Londres ? On est la meilleure équipe de vente de l'entreprise. Une semaine de vacances tous frais payés à Malte. On est venus en Italie pour la journée, mais on a bu une tournée de trop et on a raté l'hydroglisseur. L'un des gars est un supporter d'Arsenal. Moi, je soutiens le Celtic... Mais il a acheté des tee-shirts pour nous tous, alors on se sent obligés de les porter. On aurait l'air ingrats, sinon. Je vous offre à boire ?

— C'est très aimable à vous. Une grappa, s'il vous plaît.

Zen resta là, perdu dans la masse agitée des barbares, pendant que l'homme s'y frayait un chemin jusqu'au bar. Il se sentait déjà très étranger lui-même, et très rassuré. *Ils* — quels qu'*ils* fussent — ne le trouveraient certainement pas là. Au milieu de la salle, la fille qui auparavant dormait sur le quai était à présent en train de danser au son d'une musique parfaitement inaudible. Ses seins, remarqua Zen avec intérêt, valaient encore plus le coup d'œil que ses jambes.

L'homme de Glasgow s'en revint avec la grappa de Zen, et une autre pour lui.

— Jamais encore bu de ça, dit-il. Pas mauvais, et puis c'est pas cher.

— Vous êtes normand ? demanda Zen.

— Non, Norman, c'est celui qui est assis sur la réserve de bière. Moi, c'est Andy.

— Pourquoi cette fille danse-t-elle toute seule ?

— Stephanie ? Ben, vous savez comment ça se passe, les voyages organisés. Des couples se forment et d'autres se défont. Le sien s'est défait.

Il fixa Zen avec intensité.

— Vous voulez que je vous présente ?

Zen haussa les épaules.

— Pourquoi pas ?

À la suite de quoi, tout se passa à une vitesse stupéfiante. Ils finirent tous par migrer sur le pont arrière, sous un ciel dégagé et une lune presque pleine, entourés de l'immensité bienveillante de la mer. Zen s'entendait très bien avec Stephanie, laquelle semblait à la fois facile à contenter et très intriguée par ce monsieur étranger si distingué qui n'arrêtait pas de baragouiner dans un anglais incompréhensible sans lâcher des yeux sa poitrine d'une manière libidineuse mais respectueuse quand même. La conversation était spirituelle et le vin coulait à flots — enfin, la grappa, la bière et le whisky, pour être exact —, aussi grisant que la brise marine dans la nuit méditerranéenne.

Le bruit, lorsqu'il commença d'être audible, leur parut d'abord être une légère nuisance sonore, une interférence mineure qui pouvait passagèrement troubler mais pas gâcher le bon moment qu'ils passaient ensemble. Mais il persista, et quelqu'un finit par se poster contre la rambarde pour voir de quoi il retournait.

— C'est un bateau, signala-t-il. Il y a quelque chose de marqué sur la coque : C, A, R, A, B, I, N...

Zen se sépara à contrecœur de Stephanie pour voir ce qu'il en était au juste. C'était vrai. Une vedette bleu marine des carabiniers se rapprochait rapidement du ferry, ses projecteurs embrasaient les modestes vagues qui séparaient les deux embarcations. Quelques instants plus tard, elles étaient flanc à flanc. Une échelle de corde fut jetée vers la vedette et un homme se mit à l'escalader.

Zen sentit qu'il se dégrisait bien vite. Il savait qui était monté à bord et pourquoi il était là. Non sans réticences, il sortit de sa poche le revolver de Baccio Sinico et le jeta dans la mer. Puis il revint à Stephanie. Elle lui dit quelque chose qu'il ne comprit pas, comme tout ce qu'elle lui avait dit jusque-là. Il secoua la tête et lui serra la main bien fort. Elle avait l'air paniquée. Il se força à sourire.

C'est alors qu'il se souvint de l'autre preuve matérielle pouvant l'incriminer. Il fouilla ses poches jusqu'à ce qu'il trouve l'objet qu'il avait volé au musée. C'était une croix en argent finement ciselée, aux extrémités fourchues. Zen la colla dans la paume de la main qu'il venait de serrer.

— Pour toi, dit-il.

Stephanie examina la croix en la faisant bouger de droite et de gauche pour la faire briller doucement au clair de lune. Puis son visage se décomposa, elle se détourna et éclata en pleurs. Affolé, Zen chercha du regard celui de ses compagnons qui parlait italien.

— Qu'est-ce que j'ai fait de mal ? demanda-t-il. Je ne voulais pas la vexer ! Et merde, comment je fais pour me débrouiller aussi mal ?

L'homme de Glasgow les rejoignit et se mit à parler très vite avec Stephanie, qui tournait le dos à Zen. La fille gémissait encore et ponctuait ses paroles de petits reniflements.

— Ce n'est pas ce que vous croyez, dit Andy à Zen.

La fille se mit à parler, apparemment pas aux deux hommes mais à la croix d'argent qu'elle tenait à la main.

— Elle dit que c'est la plus belle chose qu'elle ait jamais vue, traduisit Andy. Elle dit qu'elle ne savait pas qu'une telle beauté pouvait exister en ce bas monde. Elle dit qu'elle a honte parce qu'elle ne la mérite pas.

À l'autre bout du pont, un homme apparut.

— Dites-lui que personne ne mérite une telle beauté, dit rapidement Zen. Dites-lui que c'est en effet un objet très précieux, mais pas plus qu'elle ne l'est. Dites-lui d'en prendre soin, et de prendre bien soin d'elle-même.

Il se leva lorsque l'agent du ROS se trouva face à lui.

— Aurelio Zen, dit celui-ci. Vous vous êtes soustrait à notre protection et vous êtes donc considéré comme courant un risque. Je suis ici pour vous raccompagner à Catane.

Zen esquiva un vague geste.

— Et si je refuse ?

Roberto Lessi secoua la tête d'un air méprisant.

— Allons-y. Ils nous attendent, à bord de la vedette.

Et en effet, elle était bien là, la vedette des carabiniers, à dix mètres de la coque du ferry, doucement ballottée par les flots.

— Excusez-moi, dit Andy en italien. C'est un ami à nous.

Lessi le gratifia d'un regard glacial.

— Et alors ? répliqua-t-il.

L'homme de Glasgow sourit.

— *Et alors,* si vous voulez l'emmener, il va falloir que vous nous embarquiez tous aussi. Et je suis pas sûr qu'on tiendrait tous sur votre bateau. Et encore, il faudrait que vous y arriviez, à nous embarquer, et, personnellement, je ne parierais pas là-dessus.

L'agent du ROS adressa un regard furieux à Zen.

— Dites à ce petit con d'aller se faire foutre avant que je lui casse la tête, cracha-t-il.

— Qu'est-ce qu'il a dit ? demanda Andy. J'arrive pas à piger quand on cause aussi vite...

Zen fouilla dans sa mémoire. Comment s'appelait cette autre équipe anglaise ? Livère... Liverpe... Et quelle était l'expression que le chauffeur de taxi romain, le supporteur vindicatif de la Lazio, avait employée ?

— Il a dit que les supporters d'Arsenal sont une

bande de branleurs dégénérés et d'ignorants crasseux, confia Zen à Andy. Selon lui, la seule équipe anglaise à peu près potable, c'est Liverpool, mais que, à côté de la Lazio, c'est vraiment de la merde.

L'homme de Glasgow s'adressa, très vite et à très haute voix, à ses camarades, qui interrompirent aussitôt ce qu'ils faisaient pour venir serrer de près l'homme du ROS. Celui-ci exhiba une carte de police insérée dans un portefeuille.

— *Moi être police !* déclara-t-il dans un anglais approximatif.

— Ah bon ? répliqua Andy en prenant des mains du carabinier le portefeuille, qu'il jeta par-dessus bord. Il paraît que c'est dur, comme boulot.

Le carabinier adressa aux supporters d'Arsenal un regard furieux de bête acculée.

— Vous êtes tous en état d'arrestation ! hurla-t-il. Outrage à agent dans l'exercice de ses fonctions ! Présentez-moi immédiatement vos papiers d'identité ! Vous êtes tous...

C'est là qu'une bouteille de whisky vint heurter son crâne.

— Liverpool, mon cul, dit Norman.

Stephanie gloussa.

24

« Querelle de voleurs », tel était le titre d'un court article du quotidien *La Sicilia* que Zen acheta le lendemain matin à La Valette. « C'est par une strangulation brutale que s'est conclu un cambriolage au musée civique de Catane. Le meurtrier présumé a réussi à s'échapper en sautant par la fenêtre et demeure introuvable. Un crucifix normand du XIIe siècle, "d'une valeur inestimable", est manquant. »

Zen sourit amèrement. Alors, c'est comme ça qu'ils ont décidé de présenter les choses. Mais pourquoi n'y avait-il nulle mention d'Alfredo Ferraro, l'agent du ROS qu'il avait abattu ? Et pourquoi Zen n'était-il pas nommé en tant que « meurtrier présumé » ? Zen était certain que Roberto Lessi, l'autre homme du ROS, l'avait identifié juste avant de sauter par la fenêtre, mais l'article ne mentionnait rien à ce sujet. C'était à la fois une bonne et une mauvaise nouvelle. Bonne, parce que cela signifiait qu'ils ne se mettraient pas ouvertement à sa poursuite, avec mandat d'arrêt et demande d'extradition à la clé. Mauvaise, parce que cela voulait également dire qu'il n'avait pas la moindre idée de ce qu'ils *allaient* faire.

Le ferry était entré dans le port de La Valette peu

après 6 heures, après une nuit qui, du point de vue de Zen, avait été extrêmement fertile en événements. À la suite de l'intervention des supporters anglais, l'agent du ROS avait été installé dans un des canots de sauvetage qui se trouvaient de part et d'autre du pont supérieur. Ainsi que Zen le lui avait suggéré, Norman avait déplacé la réserve de bière sur un banc proche du canot et, lorsque le prétendu supporteur de Liverpool finit par reprendre conscience, il lui avait été fermement rappelé que, s'il ne restait pas allongé et ne se tenait pas tranquille, il se verrait gratifier d'une autre dose de whisky.

— Et, franchement, je ne suis pas sûr que le whisky soit une boisson recommandée pour toi, Roberto, avait ajouté Norman en brandissant la bouteille comme s'il avait oublié sa présence dans sa main. Pour être franc, je crois pas que tu supportes très bien le whisky. Je suis pas sûr que tu tiennes bien la gnôle. On dirait que ça t'assomme un peu, que ça t'écroule. Moi, personnellement, je dirais — je te donne juste mon avis, t'es pas obligé d'être d'accord — donc je dirais que tu devrais en rester à la bière.

Cela étant dit, il ouvrit une canette de Nastro Azzurro et la tendit avec un sourire lourd de sous-entendus à l'agent du ROS, encore à moitié inconscient.

Entre-temps, la vedette des carabiniers s'était collée à la coque du ferry et deux membres de son équipage, armés de mitraillettes, avaient entrepris de fouiller le bateau en quête de leur collègue manquant. Aurelio Zen et Stephanie feignaient d'être tendrement enlacés, après que celui-ci eut expliqué à celle-ci, par le truchement du gars de Glasgow, toute la réalité de la situation. Stephanie ne crut manifestement pas un mot de ce galimatias, estimant plutôt que cet Italien cherchait surtout à la mettre dans son lit. Mais elle était disposée à jouer le jeu, jusqu'à un certain point, et quand les carabiniers vinrent fouiner dans la partie du bateau où ils se trouvaient, ils ne virent qu'une horde de hooligans anglais ivres morts, dont deux s'embrassaient.

S'ils avaient persisté dans leur recherche, la vérité n'aurait pas tardé à se manifester, mais, à ce moment, l'aube commençait à pointer, et Malte était en vue. Une vedette des gardes-côtes s'approcha du ferry et de son escorte et, au moyen d'un très puissant méga-phone, exigea de savoir si la police italienne se ren-dait bien compte qu'elle était en train de violer les eaux territoriales maltaises. C'est là que les carabi-niers finirent par reconnaître leur défaite : ils rega-gnèrent leur vedette et repartirent à toute vitesse vers le nord. Malheureusement, Norman avait fini par s'écrouler, épuisé par la tension suscitée par leurs aventures nocturnes. Et, lorsque Zen s'arracha, non sans réticence, à l'étreinte de Stephanie, pour aller inspecter le canot où l'agent du ROS avait été esca-moté, il le trouva vide.

Lessi ne se manifesta pas lorsque les passagers débarquèrent dans l'impressionnant port de La Valette, mais cela n'avait rien de surprenant. Il ne pouvait pas arrêter Zen en territoire étranger, et comme ses papiers d'identité se trouvaient à présent au fond de la Méditerranée, il n'était pas en posi-tion de demander l'aide des autorités maltaises non plus, à supposer qu'elles aient été disposées à lui por-ter assistance.

Sur le quai, Zen fit ses adieux à ses amis britan-niques, lesquels étaient sous le coup d'une sérieuse gueule de bois, et il embrassa Stephanie, qui l'étonna en lui glissant sa langue dans la bouche, avant de se mettre à sangloter une nouvelle fois. Il alla ensuite changer un peu d'argent et, après une discussion en un italien très approximatif avec un chauffeur de taxi, se fit conduire à un petit hôtel, perché tout en haut de la vieille ville.

Pendant un moment, Zen crut qu'il avait loué les services d'un maniaco-dépressif à tendances suicidaires, car le chauffeur, dès qu'il fut sorti de la zone portuaire, se mit à conduire *à gauche* de la chaussée. Mais, s'il était fou, alors tout le monde, dans cette ville, semblait partager sa folie, et le court trajet se déroula sans anicroche. À l'hôtel, Zen prit la dernière chambre disponible, une chambrette à lit simple à l'arrière du bâtiment qui donnait sur ce qui avait été jadis une petite cour et qui était devenu une sorte de puits humide et abyssal, rempli de conduits d'aération et infesté d'odeurs de cuisine et de détritus.

Il n'avait noté aucun signe indiquant que son taxi avait été suivi, mais il savait qu'il ne leur faudrait pas longtemps pour le retrouver. Sa carte d'identité italienne avait suffi au contrôle des passeports, mais il avait dû remplir une carte de débarquement, laquelle devait à présent se trouver dans un fichier. Il était donc officiellement enregistré comme étant entré en territoire maltais, et c'était un trop petit pays pour pouvoir s'y cacher, surtout quand on n'y avait pas d'amis et qu'on n'en parlait pas la langue.

Il estimait que ses meilleures chances reposaient sur cette carte de débarquement. Les gens qui quittaient Malte dans les règles devaient en effet remplir une carte du même genre, laquelle serait, elle aussi, transmise à un fichier central. Si une recherche dans ce fichier de *Zen, Aurelio* n'aboutissait pas à une telle carte, on croirait naturellement qu'il était toujours à Malte. La confusion qui en résulterait pourrait donner à Zen le temps dont il avait besoin.

Mais il lui fallait d'abord trouver un moyen de quitter clandestinement l'île. Le cœur lourd, il décrocha le téléphone et composa un numéro à Rome.

Comme ça ne répondait pas, il laissa un message.

« Gilberto, c'est Aurelio. Je suis dans la merde jusqu'au cou et je ne sais même pas qui sont les gens qui me veulent du mal, mais je sais qu'ils ne plaisantent pas. Je ne peux pas t'en dire plus au téléphone et je ne peux pas te donner mon numéro, mais j'ai besoin de toute urgence de ton aide, et après ce qui s'est passé à Naples, tu me dois bien ça, fils de pute. J'appellerai toutes les trente minutes jusqu'à ce que je t'aie au bout du fil. Ne me laisse pas tomber, Gilberto, et n'essaie pas de me faire des blagues à ta manière. Je suis dans une situation mortellement grave. Au sens littéral du terme. »

Il enleva ses chaussures et s'allongea sur le lit mais en se calant la tête et les épaules contre le mur. Après une nuit blanche sur le ferry, l'épuisement commençait à surmonter les effets de l'adrénaline qui l'avait maintenu actif jusque-là, mais il ne pouvait pas se permettre de dormir avant d'avoir réglé ses arrangements. Il alluma la télévision et regarda un documentaire sur les grenouilles arboricoles le temps que s'écoulent les trente minutes.

La ligne personnelle de Gilberto ne répondait toujours pas. Depuis ses problèmes judiciaires, le Sarde n'avait plus de numéro professionnel, et Zen préférait ne pas l'appeler sur son portable, sachant combien il était facile d'intercepter de tels appels. À la fin, il essaya quand même, mais ce fut pour découvrir que le *telefonino* de Gilberto était soit débranché, soit en panne ou hors de portée. Retour à la télé, sur l'écran de laquelle copulaient des batraciens.

Il ne parvint à joindre Gilberto qu'au bout de deux

heures et, pour lors, ce dernier lui parut plus que distant.

— Je croyais que tu ne me causais plus, Aurelio.

— Je te cause, là, maintenant.

— Alors, c'est quoi l'histoire, cette fois ?

— Je ne me fie plus aux histoires. Je suis trop vieux.

— C'est pas drôle de vieillir. Mais, comme dirait l'autre, le seul remède à la vieillesse, c'est de mourir jeune.

— On arrête de déconner un peu, Gilberto ? J'ai de graves emmerdes.

— Quelles sortes d'emmerdes ?

— Je ne peux pas t'en parler au téléphone. Il faut agir, en sachant bien que je ne peux te dire que ce que tu as besoin de savoir.

— D'accord et c'est quoi, alors, ce que j'ai besoin de savoir ?

— Primo, je suis à Malte.

— Je suis jamais allé là-bas. Ils sont toujours dans le coin, les Chevaliers ? Je crois me souvenir que tu as déjà eu des pépins avec eux, il y a quelques années.

— Est-ce que tu peux fermer ta gueule et m'écouter, Gilberto ?

— Pardon.

— Deuzio, il faut que je me tire le plus vite possible, le mieux serait ce soir même.

— Je ne tiens pas une agence de voyages.

— Mais si, justement, parce que, troisièmement, il faut que je voyage clandestinement. Pas de billets, pas de contrôle des passeports.

Gilberto siffla.

— Tu pousses un peu, là, Aurelio. À quoi tu pensais, au juste ?

— Préférablement un avion de tourisme, possédé

et piloté par quelqu'un ayant une réputation un peu douteuse. Décollage et atterrissage sur des pistes privées.

— Je ne connais personne qui fasse ça.

— Mais tu as des amis, et eux-mêmes ont des amis. Quelque part dans cette carambouille permanente que tu appelles ta vie sociale, il doit bien se trouver quelqu'un qui ait le contact dont j'ai besoin. Ton boulot, c'est de le dénicher.

— Comment peux-tu être certain qu'un tel contact existe vraiment ?

— Parce que Malte est, entre autres choses, une étape de ravitaillement notoire pour toutes sortes de trafics entre l'Afrique du Nord, le Proche-Orient et l'Europe. Armes, drogues, tout ce que tu veux... Et ces mecs-là ne voyagent pas sur Alitalia.

— On peut pas le leur reprocher.

— C'est pas le moment de plaisanter, Gilberto.

— Bon, d'accord, d'accord, calme-toi.

Un soupir hautain.

— Je vais voir ce que je peux faire, mais ça va prendre un bout de temps.

— Le facteur temps est justement essentiel. Quel délai ?

— Je ne sais pas. Je vais laisser tomber tout le reste et m'y mettre immédiatement. Appelle-moi sur mon *telefonino* à midi, et ensuite toutes les heures.

— On peut pas parler de ça sur une ligne de portable.

— Tiens, ça me rappelle une blague ! Il y a un mec dans le train, qui pourrit la vie des autres passagers en donnant un nombre incalculable de coups de fil sur son portable...

— Gilberto !

— Alors, il y a une bonne femme, en face de lui, qui a une attaque cardiaque, et tous les autres passa-

263

gers disent : « S'il vous plaît, il faut appeler une ambulance pour l'attendre à la prochaine gare, laissez-nous utiliser votre téléphone. » Seulement, tu vois, il refuse. Il refuse catégoriquement que qui que ce soit se serve de son téléphone. Et...

— Et à la fin, on s'aperçoit que son téléphone était factice. Oui, je l'ai déjà entendue, cette histoire, Gilberto. Si on revenait à nos moutons ?

— Bien sûr. Voilà ce que je te propose. Si je trouve quelque chose, je t'appelle pour te le dire. Ensuite, tu me rappelles trente minutes plus tard sur cette ligne câblée qu'on a déjà utilisée, quand j'avais ces problèmes avec la justice. Tu as gardé le numéro ?

— Je ne jette jamais rien, Gilberto.

— Sauf tes amis.

— Je suis désolé. J'ai sans doute réagi de manière excessive. Je m'en excuse.

— Ne te prosterne pas, Aurelio. C'est pas ton genre.

La communication s'interrompit. Avec un bâillement dû à la plus intense lassitude, Zen régla la sonnerie du radioréveil, ôta ses habits et se glissa sous les draps. Quelques secondes plus tard, il dormait à poings fermés.

À midi moins le quart, il fut tiré sans douceur de son sommeil par la sonnerie qui lui parut émaner d'un signal d'alarme antivol ou anti-incendie plutôt que d'un réveil. Il prit une courte douche et composa les vingt et un chiffres du numéro de portable de Gilberto.

— Toujours rien, mais il y a peut-être quelques pistes, lui répondit-il d'un ton sec.

Zen grogna et raccrocha. Il se sentait revigoré mais il était affamé, n'ayant rien mangé depuis le sandwich au jambon avalé sur le ferry pendant la nuit. Il fut fortement tenté de sortir pour se ravitailler, mais le risque de tomber sur Roberto Lessi ou sur tel autre de ses collègues — une équipe de soutien pouvait fort bien se trouver déjà sur place — était trop grand. Il appela donc la réception. L'hôtel ne servait pas de repas, mais le gérant proposa d'envoyer quelqu'un chercher un casse-croûte pour Zen.

Le casse-croûte en question arriva ponctuellement un quart d'heure plus tard, sous forme de deux friands en pâte feuilletée farcis de fromage frais et de sauce à la viande. Ils étaient graisseux et indigestes, et presque entièrement dénués de saveur, mais ils étaient sans conteste nourrissants, de façon un peu déprimante. Zen se souvint vaguement que les Britanniques avaient occupé Malte pendant des siècles. La cuisine locale comptait apparemment parmi les bienfaits qu'ils avaient transmis en héritage à la culture de l'île.

Rassasié mais insatisfait, Zen ralluma la télévision et regarda un thriller américain doublé en maltais. C'était une expérience intéressante, dans la mesure où le rythme et la cadence du langage avaient tout de l'italien, tandis que le bruit ainsi produit rappelait plutôt à Zen les vendeurs à la sauvette tunisiens et libyens qui vendaient de la joaillerie et divers accessoires dans les rues de Rome. Le pire était qu'un mot italien tout entier, comme *grazie* ou *signore,* ponctuait de-ci de-là ce charabia, projetant ainsi une brève mais trompeuse lumière dans l'obscurité générale.

À 13 heures, Gilberto ne fit état d'aucun progrès dans sa recherche. À 14 heures :

« Je crois que je commence à cerner le problème, mais c'est pas la peine de t'emballer. »

À 15 heures :

« Mais merde, pourquoi je me suis laissé embringuer par toi dans cette affaire foireuse, Aurelio ? J'aurais dû te laisser continuer à bouder. J'aurais dû *t'encourager* à bouder ! Des amis comme toi, on s'en passe. »

Et puis, à 16 heures :

« C'est fait. »

Les trente minutes qui suivirent parurent durer des heures et des heures. Zen avait dû montrer ses papiers à la réception de l'hôtel et n'avait donc pas pu utiliser un nom d'emprunt. Et il n'y avait pas tant d'hôtels que ça, à La Valette. Si Lessi avait noté le numéro de la plaque d'immatriculation du taxi que Zen avait pris, établi que Zen n'avait pas quitté la ville et fait le tour des hôtels, en demandant à parler à son bon ami Aurelio Zen, il se pouvait qu'il frappe à la porte à tout moment. S'il avait fait venir des renforts, ils pouvaient étendre leurs recherches à l'île tout entière avant la soirée. Et si les agents du ROS, ou leurs patrons à Rome, avaient persuadé les autorités maltaises de coopérer avec eux, ils l'avaient peut-être déjà localisé et attendaient qu'il sorte de l'hôtel, afin de ne pas causer d'ennuis à cet établissement, ce qui pourrait entacher l'image touristique de l'île, si dispendieusement promue à travers le monde.

Lorsque Zen appela enfin, on lui annonça que Gilberto n'était pas encore arrivé, mais qu'on l'attendait, rapport aux embouteillages désastreux qu'il y avait à Rome, avec tous ces travaux en plus, et ces rénovations et tous ces chantiers destinés à permettre à la ville de recevoir les vingt-six millions de pèlerins attendus pour l'année suivante, celle du jubilé. Rappelez plus tard, lui conseilla-t-on.

Zen raccrocha, hurla une obscénité et frappa du poing contre le mur, cabossant la fragile cloison en Placoplâtre. Puis il se dit qu'il ne fallait pas se comporter bêtement, il alluma une cigarette afin de se calmer et rappela.

Cette fois, ce fut Gilberto qui répondit.

— C'est bon, Aurelio, dit-il. Mais ça va te coûter un max...

— Je n'avais pas prévu ce voyage, Gilberto. J'ai exactement cinquante-huit mille lires sur moi.

— Je parle pas de maintenant, tête de nœud. La note te sera présentée en temps voulu après ton retour. Je voulais simplement que tu saches que ça ira chercher dans les cinq millions de lire.

— Merde !

— Ce genre de service a un prix. J'ai dû graisser pas mal de pattes et acheter bien des silences.

— Et puis, il y a ta commission...

Il y eut une longue pause.

— Franchement, je ne crois pas mériter ce genre de remarques, Aurelio.

— Désolé. Je suis vraiment désolé. C'est seulement qu'avec tout ce stress, toute cette tension...

— Tu te prosternes à nouveau. Revenons au sujet, qui est que je t'ai réservé une place dans un vol.

— Comment t'y es-tu pris ?

— Tu m'as fait tout un sketch sur ce que j'avais besoin de savoir et pas plus. La même règle s'applique à toi. En bref, l'ami de l'ami d'un ami connaît quelqu'un qui projette un voyage tel que celui dont tu m'as parlé, afin de visiter des amis en Sicile.

— Quelle belle chaîne de l'amitié. C'est touchant.

— Pour citer un ancien ami à moi : « On arrête de déconner, un peu ? »

— Désolé. Pour citer un véritable ami *à moi,* que j'ai honteusement négligé malgré ses qualités : « Qu'est-ce que j'ai besoin de savoir ? »

— Tu as un stylo ? Ces gens sont sans doute

extrêmement nerveux. À l'origine, la personne en question avait prévu de voyager pendant le week-end. Moyennant rétribution, en partie en espèces et en partie en nature, il a bien voulu contacter ses amis siciliens afin de fixer de nouveaux arrangements pour ce soir. Mais si tu fais la moindre petite erreur, il ne viendra tout simplement pas.

— Vas-y.

— Dans le centre de La Valette, il y a une rue nommée Old Bakery Street. En bas de la butte, elle croise St. Christopher Street. Juste après le croisement, il y a trois marches sur la gauche. À mi-chemin, il y a un bar qui s'appelle Piju. Sois-y à 7 heures, ce soir. Adresse-toi au barman et demande, en italien, une bière Beck. Il te dira qu'il n'y en a pas. Alors tu dis : « Alors donnez-moi juste une bière. » Il te demandera si tu veux une bière maltaise ou d'importation et toi tu répondras : « Maltaise, ça me va très bien. » T'as pigé ?

— Et après ?

— Je n'ai pas besoin de le savoir, alors on ne me l'a pas dit. Encore une chose. Si ces gens s'aperçoivent que t'es flic, tu peux te considérer comme mort. Compris ?

— Je ne comprends que trop bien.

— Bon, ben voilà. Bonne chance, Aurelio. Si tout se passe bien, appelle-moi dès que t'arrives. Tu me manques, vieille merde. Je ne veux pas qu'il t'arrive du mal maintenant qu'on a réglé notre petit malentendu.

— Tu m'as manqué aussi, Gilberto. Je vais essayer de ne rien faire d'idiot et je t'appelle dès que je peux. En attendant, merci pour tout.

25

Ce ne fut que lorsqu'il vit le minuscule appareil monomoteur que Zen prit pleinement conscience que son retour en Sicile par la voie des airs induisait la nécessité de prendre l'avion. Tant d'autres problèmes l'avaient préoccupé dans les heures qui avaient précédé ce moment que cette notion élémentaire lui était sortie de la tête. Lorsque la vérité se rappela à son bon souvenir, il constata également que n'agissait plus l'état d'indifférence comateuse dans lequel l'avait plongé la nouvelle de la mort imminente de sa mère et qui l'avait protégé lors de son vol turbulent pour Rome. Il avait recouvré la raison, à présent, et la seule manière raisonnable d'envisager un vol en avion, c'était d'en avoir une peur bleue.

— Qu'est-ce qu'on fait si l'hélice nous lâche ? demanda-t-il, faussement jovial, tandis que l'appareil roulait lentement sur la piste en terre cuite.

— Ça n'arrivera pas.

— Mais imaginez que vous ayez une crise cardiaque ou quelque chose dans ce genre...

Le pilote caressa sa moustache noire.

— Ben, on va voler bas, pour éviter les radars, donc vous aurez dans les quinze secondes pour mettre de l'ordre dans vos affaires temporelles et spirituelles. Ça ne suffira pas, sans doute.

Un instant plus tard, l'avion était aligné et le pilote appuya sur l'accélérateur, et toute conversation devint impossible.

À ce moment, il était plus de 23 heures. Zen avait passé la majeure partie des heures précédentes dans un appartement étouffant dont les fenêtres étaient recouvertes à l'extérieur de volets métalliques qu'on lui avait ordonné de ne surtout pas ouvrir.

Peu après 18 h 30, il était descendu à la réception de son hôtel, où il avait réglé sa note et appris que le bar Piju était à dix petites minutes de marche. Il s'assit alors dans un coin du bar de l'hôtel, d'où il pouvait observer l'entrée et le hall. Si les hommes du ROS venaient pour l'arrêter, il se donnait ainsi une chance de leur échapper pendant qu'ils seraient à l'étage en train de tambouriner à la porte de sa chambre.

En l'occurrence, personne ne vint, hormis quelques couples, lesquels étaient manifestement des touristes. Mais il hésitait quand même à se montrer dans la rue. Il ne pouvait pourtant rien faire d'autre et, après avoir étudié un plan de La Valette affiché dans le hall pour fixer son chemin, il poussa la porte vitrée et tourna à gauche dans une ruelle étroite et abrupte. Il avait pensé que la ligne de téléphone des amis sardes de Gilberto était peut-être sur écoute, ainsi d'ailleurs que celle de l'hôtel. Évidemment, « ils » pouvaient s'emparer de lui au bar Piju s'ils le voulaient, mais il avait estimé qu'ils préféreraient sans doute agir avec le moins de publicité possible. Il avait donc repéré sur le plan la rue en escalier près de laquelle se trouvait le bar et prévu un autre chemin pour s'y rendre. Cela ne lui fut guère difficile, car la ville était bâtie sur un modèle quadrillé.

Et c'est d'ailleurs une ville vraiment charmante,

songea Zen tandis qu'il marchait dans St. Mark Street. Il tourna à gauche dans une longue artère pavée toute droite, qui descendait et remontait comme un circuit de montagnes russes. Les bâtiments qui bordaient la rue exhibaient d'agréables proportions, l'architecture en était sobre et contenue et le matériau prépondérant était un grès doré qui luisait comme du miel chaud sous les derniers rayons de soleil de l'après-midi. Les volets en bois des balcons, peints en vert ou simplement vernis, formaient un ravissant contraste avec la maçonnerie. Il était difficile d'imaginer décor plus différent des excès baroques de Catane, taillés dans cette lave sombre qui avait tant de fois déferlé sur cette dernière. Même si Zen se trouvait à des centaines de kilomètres au sud de la Sicile, presque à mi-chemin du rivage africain, il se sentait tout à fait chez lui dans ce type d'urbanisme, où tout était calme, fonctionnel et reposant.

Au bout de la rue, il tourna à gauche et aussitôt à droite, puis il remonta les marches qui menaient au bar. C'était un endroit exigu et sombre, manifestement destiné à attirer un cercle d'habitués et à repousser tous les autres. Zen se plaça au comptoir et procéda à son échange verbal rituel avec le patron, dont la physionomie replète et joviale était démentie par une paire d'yeux inquisiteurs d'un noir saisissant. Une fois leur dialogue achevé, l'homme servit à Zen la bière, décrocha le téléphone et prononça quelques mots dans le pseudo-italien guttural qu'on parlait dans l'île.

Il lui fallut patienter une demi-heure avant que son contact n'arrive. D'abord, Zen ne lui accorda aucune attention. Divers clients, tous des hommes, étaient entrés et sortis de l'établissement lors de son attente, et il paraissait improbable que ce grand jeune homme maigrichon et boutonneux fût désigné pour remplir une mission d'une telle importance. Ce ne fut que plus tard que Zen comprit que c'était justement cet aspect qui comptait. Comme ils n'étaient pas encore sûrs de Zen, il leur fallait le laisser mijoter un peu au bar pendant qu'ils contrôlaient les allées et venues dans les alentours de l'établissement. Puis, une fois raisonnablement certains qu'il était bien venu seul, ils avaient envoyé un minot sacrifiable pour une première approche, juste au cas où ils se seraient trompés.

Le patron du bar avait paru savoir parler italien, ou du moins être capable d'en prononcer quelques mots, mais le jeunot ne pratiquait apparemment pas du tout cette langue. Il se plaça à côté de Zen, juste assez près, dans ce bar plutôt désert, pour attirer son attention. Il secoua d'un geste sec la tête en arrière puis sur le côté et sortit du bar. Zen le suivit sans rechigner. Étant donné les circonstances, il ne prit pas la peine de payer sa bière. Ils se rembourseraient sur les cinq millions.

Ils traversèrent un dédale de ruelles et d'escaliers qui menait à un dock sur le front de mer, où ils embarquèrent dans un bac. Pendant la traversée vers l'autre rive du bassin portuaire, le jeune homme examina soigneusement chacun des six autres passagers, mais son regard ne croisa jamais celui de Zen, et il persista à ne rien dire. Lorsqu'ils débarquèrent peu après, il adopta une pose de résignation stoïque et demeura posté au sommet de la passerelle jusqu'à ce que les autres passagers se soient dispersés. Puis il adressa à Zen un autre signe nerveux de la tête, comme s'il lui jetait un seau d'eau à la figure, et traversa la rue en direction d'une berline Renault bleue. Il ouvrit la porte du passager et fit signe à Zen de monter. Zen observa que la voiture n'était pas verrouillée. Soit Malte était un pays incroyablement épargné par la délinquance, soit ces gens jouissaient d'un niveau de respect qui rendait superflues de telles précautions.

Ils roulèrent à une allure qui parut à Zen remarquablement sobre et régulière — alors même que son chauffeur avait dans les vingt-deux ans et était sans doute membre d'un gang. Ils remontèrent une avenue qui, du port, menait à un tentaculaire ensemble d'immeubles modernes aux allures vaguement orientales : des agrégats de cubes blancs de différentes tailles et hauteurs, entremêlées dans un apparent désordre rappelant une casbah. Le jeune homme s'arrêta devant l'une des entrées de ce dédale, adressa à Zen un de ces mouvements de tête dont il avait le secret et le conduisit à l'intérieur.

Malgré les apparences folkloriques de la cité, l'intérieur en était parfaitement moderne et remarquablement luxueux. Ils prirent un ascenseur pour le quatrième étage, où le jeune ouvrit une porte — une fois de plus non verrouillée — et conduisit Zen vers une pièce à sa gauche. Il alluma la lumière, désigna les volets fermés et mima de la main droite l'acte de trancher une carotide, tout en regardant Zen dans les yeux pour la première fois.

Zen hocha la tête.

— Je ne les ouvrirai pas, dit-il.

Le jeune homme le regarda avec stupéfaction, comme si son chien venait d'exprimer une opinion politique. Puis il sortit, non sans fermer la porte derrière lui. L'instant d'après, Zen entendit jouer le verrou.

La pièce était meublée au minimum et, aux yeux de Zen, avec un goût exécrable : le mobilier se composait d'un canapé, d'une chaise et d'une table. Il n'y avait pas de téléphone, ni télévision ni radio, et les murs étaient nus. L'endroit était aussi neutre et impersonnel qu'une piaule dans un hôtel bon marché en bordure d'*autostrada.*

Zen avait depuis longtemps décidé de ne pas trop s'inquiéter des aspects de la vie qu'il ne pouvait contrôler — et il n'avait, en l'occurrence, absolument aucune prise sur son destin. Gilberto lui avait fourni une solution à son problème, Zen l'avait acceptée et, à présent, la situation lui échappait du tout au tout. Il était encore épuisé par sa nuit sur le ferry, par tout ce qui avait précédé et ce qui s'était ensuivi, alors il s'allongea sur le canapé tendu d'un tissu acrylique aux couleurs criardes. Il ferma les yeux, pensa à Stephanie et se demanda où elle pouvait bien être à la même heure, et puis s'endormit.

Sentant la présence d'une personne dans la pièce, il s'éveilla. C'était le jeune homme décharné qui le surplombait. Tout ensommeillé qu'il était, Zen savait ce qui allait se passer ensuite et, en effet, le geste de la tête ne manqua pas de survenir. Zen se leva non sans mal, encore un peu groggy, et suivit le jeunot hors de l'appartement et dans la rue. Il consulta furtivement sa montre : il était 21 h 30.

Ils montèrent dans la voiture et sortirent de la ville en suivant des routes étroites qui serpentaient doucement. La circulation était très faible et le peu de voitures qu'il y avait roulaient, comme eux, à une vitesse des plus modérées, laissant passer les autres conducteurs quand nécessaire, sans klaxonner ni faire d'appels de phares. La lumière du jour s'évanouissait rapidement, mais Zen put distinguer un réseau biscornu de murs de pierres partout autour, clôturant de petits champs où se trouvaient parfois des maisons isolées.

Le trajet prit une heure, ponctuée d'arrêts réguliers pendant lesquels le jeune homme sortait de la voiture pour scruter la route derrière eux avant de passer un coup de fil sur son portable dans son incompréhensible dialecte. Ainsi, il peut parler, songea Zen en se calant dans son siège et en fumant cigarette sur cigarette. Il avait toujours eu un bon sens de l'orientation et, en se repérant grâce à sa boussole interne, à la lueur du couchant et à la lune montante, il ne tarda pas à comprendre qu'ils empruntaient un chemin extrêmement circulaire.

À la fin, toutefois, ils arrivèrent à destination, passant de la route goudronnée à un chemin de terre qu'ils suivirent pendant un bon kilomètre avant de déboucher dans un vaste champ où se dressait un grand hangar métallique de construction récente. Devant le bâtiment attendait le minuscule avion monomoteur et, à côté de l'appareil, un petit moustachu bien râblé, vêtu d'une combinaison bleue et coiffé d'une casquette de vol à l'ancienne avec des rabats latéraux sur les oreilles.

Sans attendre un nouveau geste de la tête de son guide, Zen sortit de la voiture. L'homme en combinaison vint à sa rencontre.

— Signor Zen ! dit-il. Heureux de vous rencontrer. Excusez-moi pour le retard, mais il nous a fallu attendre l'obscurité, et aussi vérifier que vous n'étiez pas suivi.

Zen tendit la main puis la retira, ayant remarqué l'absence de geste réciproque de la part de l'autre homme.

— Bien sûr, dit-il. Pas de problème.

L'homme eut un sourire malicieux.

— Je serai votre pilote, ce soir, comme ils disent sur les lignes aériennes commerciales. Si vous voulez bien prendre la peine de monter à bord, je vais démarrer le moteur et on est partis.

Cela faisait presque une heure que s'était déroulée cette scène. Depuis, il ne s'était rien passé, en dehors du vacarme du moteur et du passage d'un bateau, qu'ils survolèrent de si près que Zen crut que l'avion allait en heurter le mât avec ses ailes. Mais le vol se déroula sans incident, jusqu'à ce que le pilote se mette à parler dans le micro qui était installé sous son casque, suscitant tout un spectacle au-dessous d'eux : des panaches de fumée rougeâtre, espacés régulièrement de manière à former deux lignes parallèles dans l'obscurité.

L'avion commença immédiatement à manœuvrer, tournant de-ci de-là jusqu'à se retrouver entre les deux rangées de balises. Il piqua de manière spectaculaire, retournant l'estomac de Zen et provoquant un nouvel accès de panique dans son esprit, avant de flotter vers le sol comme une plume au vent, frôlant au passage un groupe de voitures et une camionnette, puis d'entrer délicatement en contact avec une surface lisse. Bien avant que l'avion n'atteigne la dernière balise, l'avion s'était arrêté ; il avait fait demi-tour et s'était mis à rouler lentement vers les véhicules.

— Mais ce n'est pas votre vrai problème, dit le pilote une fois éteinte la clameur du moteur.

— Comment ? demanda Zen, abasourdi par cet atterrissage sans faute.

— Que l'hélice nous lâche ou que j'aie une crise cardiaque, répliqua le pilote. Votre vrai problème, c'est que vous êtes arrivé sans dommage. Malheureusement pour vous.

— Que voulez-vous dire ?

Le pilote sourit.

— Je vais être franc avec vous, signor Zen, puisque vous l'avez été avec moi. Enfin, pas tout à fait. Par exemple, vous ne nous aviez pas dit que vous étiez policier.

Zen sentit l'adrénaline déferler dans son cerveau.

— J'ai pensé que ça n'était pas la peine.

— En effet, ça ne l'était pas. Ça n'a aucune importance, parce que dans quelques heures vous n'aurez plus aucune possibilité de parler de quoi que ce soit à qui que ce soit. Quand j'ai demandé à nos amis siciliens si ce serait possible d'avancer la date de livraison parce qu'on m'avait demandé de transporter un certain Aurelio Zen, ils se sont montrés extrêmement intéressés. Il semble que des amis à eux aient hâte de vous rencontrer pour vous parler du récent décès d'un ami à eux. Du nom de Spada. Mes amis d'ici n'étaient bien sûr que trop heureux d'être en mesure de faire un cadeau à leurs amis.

L'avion s'immobilisa à côté des voitures et de la camionnette. Des silhouettes émergèrent de l'obscurité. La portière de l'avion s'ouvrit et Zen se vit intimer rudement l'ordre de descendre. Il posa un pied sur une surface qui évoquait un tarmac. De chaque côté de l'avion, les rangées de lueurs s'étendaient au loin dans le noir de la nuit, illuminant la scène de couleurs criardes. La camionnette avait reculé vers la portière arrière de l'avion, qui était également ouverte. Une équipe de cinq hommes se mirent à manipuler de gros paquets emballés dans du plastique et à les entasser à l'arrière de la camionnette.

Ce fut tout ce que Zen eut le temps de voir avant d'être bousculé vers une des voitures. Un homme d'une trentaine d'années à la chevelure aussi noire que bouclée et pourvu d'un organe nasal remarquable sortit de la voiture et s'approcha de Zen et de celui qui le ceinturait.

— Fouille-le, Nello, dit-il à ce dernier.

Des mains se mirent à palper Zen.

— Donne-moi ton portable, dit l'autre homme.

— Je n'en ai pas.

L'homme dévisagea Zen d'un air totalement incrédule.

— Eh bien, en fait, j'en ai un, dit Zen qui se rendait compte qu'il faisait piètre figure. Mais je l'ai laissé à la maison. Je ne m'en sers jamais, pour être franc. Je ne veux surtout pas que des gens puissent m'appeler de jour comme de nuit, où que je sois. Je suppose que je suis vieux jeu.

Nello éclata de rire.

— T'es pas seulement vieux jeu, *papà*. T'es en voie d'extinction.

Il attrapa Zen par le bras, le poussa sur le siège arrière de la voiture et s'assit à côté de lui. L'autre homme se mit au volant et démarra le moteur. Ils roulèrent sur la piste d'atterrissage qui ressemblait de manière frappante à une *autostrada,* puis ils tournèrent à droite pour s'engager cahin-caha sur un chemin de terre. Arrivé au bas du chemin, Zen s'aperçut que la piste d'atterrissage qu'ils laissaient derrière eux était en effet une portion d'autoroute à quatre voies, perchée sur des piliers de béton et s'interrompant abruptement juste au-delà de la rampe d'accès en terre par laquelle ils étaient descendus.

— Qu'est-ce qui se passe ? demanda-t-il d'un ton indigné.

Nello rit.

— T'es une VIP, *papà* ! On vient te chercher à l'aéroport.

La voiture tourna à gauche pour se retrouver sur une petite route pavée et se mit à accélérer.

Ils roulèrent en silence pendant près de deux heures. Zen vit des panneaux indiquant Santa Croce, Raguse, Módica, Noto, Avola, Syracuse, Augusta, Lentini... Le fait que ses ravisseurs n'aient pas pris la peine de lui bander les yeux voulait presque certainement dire qu'on allait le tuer. Tout le reste mis à part, il connaissait à présent la situation géographique approximative de la portion d'autoroute inachevée que le clan local utilisait comme piste d'atterrissage pour ses cargaisons de drogue. Oui, il allait falloir qu'ils le tuent, c'était hors de doute.

— Comment vous y prenez-vous pour illuminer l'autoroute ? demanda-t-il.

À sa grande surprise, la réponse vint immédiatement.

— Des torches de détresse accrochées à un câble électrique, répondit Nello non sans enthousiasme technique. On installe tout à l'avance, on branche sur une batterie de voiture, et quand le pilote appelle sur la radio, on envoie le jus.

— Ta gueule, Nello, dit le conducteur.

— Qu'est-ce que j'ai...

— Ferme ta gueule, c'est tout !

Un gros avion de ligne passa au-dessus d'eux, ses puissants feux d'atterrissage semblant aspirer les nuages éparpillés à basse altitude. Puis Zen vit des panneaux indiquant Catane et eut une bouffée d'espoir. Dans la grande ville, il y aurait des feux de signalisation et, même à cette heure de la nuit, des embouteillages. Il trouverait peut-être l'occasion d'échapper à ces nervis de la Mafia pour se mettre sous la protection des autorités, qu'il avait rejetée avec tant d'arrogance. Ses chefs ne seraient pas très contents de sa disparition, et encore moins de ce qui était arrivé à Alfredo Ferraro ; il allait lui falloir être patient, enclin à la pénitence et pénétré de remords, comme un mari adultère, mais à la fin ils seraient bien obligés de le reprendre. Après tout, il était des leurs.

Malheureusement pour ce scénario idyllique, les panneaux indiquant Catane disparurent, remplacés par d'autres où étaient inscrits des noms comme Misterbianco, Paternò et tout un tas d'autres bleds dont Zen n'avait jamais entendu parler. La voiture gravissait péniblement les côtes, peinant comme un bateau par mauvais temps, sur une route sinueuse et abrupte. À part ça, il ne put qu'entrevoir les bourgades qu'ils traversaient à toute allure. Les deux hommes paraissaient à présent plus tendus qu'au départ.

Ils finirent par atteindre une autre petite ville, apparemment plus ou moins identique aux autres. Le conducteur prit de petites rues qui menaient à la piazza centrale et se gara devant un square au sol couvert de gravier, et où étaient plantés quelques arbres. À l'autre bout de la place se dressait une de ces statues civiques, imposantes mais guère inspirantes, qu'on trouve dans toutes les petites villes italiennes, commémorant en général quelque célébrité locale qui avait eu la malchance de naître là. Celle-ci représentait un homme vêtu d'un costume évoquant vaguement le XIXe siècle et dont la main droite serrait un livre contre son torse tandis que la gauche était brandie comme pour saluer ou haranguer. Zen lut le nom inscrit sur le socle à la lumière d'un des rares réverbères qui ornaient la place. Cela ne lui disait rien.

Entre-temps, le conducteur avait sorti son *telefonino* et s'était mis à parler rapidement en dialecte. Si lui et Nello n'étaient « que trop heureux de pouvoir faire un cadeau à leurs amis » en leur remettant Zen, ils le cachaient à merveille. Loin d'être heureux, ils avaient l'air d'être terrifiés.

Une minute plus tard, une voiture fit son apparition à l'autre bout de la place, roulant vers eux. Nello poussa Zen du coude.

— Dehors, dit-il.

Zen ouvrit la porte et se leva. L'air était frais et parfumé. L'autre voiture freina bruyamment et s'immobilisa à côté de la première, sans éteindre son moteur. Le conducteur en sortit et serra la main du ravisseur de Zen, et ils échangèrent calmement quelques mots. Puis l'autre homme étendit les bras et exhiba ses paumes comme un saint montrant ses stigmates. Son menton était légèrement pointé vers l'avant, ses lèvres serrées. Cette mimique typiquement sicilienne voulait dire : « Je m'en fiche complètement. »

Ce geste scellait le destin de Zen. Ils se fichaient complètement de lui. Ils ne regardèrent même pas vers lui. S'ils ne se souciaient pas de le garder, ni même de le surveiller, c'était pour la même raison que les anciens Romains trouvaient inutile de construire des murailles autour de leurs villes. Cela aurait été superflu : ils contrôlaient le village tout entier.

Les deux hommes conclurent leur discussion par une poignée de main et Nello se tourna vers Zen.

— Il faut que t'ailles avec lui, dit-il en désignant le nouveau venu.

Zen hocha la tête et se mit à marcher vers l'autre voiture. Sans un mot, le conducteur lui ouvrit la portière arrière, comme si Zen avait commandé un taxi. Sa confiance qui frisait la nonchalance confirma les pires craintes de Zen.

Puis, alors que Zen était sur le point de monter, la tête courbée comme celle d'un animal qu'on mène à l'abattoir, la planète se mit soudain à avoir des contractions. Les quatre hommes vibrèrent sur place, comme s'ils souffraient par contagion de moindres convulsions. Il y eut un énorme grognement qui semblait venir de nulle part, les pavés se mirent à trembler sous leurs pieds et les arbres agitèrent frénétiquement leurs branches malgré l'absence de vent. Finalement, alors que ces symptômes commençaient à s'atténuer, la statue de la célébrité locale se tourna vers eux et sa main gauche sembla leur adresser un au revoir. Lentement, mais inéluctablement, elle dégringola de son socle et s'écrasa au sol.

Pris de panique, les autres hommes se mirent à

courir, chacun dans une direction différente. Leur but n'avait aucune importance, l'essentiel était de se tirer de là. Après un sprint de cinquante mètres, Zen se retrouva tout seul dans une sombre ruelle, face à un vieillard à la haute stature, en pantoufles et robe de chambre, qui tenait une canne à la main.

— Tout va bien ? dit l'homme avec un fort accent étranger.

Il ne s'était pas exprimé en dialecte mais en italien.

— Aidez-moi ! dit Zen. Je vous en prie, aidez-moi.

L'homme l'examina.

— Vous êtes blessé ?

— Aidez-moi à partir d'ici.

— D'où ça ?

— Écoutez, il faut que vous m'aidiez ! J'ai la Mafia aux trousses. Ils m'ont enlevé. Je suis officier de police. J'ai besoin de donner un coup de téléphone. Les autorités seront ici en un rien de temps avec des hélicoptères et des véhicules blindés. Ils peuvent encercler l'endroit en moins d'une heure, mais d'abord, il faut que je donne ce coup de fil !

L'homme regarda Zen.

— Qui êtes-vous ? demanda-t-il.

Zen lui montra sa carte de police, que le vieillard examina à la lueur d'un briquet.

— Je vous en prie ! dit Zen tandis que l'autre lui rendait son portefeuille. Il faut simplement que je donne un coup de téléphone et que je trouve une cachette jusqu'à ce que mes collègues arrivent.

— Je crois que ce dont vous avez besoin, c'est d'un verre, répliqua le vieillard.

26

— Ainsi, c'est là que vous avez atterri ! Évidemment, évidemment. Ce projet d'autoroute est en cours depuis vingt ans et il est hors de doute qu'il lui faudra encore vingt ans pour aboutir. En théorie, elle est censée relier Catane et Géla en longeant la côte sud. Pour l'heure, elle n'existe que sur le papier, mais diverses personnes qui possèdent des parcelles de terrain le long du tracé ont su persuader les autorités régionales d'ordonner l'expropriation pour cause d'utilité publique, de racheter leurs parcelles et de construire tel ou tel tronçon afin de justifier ce rachat sur le plan budgétaire.

— Mais la plupart de ces parcelles doivent être sans valeur ?

L'hôte de Zen ramassa le paquet de Nazionali que ce dernier avait laissé sur la table — il en avait fumé trois de suite juste après son arrivée dans les lieux.

— Combien cela vaut-il ? demanda-t-il.

— Le paquet est à moitié plein... Disons deux mille lires.

— Je vous le paie quatre mille.

— Pourquoi feriez-vous ça ?

— En quoi cela vous regarde-t-il ? Mettons que j'ai une irrépressible envie de fumer une cigarette.

En tout cas, si vous acceptez de me le vendre, ce paquet vaut maintenant le double de ce qu'il coûtait il y a un instant. À présent, supposons que vous vous aperceviez subitement que vous n'avez plus de cigarettes et que vous me proposiez de m'en racheter une. À quatre mille lires les dix, elle vaut quatre cents lires, mais je veux réaliser un bénéfice sur cette transaction, donc je vous la fais payer six cents lires. Ce qui porte la valeur de celles qui restent dans le paquet à cinq mille quatre cents lires. Nous avons presque triplé la valeur de ces cigarettes en vingt secondes, sans qu'aucun argent ne change de mains.

Ils étaient assis dans une petite pièce au premier étage d'une maison qui aurait pu avoir un siècle comme un millénaire d'existence. Ils faisaient face à un âtre vide. À un bout de la pièce, à côté de l'escalier qui donnait sur la rue, se trouvait un coin cuisine. À l'autre bout, une fenêtre ouverte laissait entrer une brise nocturne parfumée, et un autre escalier menait au deuxième étage. Le mobilier consistait en un tableau représentant un jeune homme en uniforme, des cartons de livres en quatre langues et une chaîne stéréo qui diffusait la mélodieuse musique d'un ensemble d'instruments à vent. Zen but une nouvelle gorgée du whisky que son hôte lui avait versé et essaya de revenir à la réalité.

— Écoutez, il faut absolument que je donne ce coup de fil.

Son hôte secoua la tête.

— J'avais un téléphone, dans le temps, mais personne ne m'appelait jamais et les rares fois où je voulais appeler moi-même, la ligne était toujours en panne.

Zen se frappa le front du poing. Pourquoi n'avait-il pas emporté son téléphone portable ? *T'es pas seulement vieux jeu, papà, t'es en voie d'extinction.*

— En tout cas, ce que je voulais dire, c'est que ce qui vaut pour notre transaction fictive sur les cigarettes vaut aussi pour la terre, poursuivit le vieux monsieur. Davantage encore, parce qu'on ne fabrique pas la terre. Donc, ce qu'il en existe vaut exactement le prix que les gens sont disposés à payer pour l'acquérir. Et j'imagine que la parcelle sur laquelle ils ont construit le tronçon d'autoroute où vous avez atterri a été vendue à un prix en effet très élevé. L'acquéreur devait avoir des amis au sein du gouvernement régional qui l'ont informé du tracé de l'autoroute. Il a acheté les champs visés par le projet avant de les revendre au double à un ami qui à son tour les aura revendus au double. En fonction du temps dont ils disposent, ils peuvent alors présenter aux autorités des actes de vente en bonne et due forme prouvant que cette parcelle broussailleuse et aride vaut désormais vingt fois, quarante fois, voire cent fois ce que vaut la parcelle voisine, ni plus aride, ni plus broussailleuse. Et bien sûr, l'ami de cet ami qui est en fonctions au gouvernement régional fera en sorte que, plutôt que de définir un nouveau tracé, les autorités paient ce prix exorbitant.

La maison tout entière se mit à trembler brièvement, faisant doucement osciller le lustre et danser les ombres dans la pièce.

— Une réplique, dit tranquillement l'hôte de Zen. Il y en aura peut-être d'autres. Mais ce qui nous inquiète vraiment, ici, c'est que c'est peut-être le prélude d'une éruption. La dernière fois, en 1942, la lave en fusion avait presque atteint le village. Et ce n'était qu'une fuite, une petite goutte. Si l'Etna devait se fâcher, comme il l'a fait en 1169, en 1381 ou en 1669, ou comme en 475 avant Jésus-Christ, tous les habitants de ce village trouveraient la mort en quelques secondes.

— Alors pourquoi avez-vous choisi de vivre ici ? demanda Zen. Vous n'êtes pas sicilien, n'est-ce pas ?

— Non, je ne suis pas sicilien.

Il y eut un long silence.

— Je répondrai à votre question en temps voulu, si vous insistez, finit par dire l'hôte de Zen. Mais il nous faut d'abord résoudre vos propres problèmes.

— Il doit y avoir une cabine, dans le village, s'enquit Zen. Pouvez-vous y aller pour appeler un numéro que je vais vous donner et exposer la situation à mes collègues ?

Le vieil homme secoua la tête.

— L'unique téléphone public se trouve dans le seul bar du village, qui est fermé à cette heure. Je pourrais aller téléphoner de chez un voisin, mais ce serait si inhabituel que celui-ci écouterait certainement ce que je dirais au téléphone. J'ai quatre-vingts ans, dottore. Je vais bientôt déménager une dernière fois, si on peut dire, mais je ne veux pas le faire avant terme. Si on apprend que je vous ai accueilli et qu'ensuite j'ai appelé les autorités, la vie deviendrait impossible pour moi, ici.

— Pouvez-vous me conduire quelque part d'autre ?

— Je n'ai pas de voiture.

— Alors, que faire ? demanda Zen d'un ton de désespoir.

— D'abord la stratégie, ensuite la tactique, comme le répétait mon commandant. J'ai besoin d'en savoir un peu plus sur la situation. Par exemple, vous m'avez dit que cet avion qui vous a amené de Malte a atterri quelque part près d'une ville qui s'appelle Santa Croce, c'est bien ça ?

Zen hocha la tête.

— C'est le premier panneau que j'ai vu, en effet.

— En ce cas, le comité de réception était presque

certainement composé de membres du clan Dominante, qui contrôle le secteur de Raguse, à moins qu'ils n'appartiennent à l'une des scissions qui tentent d'assurer leur hégémonie, comme la famille D'Agosta.

Zen lui adressa un regard intense.

— Vous avez l'air très bien informé sur le sujet.

— Potins de village. Les hauts et les bas des familles mafieuses sont pour nous ce que le classement au championnat de football représente dans certaines cultures. Vous m'avez aussi dit que le pilote vous avait confié qu'ils rendaient service à des gens d'ici qui voulaient vous parler. Il s'agit sans doute de Don Gaspare Limina. Nous sommes dans son village natal, et même si la plupart de ses affaires sont gérées à Catane, ce village demeure sa place forte et le refuge où il se retire quand ça devient chaud pour lui en ville.

— Il est là, en ce moment ? demanda Zen.

— Il est là en ce moment. Vous avez une idée de la raison pour laquelle il veut vous rencontrer ?

Zen alluma une autre cigarette et resta silencieux pendant un petit bout de temps.

— Mieux encore, je sais aussi pourquoi je souhaite moi-même le rencontrer, dit-il enfin.

— Excellent. Mais cela pourrait être dangereux, voyez-vous. Je peux arranger une telle rencontre, mais je ne suis pas en mesure de garantir votre sécurité.

— Je comprends. Je vais risquer le coup.

Son hôte se leva et leur versa à tous deux un autre verre de whisky.

— Vous les trouverez peut-être bien moins méchants que ce que vous craigniez, dit-il. Vous m'avez demandé pourquoi j'habite ici. Eh bien, entre autres raisons, c'est parce que les gens dont nous parlons me rappellent, d'une certaine manière, ce que nous étions, mes camarades et moi, il y a de cela bien des années. Contrairement à ce qu'on croit, ce ne sont pas des voyous sadiques ayant le goût de la violence. Ils ne font que ce qu'ils ont besoin de faire. S'ils ont besoin de vous voir mort, alors ils vous tueront. Sinon, ils vous laisseront la vie. Cela fait quarante ans que je vis ici et personne ne m'a jamais importuné. Je n'en vaux pas la peine, voyez-vous.

Il leva son verre.

— *Gesundheit*.

— Vous êtes allemand ? demanda Zen.

L'autre homme se contenta de le regarder.

Zen fit un geste décontracté. Le whisky commençait à faire son effet.

— J'ai fait mes « classes », comme on dit dans la police, dans le Haut-Adige, ce que vous nommez le sud du Tyrol, et j'ai appris quelques mots de votre langue.

L'autre homme sourit.

— Oui, je suis allemand. Je viens de Brême. Je m'appelle Klaus Genzler.

Zen s'inclina légèrement.

— Je ne saurai assez vous remercier pour votre hospitalité, Herr Genzler. Si vous ne m'aviez pas recueilli, je serais mort, à l'heure qu'il est. Et tout ça pour rien. Je ne savais pas où j'étais, voyez-vous. Je ne savais absolument pas qui étaient ces gens. Mais maintenant que je le sais, j'envisage de les rencontrer.

— Et pourquoi donc ?

— Parce que je crois qu'ils ont tué ma fille, et que je veux en avoir le cœur net.

— Votre fille ?

— Carla Arduini. Elle a été tuée en même temps qu'une juge, Corinna Nunziatella. Vous avez peut-être lu quelque chose là-dessus dans les journaux. Ils ont mitraillé la voiture avant de balancer un pain de plastic dedans, dans les environs de Taormina.

Klaus Genzler eut un sourire teinté de nostalgie.

— Ah, Taormina ! Cela fait plus de cinquante ans que je n'y ai pas mis les pieds.

Il est gâteux, songea Zen.

— Kesselring avait installé son quartier général à Taormina, dans l'ancien couvent dominicain. J'ai eu la chance d'y être convoqué à plusieurs reprises. Une architecture merveilleuse, des paysages éblouissants. Il se gâtait, le Feldmarschall. Mais je ne crois pas que ce soit le clan Limina qui ait tué votre fille.

Ou peut-être pas.

— Vous n'y croyez pas ?

Genzler secoua la tête.

— Je me souviens du jour où est arrivée la nouvelle de cette atrocité. Il régnait ici une impression de peur et de confusion. Les gens d'ici sont habitués aux événements tragiques, mais ils s'attendent à ce que Don Gaspare en connaisse les responsables et les motifs, même s'il n'en est pas le commanditaire. Ils sont comme des enfants. Tant que papa a l'air de savoir ce qui se passe et de ne pas s'en inquiéter, les enfants ne s'inquiètent pas non plus, même s'ils n'y comprennent rien.

Il avala une autre gorgée de whisky et sortit un petit cigare.

— Mais le jour où la nouvelle est arrivée, il y avait une atmosphère de panique dans le village. J'ai tout de suite compris pourquoi, et mon intuition s'est vue confirmée par des renseignements que j'ai pris par la suite. Non seulement Don Gaspà n'a pas ordonné cette exécution, mais il ne sait absolument pas qui en sont les commanditaires.

Genzler alluma son cigare et fixa Zen.

— Savez-vous ce que cela signifie, dans les milieux dans lesquels il gravite ? Cela signifie qu'il est fini. Taormina est sur le territoire des Limina. Si quelque chose que vous n'avez pas ordonné se passe sur votre territoire, et que vous n'arrivez pas à découvrir le coupable et à le punir, vous pouvez aussi bien faire valoir vos droits à la retraite et ouvrir une épicerie, car personne ne vous prendra plus jamais au sérieux.

Zen hocha furtivement la tête. Une cohorte de pensées se bousculaient dans sa tête, comme un banc de marsouins froissant les flots avant de disparaître dans la profondeur des eaux. Il voulait laisser libre cours à ce processus mental avant d'essayer d'en tirer les conséquences.

— Alors, vous avez fait la guerre ? demanda-t-il à Genzler.

— Oui, en effet. Ce village constituait notre principal avant-poste lors du débarquement allié en Sicile. Nombre de mes amis sont tombés ici. La plupart ne furent jamais enterrés.

Il aspira longuement sur son cigare.

— Nous, les Allemands, nous devions tenir face aux forces d'invasion dans cette partie de l'île. Nos alliés italiens étaient responsables de la partie nord. Nous devions affronter les Britanniques et eux, les Américains, lesquels disposaient d'une arme secrète, un certain Lucky Luciano. Vous avez sans doute entendu parler de lui. Un mafioso expatrié aux États-Unis qu'ils avaient tiré de sa prison, où il purgeait une peine de cinquante ans de détention, afin de persuader les Italiens de ne pas résister à l'invasion. Et ça a marché. Luciano obtint de Calogero Vizzini, le *capo di capi* de ce temps-là, d'assurer le soutien de la Mafia aux Alliés en échange de la libération de tous leurs amis emprisonnés dans les geôles fascistes où ils croupissaient depuis que Mussolini leur était tombé dessus. Résultat : nous avons été rapidement débordés, malgré notre vigoureuse défense de nos positions, et nous avons dû nous retirer sur le continent.

Il adressa un sourire amer à Zen.

— Le reste, comme on dit, appartient à l'Histoire.

Zen finit son whisky.

— Cela n'explique pas pourquoi vous vivez ici.

— Vous ne trouvez pas ? Eh bien, cela prendrait encore plus de temps à expliquer. En tout cas, j'ai été fait prisonnier par la suite, au cours de la bataille d'Anzio, et j'ai fini la guerre dans un camp. Quand je suis revenu en Allemagne, j'ai appris pour quelle cause exactement nous avions combattu avec tant de prouesses... et j'ai compris que je ne pourrais plus jamais y vivre. J'ai rassemblé le peu d'argent que j'avais, auquel s'ajoutait ce que m'avaient laissé mes parents, tués dans un bombardement, j'ai vendu ce qui restait de la maison familiale et je me suis installé ici. En 1950, cette maison m'a coûté trente mille lires, tous frais compris. Depuis lors, je vis ici, sur les restes de ma modeste fortune.

— À faire quoi ? demanda Zen, incrédule.

Klaus Genzler haussa les épaules.

— À essayer de me souvenir. À essayer d'oublier. À essayer de comprendre.

Il jeta son mégot de cigare dans l'âtre et ajouta :

— Bon, alors je les contacte, nos amis, et je leur dis que vous êtes ici ?

Zen sortit une pièce de cent lires de sa poche et la jeta en l'air. Il essaya maladroitement de la rattraper mais ne parvint qu'à la faire rebondir dans une zone d'ombre du salon, où elle acheva sa trajectoire sous un antique canapé de cuir, aussi gros qu'une voiture. Les deux hommes se mirent à rire.

Zen haussa les épaules d'un air las.

— Allez-y, dit-il.

L'Allemand se rendit à l'autre bout de la pièce et se pencha par la fenêtre. Il agrippa le fil à linge métallique tendu au-dessus de la ruelle et le secoua vigoureusement à trois reprises, produisant ainsi un cliquetis à l'autre extrémité du fil. Au bout d'un moment, les volets de la maison d'en face s'ouvrirent et la tête d'un homme apparut à la fenêtre.

— *Buona sera, Pippo,* dit Genzler. Terrible, n'est-ce pas ? Non, non, pas de dégâts ici. Et chez vous ? La statue est tombée ? Eh bien, je suis sûr que le maire obtiendra une subvention de ses copains du gouvernement régional pour la faire remettre sur son socle. Il est très doué pour ce genre de démarches. Écoutez, il se trouve que je connais quelqu'un qui souhaite parler avec Don Gaspà et je crois savoir que le Don est tout aussi désireux de parler à cette personne. Son nom est Aurelio Zen. Vous pouvez vous renseigner pour savoir si... Il sera dans la rue, devant chez moi, dans cinq minutes. Très bien, nous les attendons.

Il ferma les volets et se tourna vers Zen.

— Ils arrivent. Vous avez une arme ?

Zen secoua la tête.

— Bien, dit Genzler. Je vous raccompagne.

— Je trouverai bien le chemin tout seul.

— Non, je viens avec vous.

— C'est très aimable à vous, Herr Genzler.

— Ce n'est pas une question d'amabilité. Ainsi, ils sauront que je sais que vous êtes entre leurs mains. S'ils vous tuent, il leur faudra me tuer aussi. Comme je vous l'ai dit, je ne puis rien vous assurer, mais cela augmentera peut-être vos chances de survie.

Zen le fixa d'un air ébahi.

— Mais vous ne me connaissez même pas ! Pourquoi risqueriez-vous votre vie de la sorte ?

Le regard de Genzler était un abîme de fierté et d'anxiété.

— Parce que je suis un officier allemand, dit-il.

Zen médita la signification de cette déclaration jusqu'à ce que ses pensées fussent interrompues par l'arrivée bruyante de plusieurs voitures dans la rue. Puis on frappa à la porte.

27

Cette fois, on lui banda les yeux à l'aide d'un foulard en toile épaisse, scotché au front et aux joues. Il essaya de se persuader que c'était bon signe.

Ils roulèrent pendant une vingtaine de minutes sur des routes qui montaient, descendaient et zigzaguaient de façon insensée. Personne ne parla. Il y avait au moins trois ravisseurs, ceux qui étaient venus le chercher chez Genzler. Aucun d'entre eux n'avait ouvert la bouche à ce moment-là non plus, même quand l'Allemand lui avait tendu la main en disant : « *Buona notte, dottore.* » Ils affichaient la plus grande indifférence. Zen n'était qu'une marchandise qu'ils étaient chargés de livrer, comme ces paquets sous emballage plastique que les trafiquants de Raguse avaient transbordés de l'avion dans leur camionnette, sur le tronçon d'autoroute où celui-ci avait atterri bien des heures auparavant.

Enfin, la voiture fit une ultime embardée sur la gauche et s'immobilisa. Il y eut un bref échange verbal en dialecte avant que Zen ne soit extrait de la voiture et poussé sans ménagement sur un sol pavé, puis sur des marches, où il trébucha par deux fois, et enfin dans un bâtiment. Il y flottait une odeur de renfermé et d'abandon. Son escorte lui fit traverser une pièce au parquet nu, le fit pivoter sur la gauche et lui ordonna de s'asseoir. Curieusement, il eut peur d'avoir à s'asseoir ainsi, les yeux bandés, davantage que de tout ce qui lui était arrivé jusqu'à présent, peut-être parce que cela lui rappelait une farce du temps de son enfance, quand on retirait la chaise au dernier moment et qu'on tombait bêtement sur le cul, dans la douleur et l'humiliation.

Mais ces gens-là ne jouaient pas à ces petits jeux. Il entra en contact avec une chaise à laquelle ses chevilles et ses poignets furent aussitôt liés avec ce qui lui sembla être du fil en Nylon. Cela étant fait, les hommes se retirèrent, laissant Zen seul dans la pièce.

Il s'écoula peut-être une demi-heure avant qu'il n'entende une voiture se garer à l'extérieur. Sa cécité semblait l'avoir désorienté au point qu'il lui était difficile de conserver la notion du temps. Ainsi coupé de toute distraction externe, le reste de son cerveau avait fonctionné de manière bien plus efficace que d'habitude. Lorsqu'un bruit de pas se fit entendre sur le plancher, annonçant le retour de ses ravisseurs, il avait passé en revue tout ce qu'il savait ou pouvait déduire des événements des dernières semaines.

Il avait également décidé de la manière dont il ferait face à l'interrogatoire qu'il était sur le point de subir. Il se montrerait respectueux et exigerait en retour qu'on le respecte aussi. « Ne te prosterne pas », lui avait dit Gilberto. Se prosterner devant ces gens, même s'il était entièrement à leur merci, serait une erreur fatale. S'ils avaient l'intention de le tuer, aucune supplication ne les en empêcherait. Mais s'ils en venaient à le mépriser, ils le tueraient peut-être par pur dédain.

Le rythme irrégulier des bruits de pas cessa juste devant lui. On aurait dit que la pièce était subitement devenue plus petite. Zen estima qu'ils étaient au moins six. Le silence se fit. Il eut l'impression que quelqu'un l'examinait, le scrutait, le jaugeait.

— Alors, signor Zen, dites-moi pourquoi vous avez tué notre ami Spada.

Zen remarqua la qualification « signor », qui était en Sicile une formule injurieuse en soi et sous-entendait que la personne ainsi désignée n'avait aucun droit à un titre plus honorable.

— Pourquoi avez-vous tué ma fille, Don Gaspare ? répliqua-t-il.

— Nous n'avons pas tué votre fille.

— Eh bien, nous sommes quittes, parce que je n'ai pas tué Spada.

Il y eut un rire bref et sardonique.

— Le beau-frère de Spada est le concierge de ce musée. Il habite dans un logement qui fait partie du même bâtiment. Quand il est rentré chez lui, ce soir-là, il a remarqué qu'une des fenêtres était ouverte, à l'étage. Quand il est allé voir de quoi il retournait, il a trouvé Spada étendu par terre, les mains attachées dans le dos. Il avait été étranglé. Il était 10 heures du soir et il était mort depuis environ deux heures. Vous aviez rendez-vous avec Spada au même endroit à 8 heures. Il paraît que vous êtes policier, signor Zen. Quelle conclusion tireriez-vous de ces faits ?

La voix était profonde, l'accent prononcé, l'homme devait avoir dans les cinquante ans.

— C'est tout ce que le beau-frère de Spada a trouvé ?

— Ça ne vous suffit pas ?

— Non.

— Il y avait quelques vitrines endommagées, et une fenêtre ouverte.

Zen resta délibérément silencieux pendant un instant avant de reprendre.

— Vous m'avez demandé quelle conclusion je tirerais de ce que vous venez de me dire, Don Gaspare. Ma réponse est que j'en serais arrivé à la même conclusion que vous si un témoin visuel ne m'avait pas assuré qu'un autre homme avait également été tué ce soir-là au musée.

Plusieurs hommes se mirent à rire, cette fois, et d'un rire encore plus sardonique.

— J'ai bien peur que nous ne soyons pas en mesure de faire comparaître ce témoin visuel, signor Zen, à supposer qu'il existe vraiment.

— Pas besoin de le faire comparaître. Et il existe vraiment. Il est assis devant vous.

— Alors vous admettez que vous étiez bien sur place ?

— C'est vrai, j'y étais. Mais il y avait aussi deux autres hommes. L'un d'eux était en train d'étrangler Spada quand je suis tombé sur lui. Il a sorti une arme à feu et je l'ai abattu. Il est mort sur le coup. Son partenaire s'est échappé par la fenêtre. Manifestement, il est revenu plus tard, il a éteint l'alarme que j'avais déclenchée et fait disparaître le corps de son complice.

Nouveau rire, moins assuré cette fois.

— Pourquoi devrions-nous croire cette version ?

— Don Gaspare, Spada a été étranglé par un professionnel. Pas à deux mains autour du cou, comme on le voit au cinéma, mais avec une main sur la trachée pendant que l'autre main appuie en forçant sur la nuque. C'est un dur labeur. Regardez mes mains. Je suis un fonctionnaire, je fais un travail de bureau. Spada était robuste et vigoureux et avait au moins dix ans de moins que moi. Il est impossible que j'aie pu l'étrangler de cette façon, et surtout que je sois parvenu à lui lier les mains dans le dos.

Un silence intense tomba sur la pièce.

— Vous êtes en train de dire qu'un autre clan a tué Spada ? Qui ça, ceux de Corleone ?

— Non, ils n'ont pas tué Spada. Et je ne crois pas qu'ils aient tué Tonino non plus.

Le coup ne provoqua d'abord qu'une extrême surprise. Ce ne fut que lorsqu'il heurta le sol que Zen sentit la douleur et le goût salé du sang dans sa bouche. Des mains le ramassèrent, ainsi que la chaise à laquelle il était attaché, et le redressèrent.

— Ne vous avisez pas de prononcer le nom de mon fils ! dit la voix toute proche du visage de Zen.

Zen cracha par terre un peu de salive mêlée de sang et reprit son souffle.

— Comme vous l'avez dit, Don Gaspare, je suis policier. Je sais comment se déroulent les interrogatoires. Je connais tous les trucs et toutes les méthodes, les dures comme les douces. Si vous voulez y aller à la dure, je ne peux rien faire pour vous en empêcher. Mais si vous voulez connaître la vérité, il va falloir coopérer. Vous savez des choses que je ne connais pas, et je sais des choses que vous ne connaissez pas. Si vous me tabassez à chaque fois que j'évoque l'une d'entre elles, on n'ira pas très loin.

Un bruit de pas traînant.

— Bon, d'accord ! Dites-moi quelque chose que je ne sais pas.

— Spada a été assassiné par un agent du groupe d'opérations spéciales des carabiniers, celui que j'ai abattu. Son nom est Alfredo Ferraro. Son partenaire, qui a réussi à s'échapper, se nomme Roberto Lessi. Ils voulaient éliminer Spada avant qu'il ne me parle, mais ils voulaient le faire de manière à ce que cela ressemble à une exécution dans le style classique de la Mafia.

Il s'interrompit un instant et ajouta :

— C'est comme ça que vous faites, n'est-ce pas ? Si vous me tuez, plus tard dans la soirée, vous m'étranglerez.

— C'est une possibilité, concéda la voix d'un ton léger. Cette perspective n'a pas l'air de vous affoler...

— Don Gaspare, au cours des dernières semaines, ma fille a été assassinée et ma mère est morte. Ma propre vie ne me paraît plus aussi importante qu'avant.

Il y eut un bref murmure, comme un son de souffle que l'on retient.

— Je savais que votre fille était morte, bien sûr, mais j'ignorais le décès de votre mère. Je vous présente mes plus sincères condoléances.

— C'est gentil à vous, Don Gaspare. Maintenant, revenons au décès de votre fils. Vous n'allez pas me frapper si je l'appelle ainsi ?

— Continuez.

— Avant de mourir, la juge Corinna Nunziatella avait photocopié son dossier sur ce qu'on appelle l'affaire Limina. Elle redoutait à l'évidence que ces documents soient officiellement déclarés « disparus », ce qui en effet arriva. Une note manuscrite conclut le dossier en mentionnant les noms des deux agents du ROS qui ont exécuté Spada. Il semble qu'ils aient pris possession de l'original. La copie, en revanche, m'avait été confiée, et je l'ai consultée après la mort de la Nunziatella. Les preuves que contient le dossier sont indirectes, et à première vue pas très concluantes, mais quand on les rapporte à de plus récents événements, je crois qu'elles indiquent très clairement qui a tué Toni... qui a tué votre fils.

Un rire rauque.

— Ça, on le sait déjà ! Ce sont ces enculés de Corleone, et on leur a déjà rendu la politesse. On leur a envoyé en cadeau un peu de bonne viande fraîche de Catane ! Pas vrai, les gars ?

— Les gens de Corleone n'ont pas tué votre fils, dit Zen, impassible.

— C'est ridicule ! aboya son interlocuteur. Nous savons qu'ils contrôlent Palerme... ou, du moins, c'est ce qu'ils aiment à penser. Tonino a été trouvé dans un wagon appartenant à un train en provenance de Palerme, avec le nom de notre famille inscrit sur le bordereau de voyage. Le message est clair.

— Ce train n'a jamais existé.

— Mais c'est absurde ! Vous, plus que quiconque, devriez le savoir ! Vos collègues l'ont mis sous scellés à la gare de triage de Catane. À ma connaissance, il s'y trouve encore.

— Il y a bien eu un train, répliqua Zen. Et il venait en effet de Palerme. Mais le wagon dans lequel votre fils a été découvert n'en a jamais fait partie. Tout indique que ce wagon se trouvait à l'endroit où il a été découvert depuis au moins un mois, peut-être davantage. Votre fils a été enlevé à Milan, alors qu'il se rendait au Costa Rica. Il a ensuite été ramené en Sicile et enfermé dans ce wagon sur lequel un bordereau factice a été collé. Une fois votre fils mort, un train de marchandises en provenance de Palerme a été arrêté et immobilisé brièvement sur la voie de garage où le wagon stationnait, précisément pour vous faire croire, à vous comme au reste du monde, que c'était effectivement un message de Palerme.

— Mais si ce ne sont pas les gens de Corleone qui ont fait le coup, alors, qui est-ce ? Et pourquoi ce meurtre ?

La voix s'était faite presque implorante, à présent. Zen avait repris la main.

— Nous y viendrons dans un instant, dit-il d'un ton légèrement condescendant. Mais d'abord, j'aimerais parler d'autre chose. Nous avons parlé de votre fils, Don Gaspare. Qu'en est-il de ma fille ?

— Je vous ai déjà dit que nous n'avions rien à voir là-dedans. Nous n'avions pas intérêt à tuer cette juge. J'avais appris que la DIA avait fermé le dossier, ayant accordé foi à notre déclaration selon laquelle le corps découvert dans le wagon n'était pas celui de Tonino. C'était faux, bien sûr, mais nous préférons régler nos comptes à notre manière et en temps voulu, sans interférences de la part des autorités. Quoi qu'il en soit, elles nous ont crus. Pourquoi prendre la peine de tuer une juge qui avait été déchargée d'un dossier désormais classé ?

— La Nunziatella devait s'occuper d'autres dossiers, impliquant d'autres clans. C'est peut-être l'un de ces clans qui l'a tuée.

— Non !

— Comment pouvez-vous en être certain ?

— *Vous ne comprenez pas !*

Ces paroles étaient aussi brutales qu'un nouveau coup de poing dans la figure.

— Rien de tel ne peut se passer sur mon territoire sans que je l'aie ordonné ou autorisé, vous comprenez ? Je dirige Catane. Le port, les projets de construction, les commissions, les rackets, les punitions, je contrôle tout ! Et certainement tous les meurtres. Je ne serais pas ce que je suis si ce n'était pas le cas. Et je vous assure que ni moi ni aucun de mes amis n'avons le moindre rapport avec le meurtre de cette juge.

— Vous *dirigiez* Catane, dit tranquillement Zen.

Un énorme silence.

— Je vais peut-être demander à Rosario de vous couper la gorge, siffla son interlocuteur. Ne serait-ce que pour vous montrer que j'ai encore mon mot à dire, putain de merde, sur ce qui se passe dans le coin !

— Je ne dis pas le contraire, Don Gaspare, répliqua Zen d'un ton apaisant. Mais me tuer ne le prouverait pas. Tout au contraire, en fait. Je ne suis qu'un policier ordinaire, même pas un membre de la DIA. Vous perdriez un peu de respect, en vérité, si vous vous abaissiez à tuer quelqu'un comme moi. Ce serait comme agresser une petite vieille pour lui piquer son sac à main.

Il y eut un petit rire.

— Vous avez des couilles, Zen, on peut pas dire le contraire.

— Je ne suis pas un crétin, non plus. Je crois que je sais qui a tué Corinna Nunziatella, mais je n'ai pas de preuve absolument concluante que vous et vos amis n'y êtes pour rien. Mais il n'était pas nécessaire de se fâcher comme ça. Il aurait suffi que vous m'en donniez votre parole d'*uomo d'onore*. Je l'aurais acceptée sans hésitation.

— Alors, qui a tué cette juge ? demanda la voix d'un ton plus calme.

— Les mêmes gens qui ont tué Spada. Les mêmes gens qui ont tué votre Tonino.

Il se prépara à recevoir le coup, mais celui-ci ne vint pas.

— Les agents du ROS ?

— Soit eux, soit des gens qui leur ressemblent beaucoup.

— Mais pourquoi iraient-ils tuer l'une des leurs ?

— Eh bien, il est possible qu'ils l'aient fait parce que la Nunziatella était tombée sur des preuves contredisant la version officielle sur la mort de votre fils. Si l'un des clans avait voulu enlever Tonino, ils n'auraient pas attendu qu'il soit en transit à l'aéroport de Milan pour le faire. Et c'est beaucoup plus facile de dérouter un train quand on dispose du pouvoir d'un organisme d'État. Mais en réalité, je ne crois pas que leur objectif premier était de tuer cette juge. Son élimination n'était que la cerise sur le gâteau, comme on dit. Mais cela leur a été très utile, parce que cela leur a permis de donner à cette opération toutes les apparences d'un meurtre mafieux, afin de dissimuler leur véritable cible.

— C'est-à-dire ?

— Ma fille.

Cette fois, le silence qui s'ensuivit était frêle et diffus.

— En vous écoutant, j'ai l'impression d'être vieux et hors du coup.

Zen sourit pour la première fois.

— Bienvenue au club. Je ne l'ai moi-même compris que depuis un ou deux jours. Rien de tel qu'une bonne cavale pour la concentration de l'esprit. Ma fille était en train d'installer le nouveau réseau informatique des bureaux de la DIA de Catane, conçu pour relier les membres de celle-ci à leurs collègues de Palerme et d'ailleurs. Elle m'a dit qu'elle avait découvert une anomalie dans le système, un intrus qui espionnait les enquêtes en cours. Elle avait également identifié la « signature » de l'ordinateur utilisé pour accéder au système. Ce qui voulait dire qu'on pouvait remonter jusqu'à l'intrus.

Il s'interrompit et demanda :

— Je peux avoir une clope ?

Après une brève pause, une cigarette allumée fut glissée entre ses lèvres. Il inhala goulûment. C'était une *bionda,* à en juger par le goût, sans doute américaine. C'était logique. La Mafia fumait les cigarettes dont elle faisait la contrebande, et celles-ci ne pouvaient être des Nazionali, trop bon marché et donc pas assez rentables. Il aspira deux ou trois bouffées avant de cracher la cigarette sur le côté.

— Carla en a déduit, très naturellement, qu'il s'agissait de quelqu'un travaillant pour Cosa Nostra, et elle a informé de ses découvertes le directeur de la DIA à Catane. Malheureusement, son hypothèse était presque certainement fausse. D'une part, vous et vos amis ne me faites pas l'effet de gens qui maîtrisent plus l'informatique que moi, qui n'y connais rien. Évidemment, vous auriez pu louer les services d'un spécialiste pour pénétrer dans le système du serveur de la DIA, mais je doute qu'une telle idée puisse vous effleurer. En outre, le réseau de la DIA, selon Carla, n'avait pas été forcé. La voie d'accès dont se servait l'intrus avait été installée dans le système depuis le début. Et on sait bien qui a décidé de l'emploi de ce système par un service judiciaire et policier d'élite, et ce ne sont pas vos amis.

Zen essaya de relâcher un peu les liens qui commençaient à faire souffrir sérieusement ses poignets et ses chevilles. À sa grande surprise, la voix aboya un ordre en dialecte et les fils de Nylon furent dénoués.

— Merci, Don Gaspare, dit Zen.

— Donc, ils ont tué votre fille parce qu'elle connaissait leur existence. Mais qui sont-ils, et quels sont leurs buts ?

Zen se frotta les poignets afin d'y réactiver la circulation sanguine.

— La réponse la plus simple, bien sûr, c'est qu'on ne le saura jamais. Mais, si l'on s'en tient aux événements dont nous connaissons la réalité, je crois qu'on peut le deviner de manière assez précise. Connaissez-vous ce célèbre tableau en trompe-l'œil, Don Gaspare ? On peut le voir soit comme un vase, soit comme le profil de deux visages en silhouettes. Je pense que, dans cette affaire, il y a un truc du même genre. Tout le monde croit que les gens de Corleone ont tué votre fils, que vous ou un autre clan a éliminé la juge Nunziatella et que d'autres gens tout aussi ténébreux, *di stampo mafioso,* ont étranglé Spada.

— Eh bien, on dirait effectivement que c'est ce qui s'est passé.

Zen sourit à nouveau.

— Mais de quoi tout cela aurait-il l'air, si l'on s'en tient à ma version de ces événements ? De quoi tout cela aurait-il l'air, si quelqu'un avait intérêt à encourager la violence entre les clans, ici en Sicile, et à montrer que ces derniers sont encore capables de tuer des juges surprotégés de la DIA ? De quoi tout cela aurait-il l'air, si quelqu'un avait commandité l'enlèvement de votre fils et sa fin atroce dans ce wagon, de manière à ce qu'on croie que le message venait de Palerme ? De quoi tout cela aurait-il l'air, si ce quelqu'un avait découvert que ma fille avait trouvé des indices permettant de l'identifier, et que Spada s'apprêtait à me fournir des détails supplémentaires à son sujet au cours de notre rendez-vous au musée ? De quoi tout cela aurait-il l'air, si tout cela était avéré, Don Gaspare ?

Il y eut un silence, suivi d'un léger accès de toux.

— Cela aurait l'air de ce que c'est, en effet.

— C'est ce que je voulais vous entendre dire.

— Mais qui est ce « quelqu'un » ?

— Qui sait ? Il doit y avoir pas mal de gens, à Rome, qui regrettent les bons vieux jours des Brigades rouges et des guerres mafieuses. La dernière chose qu'un politicien souhaite, c'est trop de stabilité. Quel besoin d'un État fort quand tout va bien ? Les politiciens sont les premiers à profiter des problèmes, des crises et des malaises sociaux. Et si toutes ces calamités viennent à manquer à certaines époques, alors ils les inventent. Et c'est bien de ça qu'il s'agit depuis le début de cette putain d'affaire : une invention.

— Pas besoin de me faire une conférence sur le *Terzo Livello,* répliqua l'autre homme d'un ton sec.

Mais, croyez-moi, il a disparu. Tous nos contacts sont éloignés du pouvoir ou en disgrâce, quand ils ne sont pas en prison ou en exil.

— L'ancien Troisième Niveau, sans doute, répliqua Zen. Mais il existe peut-être des niveaux dont vous ignorez jusqu'à l'existence. Le fait est, Don Gaspare, et je dis ceci avec tout le respect que je vous dois, que j'ai l'impression que ni vous ni ceux de Corleone ne sont à la pointe du crime organisé en Sicile, de nos jours.

Des bruits de pas se dirigèrent vers lui. La voix cria : « Non ! »

Les pas se turent avec un soupir de frustration muette.

— Excusez-moi, Don Gaspare, poursuivit Zen. Je ne fais que répéter ce que j'ai entendu dire. Et je suis très enclin à le croire, parce que cela expliquerait pourquoi ces gens de Rome ont choisi ces deux clans pour les manipuler dans le cadre de leurs projets de déstabilisation. Votre notoriété et celle des Corleone assurerait en effet une publicité maximale à une nouvelle guerre des clans, même si la réalité veut que vous ne soyez, les uns et les autres, plus dans le coup en tant qu'acteurs principaux. Ceux qui comptent, à présent, ce sont des clans plus ruraux, comme ceux de Cáccamo ou Belmonte Mezzagno, et surtout celui de Raguse, où l'on m'a « accueilli » à l'aéroport. Voilà les gens que les nouveaux politiciens vont courtiser. Vous et vos amis, vous êtes des hommes du passé, tout comme moi. Nous sommes tout juste bons à être sacrifiés, de simples pions dans le jeu auquel ces gens-là jouent.

Il se tut un instant, et son silence était lourd de sens, avant d'ajouter :

— Et si vous me tuez, vous faites leur jeu.

Il y eut un murmure de voix diverses, une discussion à voix basse, la sensation qu'une dissidence est rentrée dans le rang. Puis la voix revint, toute proche de Zen, légèrement à sa droite.

— Nous n'allons pas vous tuer, dottor Zen. Vous m'avez traité avec respect et je vais vous accorder le même traitement. Vous ne m'avez jamais vu, et l'endroit où nous nous trouvons est loin de chez moi. Vous n'êtes donc pas une menace pour nous, même si ces petits branleurs arrivistes de Raguse pourraient avoir des ennuis si vous révéliez où se trouve leur piste d'atterrissage... Mais qu'ils aillent se faire enculer !

Une vague de rire envahit la pièce.

— J'ai été très heureux de vous rencontrer, poursuivit la voix. Mais pour notre bien, à tous les deux, j'espère que nos chemins ne se croiseront plus jamais. Vous ne pouvez pas être mon ami, et je n'aimerais pas vous avoir comme ennemi. Nous allons vous quitter, à présent. Vos liens ont été ôtés. Dans votre propre intérêt, je vous demande de ne pas ôter votre bandeau des yeux avant cinq minutes au moins après notre départ. Dans le cas contraire, et si l'un d'entre nous est encore là, il n'hésitera pas à vous tuer. Une fois que nous serons sortis de ce secteur, l'un de mes hommes appellera la police de Catane pour lui indiquer où vous vous trouvez. Adieu, dottor Zen.

— Adieu, Don Gaspare.

Zen entendit les bruits de pas s'éloigner. Puis des moteurs se mirent à rugir, et ce bruit ne tarda pas à disparaître à son tour. Un silence parfait se mit à régner.

28

Il s'écoula trois heures avant qu'il ne soit rompu, bien plus longtemps que ne l'avait imaginé Zen. Il les passa assis sur le pas de la porte de la ferme abandonnée où il avait été interrogé. La lune était haute dans le ciel et la seule autre source de lumière était un ruban d'un rouge luminescent, aussi vivace et troublant dans la nuit qu'une blessure à vif. Il finit par comprendre que cela devait être la lave en fusion qui se déversait sur l'un des versants de l'Etna après l'éruption qui avait provoqué le séisme.

Enfin, d'autres lumières apparurent. Deux petits points, d'abord, l'un fixe, l'autre mobile et oscillant de part en part, disparaissant parfois pendant quelques minutes derrière une colline. Le son vint ensuite s'ajouter aux lumières, un raclement rauque auquel s'ajoutait un grincement plus aigu. Tous ces phénomènes gagnèrent en intensité jusqu'à ce qu'une voiture et une moto débouchent dans la cour de la ferme avant de s'immobiliser au pied du perron. L'homme qui chevauchait la moto rouge vif se mit à parler dans un micro et Baccio Sinico sortit de la voiture.

— Dieu merci, vous êtes en vie ! s'exclama-t-il tandis que Zen se levait. Je suis désolé d'avoir tant tardé, mais nos collègues carabiniers craignaient que ce ne soit un piège et souhaitaient prendre un certain nombre de précautions, lesquelles leur ont demandé un petit bout de temps. Puis, pour couronner le tout, leur voiture nous a lâchés en route. Ils ont dû prendre un mauvais virage, je suppose. Mais oh, dottore ! Pourquoi nous avez-vous faussé compagnie comme ça ? Regardez comment ça a fini ! Tout ce que nous voulions, c'était assurer votre protection. Là, vous avez de la chance d'être vivant.

— Nous sommes tous chanceux d'être vivants, Baccio, déclara Zen sentencieusement. Le problème, c'est qu'on l'oublie souvent.

Ils descendirent les marches du perron et se dirigèrent vers la voiture. Lorsqu'ils passèrent devant le motard, ce dernier ôta son casque et rangea son micro.

— Nous sommes prêts à y aller, dit-il à Baccio Sinico. Nous allons prendre un chemin légèrement différent, par Belpasso. Je roulerai à une cinquantaine de mètres devant. Ne perdez pas de vue mon feu arrière.

Sinico se tourna vers Zen.

— Je vous présente mon collègue carabinier, Roberto Lessi. Je crois que vous vous êtes déjà rencontrés.

L'agent du ROS dévisagea Zen en silence, lequel hocha lentement la tête.

— Oui, dit-il. Nous nous sommes déjà rencontrés.

Lessi remit son casque et fit démarrer sa moto. Sinico avait ouvert la portière arrière de la voiture, mais Zen monta à l'avant.

— Ça vous dérange si je m'assieds là ? demanda-t-il. J'ai été ligoté pendant un long moment, et j'aimerais pouvoir étendre mes jambes.

— Bien sûr, dottore, dit Sinico.

Puis, s'adressant au conducteur, il ajouta :

— Allons-y, Renato. Suis la moto.

Zen alluma une cigarette de ses doigts tremblants.

— Mais comment diable êtes-vous parvenu à persuader le clan Limina de vous laisser partir ? demanda Sinico en se penchant du siège arrière vers Zen. Leur réputation de cruauté n'a pas d'égale. Leur spécialité, c'est la noyade lente dans une baignoire suivie d'une disparition du corps dans l'une des cheminées latérales de l'Etna.

Zen ouvrit la fenêtre pour évacuer la fumée de sa cigarette.

— Oh, je leur ai raconté tout un tas de bobards, dit-il d'un ton las.

— Quelle sorte de bobards ?

— J'ai inversé les termes de l'affaire en suggérant qu'une officine gouvernementale secrète, à Rome, était derrière tout ça. Une campagne de déstabilisation, et ainsi de suite...

Sinico eut un rire teinté d'incrédulité.

— Et ils vous ont cru ?

— Je ne sais pas s'ils m'ont cru, mais ils m'ont laissé partir.

Sinico se pencha un peu plus entre les deux sièges avant et parla calmement à l'oreille de Zen.

— Mais vous, vous n'y croyez pas, à ces histoires de complots, hein ?

— Bien sûr que non.

Ils roulaient à vive allure sur cette route sinueuse, suivant toujours le feu arrière de la moto Guzzi.

— Au fait, vous avez mon revolver ? demanda Sinico.

— Non, hélas, je l'ai perdu. J'en assumerai toute la responsabilité. Remplissez une fiche pour le faire remplacer et je la contresignerai.

— C'est qu'il y a un problème, voyez-vous. L'un

des collègues de Roberto Lessi a été tué. Je crois que vous l'avez également rencontré. Alfredo Ferraro.

— Ce nom me dit quelque chose.

— Eh bien, il a été abattu. La nuit dernière, dans ce quartier difficile de la Piazza San Placido, là où traînent les putes et les *extracomunitari*.

Zen aspira une autre bouffée de sa cigarette avant de la jeter par la fenêtre.

— C'est là qu'ils ont trouvé le corps ?

— Oui, vers minuit. Et le problème, c'est qu'on dirait qu'il a presque certainement été abattu avec mon revolver. Comme vous le savez, nous passons des tests de tir dont les caractéristiques balistiques sont conservées dans un fichier. Ils ont trouvé une des balles qui ont été tirées sur les lieux, et les tests du labo montrent que les caractéristiques de mon revolver correspondent à celles de l'arme du crime.

Zen hocha la tête.

— Malheureusement, je ne peux pas vous aider, parce que l'arme m'a été subtilisée bien plus tôt, ce soir-là, une heure à peu près après notre séparation.

— Subtilisée ? Comment ça ?

— Un pickpocket. Vous savez que Catane est réputé pour sa petite délinquance. Je marchais dans une rue du côté de San Nicolò quand une femme m'a demandé du feu. Pendant que je lui tendais mon briquet, un homme m'a bousculé dans le dos. Une seconde après, ils avaient tous deux disparu dans une ruelle. Votre flingue et mon portefeuille avaient disparu avec eux.

— Oui, je vois, dit Sinico, dubitatif.

— Cet Alfredo Ferraro a sans doute vu ce couple tenter le même coup dans le secteur de la Via San Orsola. Il a dû vouloir les arrêter, et l'homme a sorti votre revolver et l'a abattu.

— Je suppose que c'est possible. Quoi qu'il en soit, c'est étrange.

— Ne vous en faites pas, Baccio, je tirerai cette affaire au clair. Nous sommes vivants, c'est l'essentiel. Le reste n'est que détails.

Devant eux, la lumière rouge avait viré au blanc ; elle brillait au loin en provenance de l'autre côté d'une petite vallée où la route serpentait le long d'un *torrente* saisonnier, à présent réduit à un lit complètement sec, formé de gros galets volcaniques.

— Appuie sur le champignon, Renato, dit Sinico au conducteur. On est en train de se faire larguer.

— Cette route est dangereuse, grommela l'homme.

Néanmoins, il mit le pied au plancher, et la voiture s'engagea à toute allure sur le petit pont en béton qui enjambait la rivière asséchée. Au sommet de la colline qui leur faisait face, l'homme à la moto fit clignoter son phare avant. Une autre lumière vint répondre dans l'obscurité au-dessus de lui. Un instant plus tard, le pont explosait.

Le motard remit son casque et fit pivoter sa machine. L'explosion avait été spectaculaire, même s'ils n'avaient pas eu beaucoup de temps pour la déclencher. La quantité d'explosifs utilisée ne représentait qu'une partie infime de ce qu'il avait fallu à la Mafia pour éliminer les juges Paolo Falcone et Giovanni Borsellino. Mais cela aussi serait perçu comme un message. Après tout, Zen n'était qu'un policier.

Retrouvez
Aurelio Zen
dans sa huitième enquête
aux Éditions Calmann-Lévy

ET PUIS
TU MEURS...

PAR

Michael Dibdin

Titre original anglais :
AND THEN YOU DIE

(Première publication : Faber and Faber Ltd, Londres)

© Michael Dibdin, 2002

Pour la traduction française :
© Calmann-Lévy, 2002

ISBN 2-7021-3286-3

[...]

Tout ici était propre, net et sûr – une enclave privilégiée où se trouvait renversée la théorie du chaos habituellement applicable à la vie urbaine en Italie. Zen avait d'abord trouvé cela charmant – exactement ce qu'il lui fallait pour sa convalescence prolongée –, mais à présent, cela commençait à lui taper sur les nerfs. Ici, point d'aspérités ni de frictions, nul coefficient de résistance. Il y avait des moments où il devait réprimer une forte envie de se comporter en mauvais sujet, histoire d'animer un peu la vie locale.

Mais une telle attitude n'aurait certes pas convenu à sa situation. De même, il lui fallait se rendre à la plage tous les jours. En vérité, Zen aurait préféré, si possible, éviter le soleil. Il détestait, en outre, avoir à rester assis sans rien faire pendant des heures d'affilée. Mais ses instructions étaient de passer inaperçu et de s'installer à Versilia, où ne pas aller à la plage aurait fait de lui une exception à la règle courante, et donc l'objet de la curiosité publique et de bien des commentaires. Il faisait donc ses quatre ou cinq heures de plage par jour, un peu comme s'il allait à l'usine, avant de rentrer tranquillement chez lui, résistant à l'envie de bousculer les gens, de proférer des insinuations malveillantes et des remarques sarcastiques. C'était dur, mais il avait des ordres.

Et il ne pouvait pas partir. Ses ordres étaient on ne peut plus clairs à ce sujet. Il devait rester à Versilia jusqu'à ce qu'on le contacte. Du reste, il n'avait nulle part où aller. Il n'était pas allé à Rome depuis la mort de sa mère, et n'éprouvait aucun désir d'y revenir. Tenter un autre retour à Venise était encore moins envisageable. À la seule idée de ces deux possibilités, il comprenait à quel point sa vie était encombrée par le passé, combien elle était dépourvue de tout avenir viable. Cette perspective ajoutait à sa dépression et paraissait sans échappatoire, alors il tâchait de penser à autre chose ou, mieux encore, de ne pas penser du tout. C'est tout ce qu'il me reste à faire, se dit-il pour la énième fois, arrêter de penser et profiter de cette existence agréable, calme et insouciante, dont la plupart des gens rêvent. Mais pourquoi diable n'était-il jamais content ?

Il entra dans le petit *alimentari* où il faisait ses courses tous les jours. [...] Le fait était que, depuis son arrivée, il ne se nourrissait que des plats cuisinés que l'épicerie proposait quotidiennement ou de ce qu'il y glanait dans les rayons et pouvait se préparer lui-même – une cuisine très limitée consistant surtout en entrées surgelées, soupes en sachet, sandwiches et pizzas à emporter. Dîner au restaurant seul aurait constitué une de ces anomalies que les termes de son contrat lui interdisaient. Même faire ses courses tout seul, pour un homme d'âge mûr, avait quelque chose d'anormal, mais il fallait bien qu'il mange.

Il s'approvisionna en café et en lait, acheta un peu de pain et quelques œufs. La caissière le regarda [...] d'un air perplexe, comme si elle le reconnaissait sans pouvoir l'identifier. Un tel regard, avec une autre paire d'yeux, pourrait bien m'être fatal, songea-t-il calmement. Le fait était qu'il ne s'en souciait guère. La mafia ne l'avait peut-être pas tué physiquement, mais quelque chose en lui était bien mort, une chose sans laquelle la vie ne valait pas vraiment la peine d'être vécue. Plus rien ne lui importait : telle était la séquelle persistante la plus tangible de l'*incidente*, et elle semblait devoir durer tout au long de sa retraite forcée et ennuyeuse, une douleur tenace qu'aucune thérapie, activité sportive ou hobby d'aucune sorte ne pourrait jamais chasser.

En face de l'épicerie était garée la camionnette blanche d'un vendeur d'œufs et de fruits et légumes. Elle était entourée d'une bande de ménagères, lesquelles se montraient impitoyables avec le vendeur à l'égard de la qualité, du choix et des prix des produits, rituel quotidien indispensable à toute personne ayant un tant soit peu de dignité et d'amour-propre. Ces femmes savaient qu'à moins de se rendre en voiture dans l'un des hypermarchés de l'intérieur des terres, elles devaient se contenter de ce que Mario avait à leur proposer, un peu de la même manière qu'elles devaient se contenter de leurs maris, de leurs enfants, de leurs cousins, de leurs logements et de tout ce qui faisait leur lot quotidien. Leur unique privauté était le droit de déplorer en râlant haut et fort l'iniquité de leur situation ici-bas, et elles s'en donnaient à cœur joie. Mario, qui savait bien que c'était là l'un des désavantages inhérents au commerce, participait avec entrain et vivacité aux divers microdrames qui en résultaient, jouant son rôle à la perfection.

Zen traversa la rue pour marcher à l'ombre, observant au passage la scène qui se déroulait devant le camion du maraîcher. Il vit aussi une petite bande de jeunes à vélo, un groupe de femmes gazouillant autour du bébé d'une voisine et un homme adossé contre un poteau téléphonique en béton qui mangeait une glace en observant les passants. L'homme portait un tee-shirt sur lequel était inscrit un slogan en anglais. Zen longea deux pâtés de maisons et atteignit la limite de la zone commerçante, puis il tourna à gauche dans une rue assez ancienne pour être antérieure au tracé géométrique imposé aux constructions les plus récentes. Elle dessinait une légère courbe et était bordée de portails en fer forgé et d'éruptions de verdure débordant de murs effrités. La villa qu'on lui avait attribuée se trouvait à peu près à mi-chemin de la rue, laquelle se terminait par un portique croulant, débouchant sur ce qui restait de la *pineta* originelle, qui avait été un vaste domaine. Il n'y avait presque pas de circulation, et aucun son ne venait troubler le silence, en dehors du murmure perpétuel des téléviseurs et des jappements espacés d'un petit chien névrosé appartenant à l'un des voisins.

Il arriva devant son portail et fit une pause avant d'ouvrir, afin de jeter un coup d'œil derrière lui. Il n'y avait personne en vue. *Ainsi ils savent déjà où tu habites*, lui dit une voix dans sa tête. « Oh, toi, la ferme ! » marmonna Zen. Une telle paranoïa professionnelle était semblable à la vanité de ces femmes

qu'on voyait sur la plage et qui ne pouvaient s'accoutu-
mer au fait que la valeur de leur capital sexuel sur le
marché du désir venait de chuter. « Nous sommes tous
deux des hommes du passé », avait-il dit à Don Gaspare Limina en Sicile, et c'était vrai. Pourquoi n'arri-
vait-il pas à accepter qu'il n'était plus dans le coup, et
qu'il ne le serait plus jamais ? Il se trouvait que la mafia
n'avait pas réussi à le tuer, grâce à un coup de chance
et à cause de leur incompétence, mais il ne valait guère
mieux que s'il était mort. [...]

Michael Dibdin
Et puis tu meurs...
Traduit de l'anglais par Serge Quadruppani
Calmann-Lévy
228 pages ; 17 €

Imprimé en France sur Presse Offset par

BRODARD & TAUPIN

GROUPE CPI

11985 – La Flèche (Sarthe), le 20-03-2002
Dépôt légal : avril 2002

POCKET – 12, avenue d'Italie - 75627 Paris cedex 13
Tél. : 01.44.16.05.00